Hilary Boyd vit en Angleterre. D'abord infirmière, puis conseillère conjugale, elle a écrit plusieurs livres sur des sujets de santé avant de se tourner vers la fiction. *Les Jeudis au parc* est son premier roman.

Ce livre est également disponible au format numérique

www.milady.fr

Hilary Boyd

Les Jeudis au parc

Traduit de l'anglais (Grande-Bretagne)
par Emmanuelle Detavernier

Milady Romance

Milady est un label des éditions Bragelonne

Titre original : *Thursdays in the Park*
Copyright © 2011 Hilary Boyd

© Bragelonne 2012, pour la présente traduction

Photographie de couverture :
© Kudryashkas / Shutterstock

ISBN : 978-2-8112-0765-6

Bragelonne – Milady
60-62, rue d'Hauteville – 75010 Paris

E-mail : info@milady.fr
Site Internet : www.milady.fr

À Tilda, avec tout mon amour,
toi qui es mon inspiration et la raison
pour laquelle j'allais tous les jeudis au parc.

Remerciements

Ce livre ne serait pas ce qu'il est sans les personnes suivantes : Laura Morris, Jane Wood, Don Boyd, Clare Boyd, Shelley Borkum, Jane Bow, Jenny Ellis et toute l'équipe de Quercus. Merci beaucoup à tous.

Chapitre premier

— Tu ne devrais pas boire autant.

Le murmure de George siffla dans la chaleur de cette nuit estivale, tandis qu'ils marchaient sur le trottoir silencieux.

— Je n'ai bu que trois verres, protesta Jeanie. Je ne suis pas soûle.

Elle ouvrit la porte et se dirigea vers la cuisine. Il faisait chaud, si chaud, même s'il était déjà 22 h 30. Elle jeta son sac et ses clés sur la table avant d'ouvrir les fenêtres de la terrasse.

— C'est tellement embarrassant. Tu parles si fort, d'une voix si aiguë, poursuivit-il comme si elle n'avait rien dit. Tu crois vraiment que quelqu'un s'intéresse aux essais cliniques sur les vitamines ? Si tu n'avais pas été aussi soûle, tu te serais rendu compte que ce type s'ennuyait à mourir.

Jeanie se retourna vers son mari, frappée par sa véhémence. Il avait été particulièrement tendu ce soir-là, hargneux même, avant qu'ils n'arrivent chez Maria et Tony. Alors qu'ils avaient à peine fini le café, George s'était levé d'un bond, affirmant qu'ils devaient partir en prétextant un quelconque rendez-vous le lendemain matin.

— Je n'étais pas soûle, George. Je ne suis pas soûle ! C'est lui qui m'a posé toutes ces questions, rétorqua-t-elle.

George récupéra les clés abandonnées sur la table pour les suspendre à la rangée de crochets dans le hall d'entrée. Au-dessus de chacun d'eux, une étiquette, rédigée de sa plus belle écriture, annonçait : « Maison-George », « Maison-Jeanie », « Voiture-George », « Voiture-Jeanie », « Double-George », « Double-Jeanie », pour éviter toute confusion.

— Si on prenait un verre sur la terrasse ? Il fait trop chaud pour aller se coucher.

Elle accrocha le regard de son mari pour voir s'il lui avait déjà pardonné, mais ses yeux étaient toujours plissés derrière ses lunettes d'écaille.

— Je suis sûr qu'il croyait que tu flirtais avec lui, ajouta-t-il d'un ton sec.

— Oh, pour l'amour du ciel !

Le souffle court, Jeanie rougit et se détourna rapidement. Elle ne se sentait pas coupable : l'homme en question, un gringalet aux dents jaunes, était plutôt sympathique mais vraiment pas sexy. Non, elle était anxieuse. Elle détestait les disputes. Ayant grandi dans un presbytère humide, elle avait vu sa mère suivre aveuglément les règles brutales et autoritaires de son époux sans jamais se révolter contre cette façon qu'il avait de la maltraiter. Jeanie avait vécu dans la peur de ce père, espérant pourtant que sa mère finirait peut-être un jour par exploser et refuser de se laisser intimider, tout en se jurant de ne jamais laisser personne se comporter de la sorte avec elle. George, avec ses bonnes manières, n'avait rien de commun avec lui.

Son mari haussa les sourcils.

— Tu rougis.

Elle prit une profonde inspiration.

— Si tu nous servais un verre d'armagnac ? On pourrait aller sur la terrasse pour se rafraîchir un peu. (Elle avait bien conscience d'avoir parlé d'une voix enjôleuse et s'en voulait.) Tu as vu à quoi il ressemblait, ajouta-t-elle faiblement en se dirigeant vers la terrasse.

Elle avait les nerfs à vif et se sentit soudain très fatiguée.

— Je crois que je vais monter, dit-il sans pour autant se décider à bouger.

Il restait là, grande silhouette dégingandée immobile au milieu de la cuisine. Il semblait perdu dans ses pensées, ayant de toute évidence oublié le stupide incident du dîner.

— George... qu'est-ce... qu'est-ce qui ne va pas ?

Elle s'approcha et leva les yeux vers lui. Ce qu'elle vit la bouleversa. Il avait l'air hagard, le visage empreint d'un indicible désespoir qu'elle ne lui avait jamais connu.

— George ?

Pendant un instant, il soutint son regard, comme paralysé. Il sembla sur le point de parler, puis se détourna brutalement.

— Il s'est passé quelque chose aujourd'hui ?

— Ça va... Je vais bien...

Pour empêcher sa femme de le questionner davantage, il ajouta :

— Tout va bien. Qu'est-ce qui aurait bien pu se passer ?

Elle vit ses traits se contracter en une sorte de grimace comme s'il se forçait à changer d'expression. Il se dirigea vers l'escalier.

— Tu viens ? murmura-t-il en quittant la pièce.

L'atmosphère de la chambre était étouffante bien que la fenêtre soit grande ouverte. George se tourna vers elle lorsqu'elle se coucha. Elle sentit ses longs doigts lui effleurer la joue puis la bouche avant de descendre lentement sur son corps en une caresse pleine de désir. Elle n'avait pas envie de lui, mais il semblait si déterminé qu'elle ne pouvait refuser. Ce n'était pas de l'amour, pourtant. Elle aurait aussi bien pu être n'importe qui. Elle avait l'impression étrange qu'ils n'étaient pas là, nus, entre ces draps chauds et humides. Les gestes de George étaient mécaniques, froids, impersonnels.

Soudain, il s'écarta brutalement et se rencogna contre le montant comme pour échapper à un scorpion rampant sur le matelas.

Jeanie l'observa dans la pénombre.

— Qu'est-ce qu'il y a ?

Sans dire un mot, son mari se leva et alluma la lampe de chevet. Il se tenait là, nu, les bras serrés autour du corps en considérant sa femme. Elle dut se retenir de reculer sous le poids de ce regard froid et vide.

— Je ne peux pas… Je ne peux pas faire ça, dit-il lentement comme s'il cherchait ses mots.

Elle se pencha vers lui, mais il retira son bras, la main levée comme pour se défendre, alors qu'elle se trouvait toujours du même côté du lit. De l'autre main, il attrapa son pantalon de pyjama bleu marine qu'il serra contre lui tel un bouclier.

— Je ne comprends pas, George. Parle-moi. Explique-moi.

Jeanie sentit son souffle se bloquer dans sa gorge tandis qu'elle s'asseyait pour lui faire face.

George ne répondit pas. Il restait debout, immobile.

— Je veux dire…, s'entêta-t-il comme un noyé refusant la main qu'on lui tend. Je ne peux plus faire ça.

— Faire quoi ? George ?

Il se retourna et récupéra ses lunettes sur la table de chevet en se dirigeant vers la porte.

Jeanie se leva et le rattrapa.

— Où est-ce que tu vas ? George ? Tu ne peux pas partir comme ça. J'ai fait quelque chose de mal ? Je t'en prie… dis-moi.

Mais il feignit de ne pas l'entendre, la regardant à peine.

— Je vais dormir dans la chambre d'amis.

Je ne peux plus faire ça. Ses mots résonnaient encore alors qu'elle se retrouvait seule dans le lit défait, choquée mais surtout perplexe. Ils avaient vécu durant vingt-deux ans dans une routine rassurante, voire dans un certain ennui. Ils ne se disputaient jamais. Du moins tant que Jeanie acceptait le besoin apparemment bienveillant de son mari de la contrôler. Ce soir-là, il lui semblait qu'elle avait inconsciemment mis le pied sur un volcan brusquement entré en éruption. Qu'était-il arrivé à son époux ?

Le lendemain matin, George se comporta comme s'il ne s'était rien passé. En chemise de nuit, Jeanie descendit dans la cuisine ensoleillée et le trouva en train de dresser la table pour le petit déjeuner : les tasses, les assiettes, le pot de confiture et le beurrier avec son couvercle en forme de vache, comme à son habitude.

— Qu'est-ce qui s'est passé cette nuit ? demanda-t-elle en s'installant à table, épuisée.

Tandis qu'il remplissait la bouilloire en inox, il leva les yeux vers elle comme si sa question l'étonnait.

— Il ne s'est rien passé. J'étais seulement fatigué.

— Et c'est tout ? insista-t-elle, surprise. C'est tout ce que tu as à me dire ?

Il fronça les sourcils.

— N'en fais pas encore toute une histoire, Jeanie. J'ai beaucoup de boulot. Je t'ai dit que j'étais fatigué.

Il reposa la bouilloire sur son support et appuya doucement sur le bouton en passant la main sur sa cravate bordeaux et son pantalon gris à rayures maintenu par des bretelles rouges.

Jeanie se demanda, durant l'espace d'un instant, si elle n'avait pas tout imaginé.

— George, la nuit dernière tu m'as repoussée comme si je m'étais subitement transformée en monstre. Je n'en fais pas toute une histoire.

Il fit nonchalamment le tour de la table derrière Jeanie, qui capta le parfum léger du savon qu'elle lui avait offert pour Noël, et lui déposa un rapide baiser sur le front.

— Je ne veux pas en parler. (Il ouvrit le frigo.) Tu veux un jus de fruits ? Je vais te préparer un œuf à la coque.

George n'avait plus jamais partagé son lit. Près de dix ans plus tard, Jeanie, étendue, écoutait les pas décidés de son époux sur le plancher au-dessus d'elle. Il était à peine 5 h 30, mais, pour George, c'était déjà tard. Elle suivit sa progression jusqu'à la salle de bains, entendit la chasse puis l'eau circuler dans les tuyaux et enfin le va-et-vient de George dans la chambre à coucher pour prendre ses vêtements. Il avait accompli les mêmes gestes durant leurs trente-deux ans de mariage, mais s'était interdit de les partager avec elle depuis cette étrange nuit. Elle ignorait toujours ce qui s'était passé. Pendant des jours, elle l'avait supplié de lui fournir une explication. S'il craignait seulement de ne pas être à la hauteur, ils pouvaient trouver une solution. Si c'était quelque chose qu'elle avait fait, il n'avait qu'à le lui dire. « Reviens dans notre lit. Je t'en prie George, s'il te plaît. » Elle l'avait imploré, avait tenté de l'amadouer, tout en s'étonnant de son propre désir que tout rentre dans l'ordre.

L'incident se dressait entre eux dans tous leurs échanges, comme une douleur immense et lancinante, mais George avait toujours gardé le silence, refusant purement et simplement d'aborder le sujet. Il ne s'était rien passé, ce n'était pas sa faute à elle, et il ne voulait pas – ou ne pouvait pas – en discuter. Jeanie était tellement épuisée par cette tension permanente qu'elle avait fini par abandonner, sans toutefois oser en parler, pas même à sa meilleure amie Rita, parce que étrangement elle avait honte. Bien que George lui ait affirmé le contraire, elle restait convaincue qu'il l'avait rejetée parce qu'elle était une piètre amante.

Ayant perdu toute confiance en elle, Jeanie ne chercha plus jamais à le séduire après cette nuit-là. Un an plus tard, pourtant, alors qu'ils avaient tous deux trop bu, George la suivit dans sa chambre, et ils se retrouvèrent couchés tout habillés sur le lit, à se caresser maladroitement. À travers le brouillard de l'alcool, elle perçut immédiatement une hésitation douloureuse dans les gestes de son époux. Sa main papillonnait sur sa peau, refusant obstinément de se poser, tandis qu'il veillait à maintenir une certaine distance entre eux alors même qu'il l'embrassait. Et, comme l'autre fois, elle l'avait senti se fermer brutalement et la repousser comme si elle n'était qu'une vile tentatrice, se relevant rapidement pour quitter la pièce sans un mot.

Leur mariage s'était adapté. Pas immédiatement, non. Jeanie avait dû en passer par un long et douloureux processus pour réussir à contenir et à rationaliser la colère ressentie devant le silence de son mari, silence qui la torturait davantage que l'incident lui-même. Elle avait l'impression de subir un inévitable sacrifice. Son enfance s'était construite autour de cette notion. La prière de prédilection de son père n'était-elle pas : « Jésus est mort pour que nous puissions vivre. Ne l'oublie pas et remercie le Seigneur. Amen. » ? Homme extrêmement pieux, le révérend Dickenson obéissait à des règles de vie sévères et austères qu'il inculquait à sa famille dans un presbytère silencieux, où tous s'efforçaient d'obéir aux ordres de cet homme autoritaire et rigide.

Espérant peut-être se racheter, George lui avait offert le magasin quelque temps après, et elle s'était lancée dans cette affaire avec énergie et enthousiasme. Elle remportait d'ailleurs un vif succès. Sa boutique de produits diététiques, *Graine de grenade*, se situait sur Highgate Hill. Elle y vendait des vitamines, des remèdes à base de plantes, des épices, mais également des légumes, du fromage, des jus de fruits frais et des smoothies biologiques, de délicieux pains complets et des produits d'épicerie fine. Jeanie s'était progressivement constitué une clientèle d'habitués, dont certains venaient de loin pour faire leurs courses chez elle, ses sandwichs frais attirant, surtout en été, des clients de passage qui allaient pique-niquer à Hampstead Heath.

Jeanie avait dû se rendormir, car ce qu'elle entendit fut un « bonjour » enjoué. Elle regarda George poser délicatement une tasse de thé fumant sur la table de chevet.

— C'est une journée magnifique.

George ouvrit rapidement les lourds rideaux, le soleil de ce début de printemps inondait la chambre de ses rayons. Il se retourna vers Jeanie, mains sur les hanches, sourire aux lèvres. Ses cheveux gris peignés avec soin et ses lunettes d'écaille de travers, comme d'habitude – ils étaient tous deux convaincus qu'il avait une oreille plus haute que l'autre bien que cela ne se voie pas – lui donnaient un air extrêmement vulnérable.

— Qu'est-ce que tu as prévu, aujourd'hui ?

Elle bâilla.

— J'ai un entretien avec une nouvelle vendeuse. Jola ne se fie plus à son propre jugement après ce qui s'est passé avec celle qu'elle a choisie la dernière fois. Je dois aussi rencontrer un nouveau fournisseur de plats végétaliens à emporter et vérifier l'état du frigo de seconde main. Tu sais, celui avec la vitre cassée. Et puis m'occuper d'Ellie.

Ils se mirent tous les deux à sourire en songeant à leur petite-fille.

— Et toi ?

George se dirigea vers la porte de sa démarche maladroite.

— Rien d'aussi intéressant que toi, ma vieille. Une partie de golf cet après-midi. Fais un gros bisou à cette adorable gamine de la part de son grand-père.

Il veillait à s'exprimer d'une voix enjouée, mais Jeanie y décela toutefois ce désir d'être plus actif qui ne semblait plus le quitter depuis que la compagnie d'assurances pour laquelle il avait travaillé toute sa vie lui avait gentiment proposé de prendre sa retraite cinq ans plus tôt que prévu. Il n'avait parlé qu'une seule fois, quelques mois après qu'il eut quitté son travail, de ce sentiment d'être un peu la cinquième roue du carrosse. Leur relation en avait souffert. Au début, Jeanie s'était sentie coupable d'aller travailler chaque jour avec son enthousiasme habituel et de le laisser seul et désœuvré entre deux parties de golf. Il s'était pourtant repris et avait acheté des horloges anciennes pour les démonter et les assembler à nouveau, une passion qui remontait à son enfance. La maison bruissait des tic-tac résonnant dans chaque recoin, chacun à leur propre rythme, comme si les étagères et le bureau étaient animés d'une vie propre. Seule la chambre de Jeanie avait été épargnée. Mais elle sentait que le caractère obsessionnel de son époux gagnait lentement du terrain maintenant qu'il n'était plus canalisé par son travail. Et, avec lui, ce besoin désagréablement familier de la contrôler. Cet aspect de sa personnalité auquel Jeanie était habituée, semblait à présent avoir perdu tout son charme.

Chapitre 2

Jeanie sentit sa nervosité augmenter cet après-midi-là lorsqu'elle tourna le coin de la rue où vivait sa fille Chanty. Il n'y aurait pas eu de problème si celle-ci avait été présente : Jeanie et son gendre Alex savaient se tenir lorsqu'ils n'étaient pas seuls. Mais Chanty travaillait comme éditrice documentaire pour Channel 4 – elle semblait d'ailleurs y consacrer plus de vingt-quatre heures par jour –, et, quand Jeanie se retrouvait en tête-à-tête avec Alex, cela tournait souvent à la dispute.

Elle déplaça le bac vert pour déchets recyclables que les éboueurs avaient renversé, avant de monter les marches de la maison victorienne.

— Jean. Entrez.

Son beau-fils lui adressa un sourire timide tout en reculant pour la laisser passer.

Il faut puer pour être artiste ? s'interrogea-t-elle, retenant sa respiration pour ne pas sentir l'odeur de sueur rance de l'homme au tee-shirt éclaboussé de peinture. Intérieurement, elle ajouta pour la millième fois : *Qu'est-ce que Chanty peut bien lui trouver* ? Elle admettait volontiers qu'il ait pu être « mignon » quand il était plus jeune avec ses grands yeux bleus et ses boucles noires, et qu'il savait également se montrer charmeur s'il le voulait. Jeanie le trouvait pourtant narcissique et même irascible, à croire qu'il en voulait au monde entier. Et, à présent, à près de quarante ans, il se comportait toujours comme ce jeune homme charmant qu'il n'était plus.

Jeanie l'oublia immédiatement lorsque sa petite-fille de deux ans, un large sourire éclairant ses grands yeux bruns, courut vers elle, les bras écartés en criant :

— Jin, Jin...

Jeanie se pencha pour soulever Ellie, l'enlaça tendrement et enfouit le nez dans la douceur parfaite du cou de la fillette.

— Ça va, Alex ?

— Faire du baby-sitting n'est pas vraiment ma source d'inspiration préférée, répondit-il en haussant les épaules, qu'il avait osseuses.

Jeanie n'accorda aucune attention à sa remarque. Elle ne pouvait pas faire autrement, pas devant Ellie.

— Quand a lieu l'exposition ? C'est pour bientôt, non ? demanda-t-elle gaiement.

Elle cherchait juste à discuter, pas à le mettre dans l'embarras, pourtant le sourire crispé sur le visage d'Alex lui fit comprendre qu'il avait mal interprété sa question.

— Je l'ai repoussée.

Jeanie se détourna et commença à rassembler le manteau et les chaussures d'Ellie.

— Oh, c'est dommage ! ajouta-t-elle d'une voix suave. Viens, dit-elle à sa petite-fille, mets ton manteau pour qu'on puisse aller au parc nourrir les canards.

— Ça ne sert à rien de se précipiter. Ça arrivera quand ça doit arriver. J'ai besoin d'espace.

Appuyé contre la cheminée du salon, Alex pérorait comme s'il s'entretenait avec des invités lors d'une soirée. La pièce était décorée avec parcimonie : un tapis de sisal sur le sol, un grand canapé de cuir brun, un élégant fauteuil Conran d'un orange terne avec des accoudoirs en bois, un repose-pieds rembourré et un écran plat géant. Jeanie savait qu'il s'agissait en partie d'une question de style ; la décoration se composait d'une majorité de toiles colorées et abstraites, tandis qu'un grand miroir était accroché au-dessus de l'âtre. Mais ils avaient aussi vraisemblablement compris qu'il était inutile de choisir des objets qu'Ellie risquait de casser ou d'endommager et qui pourraient la blesser.

Jeanie sentit son cœur frémir d'indignation. *Besoin d'espace ?* Il avait besoin d'espace ? Cet espèce de paresseux arrogant qui profitait tous les jours de l'amour de Chanty, qui était logé, nourri et blanchi sans débourser un centime, et qui ne pouvait souffrir de garder sa propre fille avait l'audace de se plaindre d'un manque d'espace ! Et, pour couronner le tout, ses peintures n'étaient, selon Jeanie, que des gribouillages abstraits qui s'inspiraient vaguement de Matisse sans jamais égaler son génie et manquaient cruellement de créativité.

— Je la ramènerai vers 17 heures.

Elle se força à sourire pour contenir la colère qui brillait dans ses yeux.

— Ouais… C'est ça… À plus tard, ma puce.

Alex se pencha pour embrasser sa fille sur le front en évitant soigneusement de regarder sa belle-mère.

— Jin, une chanson !

Jeanie inspira et se mit à fredonner pour sa petite-fille, tandis qu'elles remontaient la colline pour atteindre le parc. Elle devait apprendre à se comporter en adulte, même si c'était difficile. Elle se rappelait ce jour où

Chanty, alors enceinte de huit mois, s'était écroulée sur le sol de la cuisine de ses parents, s'accrochant à cette immonde lettre qu'Alex lui avait laissée :

« Je ne peux pas.
Je ne suis pas prêt à être père, j'ai encore tant de choses à faire.
Pardonne-moi.
Je t'aime. Nous avons commis une erreur.
Alex »

Pour Jeanie, c'était d'autant plus terrible que cela n'avait rien d'un message écrit dans la douleur. Le texte était, au contraire, calligraphié avec soin à l'encre noire, sur une carte couleur crème, et aligné en colonne comme sur une invitation.

Chanty ne parvenait plus à respirer. George avait alors appelé une ambulance pour l'emmener aux urgences, mais, le temps d'arriver, le travail avait déjà commencé. Cet homme, que Jeanie était censée apprécier et accepter, et même aimer, avait mis la vie de son bébé et même celle de sa femme, la fille de Jeanie, en danger par son égoïsme.

Ellie n'en avait pas trop souffert, heureusement. Elle avait passé quarante-huit heures dans un incubateur, le temps nécessaire pour stabiliser sa respiration, sans inquiétude particulière toutefois des médecins. Et tout cela, sans l'aide d'Alex.

— Encore… Encore, Jin, insista la petite fille.

Jeanie s'exécuta en s'émerveillant de voir les boucles blondes d'Ellie danser en rythme.

Chanty avait pardonné à Alex, et George, qui n'était pas homme à s'attarder sur ce genre de détails, avait tout simplement décidé que l'incident était clos. Pas Jeanie. Chaque fois qu'elle le voyait, elle se souvenait du visage de sa fille, ravagé par les larmes, tandis qu'elle luttait pour se débrouiller seule avec son bébé durant des mois avant qu'Alex ne daigne revenir.

L'aire de jeux était déserte, à l'exception d'un garçon d'environ quatre ans et de son père qui couraient en riant autour du tourniquet pour le faire tourner de plus en plus vite.

— Balançoire… Balançoire… Viens.

Libérée de la poussette, Ellie se dirigea directement vers les balançoires. Jeanie savait que cela pouvait durer des heures : sa petite-fille tombait presque en transe et criait à sa grand-mère « plus haut, plus haut », si celle-ci faisait mine d'arrêter.

Ce jour-là, pourtant, son jeu ne l'intéressait pas. Elle était fascinée par le petit garçon et son père. Un grand sourire aux lèvres, elle observait leurs singeries. Lâchant brusquement la poignée bleue du tourniquet, le garçonnet se mit à courir à travers l'aire de jeux détrempée pour récupérer son ballon, coupant la trajectoire de la balançoire d'Ellie. Jeanie entendit quelqu'un crier « Dylan » au moment où elle attrapait sa petite-fille pour l'immobiliser, alors que l'imprudent poursuivait allégrement son chemin, inconscient du danger auquel il venait miraculeusement d'échapper.

— Dylan !

Jeanie se retourna et aperçut le visage pâle et crispé de l'homme qui courait vers son fils, préférant le serrer avec force plutôt que le réprimander, jusqu'à ce que l'enfant se libère pour récupérer sa balle.

Le père se releva d'un mouvement étonnamment élégant et fluide pour un homme si trapu. Jeanie le vit se passer la main dans ses boucles blondes légèrement grisonnantes, un geste qui lui rappelait celui d'un enfant serrant son doudou.

— Merci, dit-il. Merci mille fois.

— Ça arrive tout le temps, répondit-elle avec un sourire.

— Peut-être, mais ça ne peut pas arriver à Dylan. Jamais, ajouta-t-il d'un ton presque désespéré.

— Votre fils va bien, il n'a rien, assura-t-elle d'une voix apaisante, tout en pensant qu'il ne devait pas venir souvent au parc pour réagir ainsi.

Durant un instant, il l'observa sans comprendre.

— Oh… non ! Ce n'est pas mon fils, c'est mon petit-fils. Dylan est le fils de ma fille. Vous avez sans doute deviné que je ne le garde pas souvent. En fait, c'est seulement la quatrième fois qu'elle me le laisse. (Il soupira profondément.) Elle m'aurait interdit de le reprendre si cette balançoire l'avait touché.

— Descendre… Descendre, Jin, insista Ellie.

Elle ne quittait pas des yeux la balle de Dylan et, dès que Jeanie la posa sur le sol, courut vers le petit garçon pour s'arrêter à quelques pas de lui.

— Laisse la petite fille jouer avec toi, ordonna-t-il à Dylan qui n'écoutait rien du tout.

— Quel âge a votre fille ?

Jeanie sourit.

— Raté… Ellie est ma petite-fille, elle a un peu plus de deux ans.

Il rit aussi, levant les mains pour protester.

— Je n'essayais pas de vous flatter, vraiment. J'ai juste pensé que...

Embarrassé, il détourna le regard.

Un silence gêné s'installa entre eux, et Jeanie observa sa petite-fille qui s'appliquait à poursuivre Dylan et son ballon en poussant de petits cris de joie dès qu'il la laissait approcher.

— C'est bizarre les petits-enfants, dit l'homme, les yeux rivés sur le garçon. Je ne pensais pas que ce serait comme ça. (Il semblait parler tout seul.) Il est tout pour moi.

Cette déclaration étonna Jeanie. Non qu'elle doute de sa sincérité ou de ce qu'il ressentait, mais parce que cette remarque avait quelque chose de terriblement personnel pour être confiée à une parfaite étrangère.

— Je comprends... Je vois parfaitement ce que vous voulez dire.

Elle partageait cette impression d'être submergée par l'amour qu'elle éprouvait pour sa petite-fille depuis le moment où elle avait tenu Ellie dans ses bras pour la première fois, attendant qu'ils préparent l'incubateur. Elle l'avait aimée au premier regard, un véritable coup de foudre.

— C'est peut-être parce qu'on ne se sent pas si vieux, ajouta-t-elle en souriant.

Il rit.

— C'est tout à fait vrai.

— C'est comme une drogue, poursuivit-elle. Si je ne la vois pas pendant plusieurs jours, j'ai l'impression d'être en manque.

Elle éclata de rire, soudain embarrassée par la profondeur de ce sentiment. Elle n'appartenait pas à ce genre de mères qui harcelaient leur progéniture pour avoir des petits-enfants. En fait, lorsque Chanty lui avait annoncé qu'elle était enceinte, Jeanie s'était, de façon assez égoïste, inquiétée que cette naissance ne vienne bouleverser sa vie déjà bien remplie.

Dylan revint vers son grand-père en sautillant.

— Papy, elle veut pas me laisser tranquille... Elle se met devant chaque fois que je tape dans la balle.

L'homme haussa les épaules.

— Elle est encore petite, Dylan. Sois gentil.

Le petit garçon le regarda d'un air renfrogné, et Jeanie ne put s'empêcher de remarquer qu'il était incroyablement beau avec sa peau dorée et ses yeux d'un vert lumineux.

— Allez, le pressa-t-il, joue avec elle. Ça ne te fera pas de mal.

— C'est un beau petit garçon.

Il acquiesça fièrement.

— Votre petite-fille est très belle aussi.

Ce qui était vrai. Ellie tenait beaucoup de sa mère, déterminée, indépendante. Pourtant, ses cheveux avaient la blondeur soyeuse des chérubins, et elle avait hérité des grands yeux bruns limpides de George.

— Je ferais mieux d'y aller.

Jeanie fit signe à sa petite-fille et se dirigea vers la poussette.

— On se reverra peut-être, dit l'homme.

— Peut-être.

— J'emmène Dylan tous les jeudis. Ma fille travaille, et la baby-sitter doit aller à l'hôpital pour sa radiothérapie. Elle a un cancer du sein.

— Oh… J'espère que ça va s'arranger, murmura poliment Jeanie.

— Ça me permet de voir Dylan, poursuivit-il avant de s'interrompre soudain. Désolé, c'est une remarque cruelle. Je ne voulais pas dire que je suis content qu'elle ait un cancer, ajouta-t-il piteusement.

— Non, bien sûr que non. (Elle sourit de sa confusion.) Bon ben… au revoir.

Jeanie récupéra rapidement sa petite-fille pour ne pas ajouter à l'embarras de l'étranger.

Chapitre 3

Jeanie fit revenir les pâtes dans la sauce tomate au basilic et les versa dans le grand plat de faïence bleu. Tout était calme dans la grande cuisine, le soleil éclairait le jardin de sa douce lumière dorée. C'était la pièce qu'elle préférait et celle où ils passaient le plus de temps. Pour Jeanie, la maison victorienne avec ses chambres spacieuses à haut plafond avait un air sévère et solennel, qui la rendait un peu triste aussi. Mais la cuisine, orientée au sud, restait toujours lumineuse depuis qu'ils avaient fait installer les fenêtres donnant sur la terrasse. Lorsqu'ils avaient rénové la pièce, George avait insisté pour acheter des placards classiques en bois, mais Jeanie avait préféré une cuisinière moderne et du carrelage en terre cuite pour remplacer le triste linoléum. C'était à présent une pièce sobre et claire avec un vaisselier vitré peint en bleu, de la même couleur que les moulures et la porte.

George semblait perdu dans ses pensées depuis qu'il était revenu de sa partie de golf et il était à présent assis en silence, les pieds croisés sous la table en bois de la cuisine, un verre de vin rouge à la main, agitant doucement ses pantoufles de velours de gauche à droite. Le *Time Magazine* était ouvert devant lui, mais il gardait les yeux rivés sur son épouse.

— Pourquoi es-tu rentrée si tard ? demanda-t-il.

Le cœur de Jeanie se serra. *Et c'est parti*, pensa-t-elle.

— J'avais rendez-vous avec ce nouveau producteur de salades biologiques à *Potter's Bar*. Je t'en avais parlé.

— Mais tu as dit que c'était à 14 heures. Ça ne t'a pas pris cinq heures, quand même ?

Son mari la transperçait du regard, comme s'il cherchait à atteindre son âme. Malgré la distance qui les séparait, la tension était palpable.

— Après, je suis retournée à la boutique. J'avais besoin de quelques bricoles.

Elle soupira et déposa le plat de pâtes sur la table avec une violence inutile.

— D'accord… À quelle heure es-tu retournée au magasin ?

— George, je t'en prie, arrête.

Elle ne pouvait jamais s'empêcher de répondre à ses stupides questions avant de se rappeler qu'elle lui donnait ainsi l'impression que son anxiété était fondée.

— Arrêter quoi ? Je voulais juste savoir ce que tu avais fait de ta journée. Ce n'est pas le rôle d'un époux ?

Jeanie le vit inspirer profondément ; l'interrogatoire était terminé pour aujourd'hui. Il fallait bien le reconnaître, il s'efforçait toujours de se calmer après ses accès de curiosité sourcilleuse.

— Et cette partie ? demanda-t-elle en apportant le morceau de parmesan frais récupéré au rayon épicerie fine de la boutique.

D'habitude, George adorait parler de ses parties de golf, la régalant de ses anecdotes sur les manigances de son partenaire du jeudi. Si l'on en croyait son mari, Danny s'amusait plus à tricher qu'à jouer.

Ce soir-là pourtant, George se contenta de remonter ses lunettes sur son nez avant de tendre son assiette.

— Ah… oui. Danny a gagné comme toujours.

— Et ?

Jeanie râpa un peu de fromage sur ses pâtes. Son mari soupira.

— Jeanie.

Il s'interrompit et posa les mains à plat, agrippant le rebord rugueux de la table avec ses pouces.

— J'ai réfléchi…

Jeanie fronça les sourcils et patienta. George semblait étrangement grave.

— Continue, l'exhorta-t-elle tandis qu'il restait silencieux. Tu me rends nerveuse.

— Ça fait déjà longtemps que j'y pense, et je crois que c'est le bon moment, puisque tu auras soixante ans le mois prochain.

Il s'interrompit à nouveau.

Jeanie sentit son cœur battre la chamade. Allait-il lui annoncer qu'il la quittait ? Son imagination s'emballa. Il entretenait peut-être une maîtresse depuis dix ans et il souhaitait passer le restant de ses jours avec elle. Cela expliquerait bien des choses. Elle s'efforça de chasser ces pensées de son esprit.

— Oui ? le pressa-t-elle.

— Tu sais qu'on a toujours dit qu'on achèterait un cottage pour y passer les week-ends ? Eh bien, j'ai réfléchi et je trouve ça idiot d'avoir deux maisons rien que pour nous.

Jeanie acquiesça.

— Tu as peut-être raison. C'est agréable d'avoir un endroit pour se ressourcer, mais on se sent toujours obligé d'y aller. En plus, c'est pendant le week-end que je suis le plus occupée.

Ils mangèrent en silence pendant plusieurs minutes.

— Ce n'est pas ce que je voulais dire, ajouta George, jouant avec le pain dans son assiette pour le réduire en minuscules morceaux qu'il malaxait avant de les redéposer.

Perplexe, Jeanie attendit de nouveau, tandis que son mari mâchait lentement et méticuleusement ses pâtes.

— Au lieu d'acheter une deuxième maison, on devrait plutôt vendre celle-ci et déménager à la campagne.

— Quoi ? demanda-t-elle, étonnée. Vendre cette maison ? Tu es sérieux ?

George cligna des yeux et fit tourner le vin dans son verre avant de prendre une longue gorgée.

— Je sais, c'est une grande décision.

— Mais cette maison est dans ta famille depuis des générations.

— Quelle différence cela fait-il ? demanda-t-il, sincèrement surpris.

— Et d'abord, où ça, à la campagne ?

Jeanie ne savait pas par où commencer. C'était tellement inattendu. George vivait déjà dans la grande bâtisse de Highgate lorsqu'elle l'avait rencontré dans les années 1970. Il campait alors sur le canapé de ce qu'il appelait le « petit salon », entre les livres et l'attirail de son défunt oncle Raymond, sans savoir comment s'en débarrasser. C'était Jeanie qui avait pris les choses en main, remisant les imposants meubles victoriens au grenier pour faire entrer la demeure dans le XXe siècle à grand renfort de peintures vives et de matériaux modernes. Malgré ses propres doutes, Jeanie avait toujours pensé que George aimait y vivre.

— Mais j'ai ma boutique. Je ne peux pas partir comme ça, poursuivit-elle, encore sous le choc de l'annonce de son époux.

— Tu vas prendre ta retraite quand tu auras soixante ans, n'est-ce pas ? C'est donc pour bientôt, conclut-il avec un sourire.

— Ma retraite ?

— Jeanie, tu auras soixante ans le mois prochain. C'est l'âge auquel les gens prennent leur retraite. Les femmes, en tout cas. Tu dis souvent que cette boutique est un véritable cauchemar et que tu es épuisée. J'ai pris ma retraite il y a des années, ajouta-t-il d'un ton posé.

Jeanie se leva pour arpenter le carrelage, ayant complètement oublié son dîner.

— Pour l'amour du ciel, George. Soixante ans, ce n'est pas si vieux de nos jours. Et puis d'ailleurs, c'est à moi de décider quand j'arrêterai, pas à toi, ajouta-t-elle en lui lançant un regard furieux.

— Je ne prends pas la décision à ta place... Calme-toi, ma vieille. (Il secoua la tête avec perplexité.) Je pensais juste que ça te plairait. On ne fait que discuter. Tu as toujours dit que tu aimais la campagne.

— Arrête de m'appeler « ma vieille » ! Tu sais que je déteste ça, dit-elle d'un ton sec. C'est vrai que j'aime aller à la campagne pendant un week-end, me détendre avec un bon livre ou faire une promenade. Mais je ne veux pas y habiter. On irait où, d'ailleurs ? demanda-t-elle de nouveau.

George soupira.

— Je pensais au Dorset, pas loin de la côte, près de Lyme. C'est très joli.

Jeanie l'observa.

— Tu y as vraiment réfléchi, n'est-ce pas ?

Son mari hocha la tête.

— Je veux quitter Londres, Jeanie. Je ne vois pas l'intérêt de rester ici. On pourrait prendre un nouveau départ, toi et moi.

— Tu t'ennuyais à mourir là-bas quand tu étais jeune, lui rappela-t-elle, ignorant le reste de sa remarque.

Elle l'avait toujours suspecté de lui reprocher son implication dans la boutique. Il n'en avait jamais rien dit, mais c'était très clair.

— C'est vrai, mais j'étais ado à l'époque. Les choses ont changé aujourd'hui, c'est évident. On n'attend plus la même chose de la vie à notre âge.

— Toi peut-être, mais pas moi, rétorqua Jeanie. Et nos amis, le golf ? Et Ellie ?

Elle était certaine que sa petite-fille était son atout majeur pour mettre un terme à cette discussion ridicule.

— Ellie pourra venir nous voir pendant les week-ends et les vacances. Elle va adorer. Et ça lui fera du bien de passer un peu de temps loin de Londres. Et on se fera des amis. Crois-le ou non, il y a même des parcours de golf dans le Dorset. (Il sourit.) Jeanie, tout ce que je te demande, c'est d'y réfléchir, c'est tout. C'est complètement ridicule, deux vieux déambulant dans cette grande maison qui n'est même plus nettoyée depuis que Mme Miller a pris sa retraite. On pourrait consacrer cet argent à quelque chose de mieux.

— L'argent n'est pas un problème, tu le sais aussi bien que moi. Et, pour le nettoyage, on peut toujours s'arranger. Jola a une amie qui peut venir deux matinées par semaine. Je dois simplement organiser tout ça.

Il la regarda, amusé, comme si ce qu'elle disait n'avait aucune importance.

— C'est vraiment ce que je veux, ma vieille.

Cette remarque, faite comme d'habitude avec une apparente légèreté, glaça pourtant Jeanie d'effroi. Il avait déjà pris sa décision.

— Je t'ai déjà dit de ne plus m'appeler comme ça. On n'est pas vieux, murmura-t-elle faiblement. Je t'assure, George. On a un certain âge, mais on n'est pas encore vieux.

Cette remarque mit un terme à la discussion, mais Jeanie passa une nuit blanche. George obtenait toujours ce qu'il voulait. La maison lui appartenait et, s'il décidait de la vendre, elle ne pourrait pas faire grand-chose pour l'en empêcher. Il était resté assez vieux jeu dans ce domaine. Bien qu'elle soit une femme d'affaires à la tête d'un commerce florissant et bien situé, George gérait pourtant tous les aspects financiers de leur vie quotidienne. C'était lui qui décidait s'il fallait investir leur argent, faire des travaux dans la maison ou le grand jardin attenant, mais aussi s'il leur fallait une nouvelle voiture, et il réglait d'ailleurs toutes les factures. Jeanie en aurait été parfaitement capable, mais il ne serait jamais venu à l'idée de George de l'impliquer dans ces décisions. Pourrait-il vraiment vendre la maison sans son consentement ? se demandait-elle tandis que les lumières de l'aube illuminaient le ciel et que son mari entamait sa routine matinale de sa démarche prudente.

Chanty ouvrit à ses parents en soufflant :

— Chuuuut... Ellie dort toujours, elle a été infernale aujourd'hui. Tout le monde est dans le jardin.

Sur la pointe des pieds, ils entrèrent pour rejoindre la terrasse en bois patiné avec soin. C'était le déjeuner de Pâques, et la table de fer forgé était dressée pour huit personnes, les verres et l'argenterie scintillant sur la nappe blanche. Il faisait étonnamment chaud. Jeanie regretta de ne pas avoir emporté ses lunettes de soleil.

— Bonjour, Alex.

George avança pour serrer la main de son gendre. Alex avait fait un effort : il avait troqué son éternel tee-shirt miteux contre une chemise bleue froissée et, au grand soulagement de Jeanie, il sentait le savon et non la sueur rance.

— Qui est invité ? demanda Jeanie en montrant la table.

— Mon plus vieux copain d'école, Marc, avec sa femme et ses enfants. Ça ne vous dérange pas qu'ils ne soient pas de la famille, n'est-ce pas ?

Alex semblait presque sur la défensive, comme s'il défiait Jeanie de le contredire.

— Mais non, voyons, quelle bonne idée ! Je ne crois pas les avoir déjà rencontrés, à moins que ma mémoire ne me fasse défaut.

Chanty sortit de la maison en portant un plateau chargé de verres et d'une bouteille de champagne.

— Non, tu as raison. (Elle déposa le plateau.) Ils ont passé cinq ans à Hong Kong. Marc a gagné pas mal d'argent, et ils viennent d'acheter une propriété dans le Dorset.

Jeanie jeta un coup d'œil à George, certaine à présent qu'elle était tombée dans un piège. Chanty évitait son regard, et Alex souriait, savourant cette petite victoire.

— Comme c'est charmant.

Elle refusa de mordre à l'hameçon, mais Alex ne put s'empêcher d'ajouter :

— On a pensé que ce serait bien pour vous de discuter des propriétés à la campagne.

Jeanie prit le verre de champagne qu'on lui tendait pour se diriger vers une chaise longue à l'ombre du cerisier. *Ce n'est pas juste*, pensa-t-elle.

— Vraiment charmant, répéta-t-elle, mais la tension était palpable.

Sa fille s'accroupit devant elle.

— Maman, Alex te fait marcher. On a invité Marc et Rachel parce qu'on ne les avait plus vus depuis longtemps, pas parce que papa veut déménager.

Jeanie se força à sourire.

— Ce n'est pas le bon moment pour en parler, mais tu ne veux vraiment pas y réfléchir ? insista Chanty. Ellie adorerait, tu sais... Cet air frais, cet espace. Tu la verrais plus souvent puisque tu renoncerais au magasin...

— Si Ellie a besoin d'air frais, pourquoi est-ce qu'Alex et toi, vous n'emménagez pas dans ce satané Dorset ? répliqua-t-elle d'un ton sec.

— Ne sois pas si agressive, maman, répondit Chanty sans se départir de son calme. Tu sais très bien que je ne peux pas travailler pour Channel 4 depuis le Dorset. Et j'ai besoin de ce boulot.

Jeanie serra les dents pour retenir un commentaire acerbe sur son paresseux beau-fils.

— Moi aussi, je dois travailler, contra-t-elle.

— Tu n'es pas obligée.

— Je n'ai pas besoin de l'argent, c'est vrai. Mais j'ai besoin de travailler, pour moi. (Elle sentit monter des larmes de frustration.) Ton père semble croire qu'on est finis, Chanty. Je ne suis pas vieille. Je ne suis peut-être plus toute fraîche, mais je ne suis pas encore morte.

Chanty sourit.

— Bien sûr que non, maman, tenta-t-elle de la rassurer. Tu fais plus jeune que ton âge. Mais ça ne te tuera pas de déménager à la campagne. Il y a plein de gens qui sont très heureux là-bas.

— Oui, oui, c'est ça. Et il y a même des parcours de golf.

Sa fille semblait perplexe.

— On a tous pensé que tu aimerais souffler un peu.

La sonnette retentit, et Jeanie entendit les pleurs d'Ellie depuis la chambre à l'étage.

— Je vais la chercher.

Elle se leva de la chaise longue et alla récupérer sa petite-fille.

La boutique de Jeanie semblait avoir soudain pris une nouvelle signification pour elle. Lorsqu'elle ouvrit les portes, le mardi après Pâques, elle se surprit à regarder avec amour les boîtes de germe de blé et de pousses d'épinards empilées à l'extérieur, l'inévitable flaque d'eau sur le parquet devant le frigo, les jeunes tomates qui avaient pourri durant la nuit et les innombrables dates d'expiration à vérifier. Elle ne s'énerva même pas lorsque Jola arriva pour lui apprendre que la nouvelle recrue avait démissionné avant même de commencer. Bien sûr, diriger son propre magasin se révélait souvent frustrant, mais elle adorait cela. C'était son quotidien, et elle était très douée.

Elle avait refusé d'adresser la parole à George durant le reste de ce lundi de Pâques. Le déjeuner s'était très bien passé : l'agneau était parfaitement rosé, le pudding meringué un véritable délice, et les amis d'Alex étonnamment charmants. Alex lui-même semblait moins tendu en leur présence. Jeanie avait joué la comédie durant tout le repas. Personne ne semblait s'en être aperçu, sauf peut-être son gendre, toujours trop perspicace. Son âge avancé lui donnait toutefois un avantage : elle avait appris à dissimuler ses sentiments.

Mardi fut une journée chargée. Les vacances de Pâques étaient terminées. Jeanie et Jola travaillèrent d'arrache-pied jusqu'au début de l'après-midi. Elle percevait cependant une ombre, tel le souvenir d'un mauvais rêve, qui planait sur sa journée, tandis qu'elle souriait et discutait avec ses clients, rangeait les étagères et gérait les commandes.

Elle lut le texto de son amie Rita avec un certain soulagement : « Court réservé pr auj 17h. T'as intérêt à y être. R ».

Rita, grande Sud-Africaine athlétique et bronzée, l'attendait déjà sur le court lorsque Jeanie arriva à Waterlow Park. Le temps couvert et la fraîche brise d'avril n'avaient pourtant pas découragé Rita d'enfiler sa robe de tennis, qu'elle portait avec ses chaussures de sport d'un blanc immaculé. Tout le contraire de Jeanie vêtue d'un pantalon de survêtement gris et d'un tee-shirt noir. Elles avaient plus ou moins le même niveau de jeu, et leur match hebdomadaire se transformait souvent en une âpre lutte. Avec sa détente et son service puissant, Rita frappait plus fort que Jeanie, mais elle se déplaçait aussi plus lentement. Jeanie courait plus vite, et ses coups étaient plus créatifs et légèrement plus précis.

Aucune des deux n'avait jamais pris l'ascendant sur l'autre durant toutes ces années, et chaque victoire était à la fois enivrante et grisante.

Ce jour-là, cependant, Jeanie avait l'impression de se traîner, comme si quelqu'un lui entravait les chevilles.

— Seigneur ! cria Rita en remportant le premier set. Réveille-toi, madame L. J'ai l'impression de jouer toute seule.

Jeanie agita sa raquette pour s'excuser.

— Désolée, désolée. Je n'arrive pas à entrer dans le match.

Le second set ne fut pas meilleur.

Elles rassemblèrent leurs affaires avant la fin de l'heure et s'installèrent sur leur banc préféré, qui offrait une vue magnifique de la ville dans le lointain. Le soleil couchant baignait le parc de sa lumière déclinante.

— Dis-moi tout, ordonna Rita.

— Tu sais qu'on pensait acheter un cottage pour y passer les week-ends ? (Rita acquiesça.) Eh bien, George a décrété que ce n'était pas suffisant. Il veut vendre la maison et quitter Londres. Il semble horriblement sérieux et il a même convaincu toute la famille. Chanty m'est tombée dessus à Pâques, sans oublier Alex. Ils en parlent comme si c'était un fait accompli. Vends le magasin, tu es vieille, tu n'as pas besoin de travailler, etc.

— Les salauds ! s'exclama Rita d'un ton méprisant. Ils ne peuvent pas te dire ce que tu dois faire de ta vie. (Elle scruta le visage de son amie.) Tu ne vas pas gober ces bêtises, tout de même ?

Jeanie secoua la tête.

— Ils ont même parlé d'Ellie, comme ce serait bon pour elle de respirer de l'air frais et d'avoir de l'espace pour courir partout.

— C'est ridicule. Ça n'a jamais rien à voir avec les enfants. George ne vendra pas sans ton accord.

Bill, le mari de Rita, faisait exactement ce qu'elle voulait sans jamais se plaindre.

— Je veux dire, qu'est-ce qu'il pourrait faire ? poursuivit-elle. Te tirer par les cheveux pour te ramener dans sa caverne boueuse ?

— Tu aurais peut-être plus de respect pour lui s'il le faisait ! rétorqua Jeanie dans un grand éclat de rire.

Elle savait pertinemment que Rita tolérait George, l'appréciait même, sans pourtant comprendre pourquoi Jeanie lui cédait presque toujours.

— Non, mais vraiment, ma chérie, qu'est-ce qu'il a dit ?

Jeanie soupira.

— Ce n'est pas sa façon de parler de la campagne, c'est son comportement vis-à-vis de moi… de nous. Il pense réellement que nous sommes vieux. Il l'a même dit : « On est vieux maintenant… Tu vas finir par te lasser du magasin. » Je suis convaincue qu'il m'en veut de travailler. Il est persuadé que, dès que j'aurais retrouvé la raison, je démissionnerai et qu'on partira vers le soleil couchant pour vivre heureux. Comme des petits vieux.

Rita commença à rire.

— Nom de Dieu !

— Ce ne serait pas si grave s'il n'y avait que lui, mais, lorsque ta propre fille tente de se débarrasser de toi, tu commences à te demander s'ils n'ont pas raison.

(Elle leva les yeux vers le visage inquiet de son amie.) Je ne me sens pas vieille, Rita. Je suis en pleine forme et pleine de vie. D'accord, je fatigue plus vite qu'avant, et il m'arrive d'oublier certaines choses, mais j'ai l'impression que ce n'est qu'un prétexte. J'ai toujours été fatiguée et distraite, par moment.

Rita la prit par la main.

— Jeanie Lawson, tu n'es pas vieille. Tu as un certain âge, ce qui pourrait être pire quand on y pense, mais tu n'es absolument pas vieille. C'est impossible ! On a le même âge. (Jeanie lui serra la main.) Regarde-toi, tu es magnifique, insista son amie. Personne ne pourrait deviner que tu vas bientôt entrer dans le club très fermé des seniors.

Elles s'esclaffèrent.

— Merci.

— Je suis sérieuse. On te donnerait facilement quarante-huit ans.

— Qu'est-ce que je dois faire ?

— Ça n'a rien à voir avec le fait de vieillir ou de déménager à la campagne, n'est-ce pas ? (Rita étudia le visage de son amie, et Jeanie sut ce qui allait suivre.) Allons nous changer, je suis gelée.

Rita avait rarement chaud sous ce « satané climat », comme elle l'appelait.

— Ne commence pas, dit Jeanie avec irritation.

— Ma chérie, il faut bien que quelqu'un le fasse. Tu n'as pas voulu m'écouter, la dernière fois. Pourquoi... pourquoi laisses-tu cet homme te contrôler ? Pourquoi le laisses-tu s'en tirer à chaque fois ? Tu es une femme forte et intelligente, Jeanie. Réveille-toi. Ce sont des sournois, ces gens-là.

— Qu'est-ce que tu veux dire ? De qui tu parles ?

— Des types comme George, poursuivit Rita sans éprouver la moindre gêne, tandis qu'elles traversaient le parc. Ces gens « passifs-agressifs » qui ont un besoin maladif de tout contrôler. George a pourtant l'air complètement inoffensif. Il est charmant, poli, amusant, et a un côté très rassurant.

Jeanie songea que cette description lui correspondait parfaitement.

— Mais Jeanie, il est tellement… Pour être polie, je dirais qu'il a des problèmes. Il est trop malin pour le faire devant moi, mais ça lui arrive de baisser sa garde. Tu te souviens de la soirée où il a essayé de t'empêcher de te servir un autre verre et où il a fini par te convaincre de partir avant qu'on ait pris le dessert ? (Jeanie hocha la tête.) Tu ne voulais pas partir. On l'a bien vu, Bill et moi, mais tu t'es laissée faire. (La voix de Rita vibrait de colère.) Pourquoi ?

— C'est parce que ça le rend… anxieux.

— Anxieux ? bredouilla Rita. Tu fais ce qu'il veut parce que ça le rend anxieux ? C'est ridicule. Qu'est-ce qui l'angoisse tant ?

Jeanie secoua la tête. Elles avaient atteint le haut de Highgate Hill. C'était là qu'elles se séparaient, Rita repartant vers sa maison dans l'une des avenues verdoyantes en face de Kenwood et Jeanie vers la sienne, de l'autre côté de Pond Square. Elles s'arrêtèrent au coin, à proximité de l'arrêt de bus.

— Je ne sais pas. C'est George. Il n'a pas toujours été comme ça.

Jeanie ressentit soudain le besoin de parler enfin à son amie de cette nuit où George l'avait rejetée, cette nuit qui avait irrémédiablement tout changé entre eux. Mais elle se refusait à ajouter au mépris que Rita ressentait envers son époux. Elle ignorait également comment exprimer l'énormité de cet incident, même après tout ce temps. Avec les années, elle avait commencé à se demander si elle n'avait pas exagéré. Elle savait que certains couples n'avaient plus de relations sexuelles et faisaient chambre à part. George et elle étaient mariés depuis si longtemps. Une autre part d'elle-même avait pourtant bien conscience qu'il était arrivé quelque chose à George ce jour-là. Une chose dont il avait été incapable de parler malgré les incessantes demandes de Jeanie. Elle ne parvenait pas à imaginer ce que c'était.

— Eh bien, ajouta Rita d'un ton léger, s'il n'était pas comme ça avant, je ne vois pas pourquoi il doit l'être maintenant ?

— Je suppose que tu as raison. Mais je ne sais pas pourquoi je..., ajouta Jeanie en haussant les épaules.

Rita attendit, mais son amie n'acheva pas sa phrase.

— Écoute, ma chérie, ce que tu dois retenir, c'est que tu n'es pas vieille. Tu travailles et tu ne veux surtout pas déménager à la campagne. C'est important. Qu'il te force à quitter un dîner, passe encore. Mais te forcer à t'installer dans le Dorset ? La campagne, c'est abominable, ne l'oublie pas : la boue, les ploucs habillés n'importe comment, sans oublier les magasins de produits frais où des choux qui pourrissent là depuis dix-huit mois coûtent deux fois le prix de la dette nationale.

Elles éclatèrent de rire.

— Donc, je lui dis que je ne suis pas vieille, que je refuse de renoncer à ma boutique et que je n'irai sûrement pas m'installer à la campagne.

— Hourra ! (Rita lui tapa dans la main.) Sérieusement, Jeanie, c'est le moment ou jamais.

— George n'est pas quelqu'un de mauvais, Rita. Je crois qu'il ne peut pas s'en empêcher, ajouta-t-elle doucement.

Son amie leva les yeux au ciel et s'éloigna rapidement en la saluant de la main, son sac de sport se balançant au rythme de ses pas.

Plus tard dans la soirée, seule dans la cuisine à préparer la salade pour le dîner, tandis que George était enfermé avec ses horloges, Jeanie songea à ce que sa tante Norma lui avait dit sur le fait d'avoir soixante ans.

Sa tante, l'unique sœur de son père, venait d'avoir quatre-vingt-dix ans et vivait toujours seule dans sa maison de Wimbledon. Cette femme à l'esprit vif et aux yeux bleus perçants dont Jeanie avait hérité avait travaillé pour les services secrets britanniques durant la guerre, avant de s'occuper de ses parents vieillissants. Ils étaient morts lorsqu'elle avait soixante ans. Tante Norma, vieille fille chapeautée et gantée, avait soudain pris des airs de bohémienne et s'était mise à peindre, transformant sa salle à manger en studio.

— Soixante ans, c'est le pied, avait-elle confié à Jeanie un jour où elles prenaient le thé. Plus personne ne se préoccupe plus de toi, tu deviens presque invisible, surtout si tu es une femme. J'aime y penser comme à une troisième vie. Il y a l'enfance, l'âge adulte avec le travail, la famille, les responsabilités, et quand tout le monde pense que ta vie est terminée et que tu n'es plus qu'un vieux débris, tu es libre ! Tu peux enfin être celle que tu es vraiment et faire ce que tu veux et pas ce qu'on attend de toi ou ce que tu crois que tu devrais faire.

— Ce n'est pas une question de génération ? avait demandé Jeanie. On est beaucoup plus libres. Depuis le mouvement féministe, on peut faire ce qu'on veut.

Tante Norma avait acquiescé avec sagesse, un sourire éclairant ses yeux vifs.

— C'est vraiment ce que tu crois ? J'ai pourtant l'impression qu'on attend encore beaucoup de toi... une famille, ce genre de choses. (Elle avait secoué la tête.) Mais qu'est-ce que j'en sais, après tout ?

Chapitre 4

Ce jeudi-là, Jeanie arriva au parc un peu plus tard que d'habitude. Malgré le temps froid et pluvieux, quelques femmes s'étaient déplacées et surveillaient leurs enfants d'un œil morne. L'homme de la semaine dernière était également présent. Jeanie n'avait guère pensé à lui et n'était pas particulièrement heureuse de le revoir. Elle aimait passer du temps en tête à tête avec Ellie et ne s'était jamais liée d'amitié avec d'autres parents. L'homme téléphonait, appuyé contre le toboggan, tandis que Dylan s'élançait, tête la première et bras écartés, sur la rampe métallique.

Il adressa un signe de la main et un sourire à Jeanie lorsqu'il l'aperçut, raccrochant rapidement pour mettre son téléphone dans la poche de sa veste.

— Bonjour… Comment ça va ?

— Bien… Et vous ?

Ellie voulut aller sur les balançoires, et ils se trouvèrent ainsi séparés pendant qu'ils regardaient leurs petits-enfants jouer. Jeanie évitait délibérément de croiser le regard de l'homme. Dylan s'amusait avec un autre garçon de son âge en courant autour de l'aire de jeux, et son grand-père s'approcha de Jeanie.

— Écoutez, je tiens à m'excuser pour l'autre fois.

— Que voulez-vous dire ?

— J'étais… assez tendu… Je me suis un peu laissé emporter.

Jeanie se mit à rire.

— Il n'y a pas de mal.

— Vous m'avez sûrement trouvé un peu bizarre.

Elle resta silencieuse, ne sachant pas quoi dire. Elle ne l'avait pas vraiment trouvé bizarre… plutôt troublant, comme s'il attendait quelque chose d'elle dont elle ignorait complètement la teneur.

— C'est simplement que c'était une des premières fois que j'allais au parc, et je ne connais pas très bien le protocole, ajouta-t-il avec un sourire penaud.

— Oh, il n'y a aucun protocole ! le rassura-t-elle en riant. Juste une règle d'or : s'assurer que, quoi qu'il arrive, ce n'est jamais la faute du vôtre !

— Une sorte de « c'est pas moi, c'est lui » ?

Jeanie acquiesça.

— Est-ce que ça fait de moi une cynique ?

Il haussa les épaules en souriant.

— Je dirais plutôt une réaliste. Quoi qu'il en soit, je vous laisse tranquille.

Elle le regarda passer la porte de métal et aller s'appuyer contre la barrière autour de l'étang aux canards.

— Descendre… Descendre, Jin.

Jeanie sentit les premières gouttes tomber alors qu'Ellie s'agitait sur la balançoire. Elle se mit à chercher un vêtement imperméable au fond de la poussette, mais elle ne trouva qu'un paquet de lingettes, un livre en carton tout abîmé appartenant à sa petite-fille et une vieille peau de banane.

L'aire de jeux se vidait rapidement. Jeanie entendit l'homme appeler son petit-fils :

— Dylan ! Dylan, viens ici, mon grand. Il va tomber des cordes.

Jeanie remarqua que l'enfant n'écoutait absolument pas son grand-père, tandis qu'elle installait Ellie – qui protestait vertement – dans la poussette avant de se diriger rapidement vers la grille. Elle commençait à remonter la colline lorsque les éléments se déchaînèrent soudain. Des trombes d'eau se mirent à tomber, et Jeanie comprit qu'il valait mieux renoncer à marcher pendant quinze minutes sous ce déluge. Elle se dirigea alors vers un café, à quelques mètres de là, Ellie hurlant toujours pour échapper à la poussette et à l'averse.

L'établissement était désert. Jeanie choisit une table sur la terrasse couverte pour qu'Ellie puisse se dégourdir les jambes et commanda une tasse de thé et un jus de pomme pour sa petite-fille.

Elle était assise là, trempée, les yeux levés vers le ciel, en se demandant avec inquiétude si la pluie allait bientôt s'arrêter, lorsque Dylan et son grand-père entrèrent.

— Re-bonjour.

Il était essoufflé par sa course mais semblait toujours disposé à lui faire des excuses. Le cœur de Jeanie se serra lorsqu'elle comprit qu'elle était piégée avec lui jusqu'à la fin de l'averse.

Dylan remonta la rampe pour les poussettes puis redescendit les marches en courant, Ellie sur ses talons, les deux enfants poussant des hurlements de joie tandis qu'ils refaisaient le même circuit.

— Pffff.

L'homme ôta sa veste de cuir toute mouillée et la posa sur le dossier de la chaise en face de celle de Jeanie. Il sourit d'un air malicieux devant son air féroce.

— Il ne nous manque plus qu'un rideau de douche et un grand couteau.

Jeanie ne put s'empêcher d'éclater de rire.

— Quoi ?

— Vous me regardez comme si je projetais de vous tuer, ou de vous suivre dans le meilleur des cas, expliqua-t-il.

— Et alors ? Vous me suivez ?

Elle se surprit à étudier son beau visage aux traits burinés et y décela, non pas le regard fuyant d'un maniaque mais une sorte de franchise attirante, comme une sérénité acquise au fil du temps.

— Pas de façon intentionnelle.

— Vous pouvez comprendre mon point de vue, lui dit-elle en souriant.

Un cri retentit, et ils se retournèrent pour découvrir Ellie étendue sur le sol en béton. Jeanie s'élança et souleva sa petite-fille, au visage rougi par le choc, puis la berça jusqu'à ce que ses pleurs s'apaisent. Dylan se dandinait nerveusement.

— J'ai rien fait du tout, marmonna-t-il, refusant obstinément de lever les yeux, comme s'il avait l'habitude d'être grondé.

— Je sais bien que tu n'as rien fait, lui dit Jeanie avec un sourire apaisant. Ellie ne court pas encore très bien, c'est tout.

Les yeux du petit bonhomme s'éclairèrent soudain.

— C'est vrai qu'elle est encore petite, ajouta-t-il du haut de ses quatre ans. Viens.

Il prit la main d'Ellie et la tira gentiment, impatient de reprendre le jeu.

La pluie s'abattait avec force, obscurcissant le ciel et s'écoulant du toit comme un rideau, pour les enfermer dans une bulle froide et humide. Un silence gêné s'installa entre les deux adultes.

— Vous voulez qu'on chante ? Comme dans les films ? (L'homme esquissa un sourire.) Il nous manque une nonne avec une guitare, une femme enceinte sur le point d'accoucher, un enfant précoce et une brute épaisse reconvertie en héros, mais on pourrait quand même trouver un moyen dramatique et déprimant de passer le temps jusqu'à ce qu'on soit sauvés.

— Comme quoi ?

— Je ne sais pas… Pourquoi pas…

Il s'interrompit, se redressa sur son siège, bombant le torse tel un chanteur d'opéra, et entama une chanson des années 1960 sur les amours adolescentes contrariées d'un garçon mort dans un accident de voiture et dont les derniers mots étaient : « Dites à Laura que je l'aime. » Il chantait d'une voix basse, mélodieuse et assurée. Ils éclatèrent de rire lorsqu'il acheva le couplet.

— Les plus vieilles sont les meilleures, plaisanta Jeanie.

Ils reprirent le refrain ensemble, plus fort cette fois, en accentuant son côté mélodramatique. Les deux enfants s'étaient arrêtés devant eux pour profiter du spectacle.

— Je m'appelle Ray, au fait, se présenta l'homme.

— Jeanie, répondit-elle, et ils se serrèrent la main au-dessus de la table en bois.

— Beaucoup de vos amis ont des petits-enfants ?

Jeanie secoua la tête.

— Non, aucun. Ma meilleure amie n'a pas d'enfants, et les autres n'ont pas encore de petits-enfants. Ils ont des fils, je crois que ça prend plus de temps.

— Ellie est donc la fille de votre fille ?

— Oui. Chanty travaille toute la journée, et son mari doit souvent s'occuper de la petite.

— Ils apprécient beaucoup votre aide, j'imagine.

Jeanie haussa les épaules.

— Pas vraiment. Je ne m'entends pas bien avec mon gendre, on a eu quelques différends.

Ray soupira.

— Ah la famille, on ne peut ni les supporter ni s'en passer ! Nat – c'est ma fille – commence à changer d'avis sur moi. Elle me laisse même aller nager avec Dylan la semaine prochaine.

— Qu'est-ce que vous avez fait ?

— Oh, vous savez, j'ai quitté sa mère ! Seulement je l'ai fait de la pire des manières. Je suis tombé amoureux de la fille de la meilleure amie de ma femme. Elle avait vingt et un ans. Ça ne s'est pas très bien passé.

Jeanie digéra l'information.

— Votre fille avait quel âge ?

— Neuf ans. Et Carol ne voulait plus que je la voie après ça. Elle m'a traité de pédophile, a déménagé à Leicester et a changé de nom et de numéro de téléphone. Elle me renvoyait toutes les cartes et les cadeaux que j'envoyais à Nat. J'ai fini par laisser tomber, et on a perdu le contact pendant des années. (Il se passa la main dans les cheveux.) Je sais bien que j'étais un mauvais père. Je n'en veux pas à Nat.

— Pourquoi a-t-elle repris contact avec vous ?

— Elle ne l'aurait pas fait si le père de Dylan ne l'avait pas convaincue. Ronnie est musicien. Il est originaire des Caraïbes et travaille dans les écoles. Il n'a jamais connu son père et, quand Nat est tombée enceinte, il l'a convaincue de reprendre contact, pour le bébé. (Il s'interrompit.) Vous n'avez pas envie d'entendre ça, ajouta-t-il doucement.

Un silence s'installa entre eux tandis qu'ils regardaient le ciel pour découvrir que la pluie avait cessé.

— Je ferais bien de ramener Ellie à la maison avant d'avoir des problèmes avec mon gendre, dit Jeanie, surprise de découvrir qu'elle n'avait pas vraiment envie de partir.

— Viens un peu regarder ça ! s'exclama George en faisant de grands signes.

Jeanie reposa le journal pour aller se poster derrière sa chaise de bureau.

— Mets tes lunettes… Il faut vraiment que tu voies ça.

Elle se pencha sur l'écran et découvrit la photo d'une grande maison de campagne.

— Elle est magnifique, tu ne trouves pas ? Et regarde…

Il cliqua sur une série de petits clichés montrant l'intérieur d'un vaste salon, la lumière éclatante du soleil pénétrant par les fenêtres ouvertes, puis une cuisine vieillotte équipée d'une cuisinière rouge vif. Jeanie lut les informations précisées par l'agence immobilière au bas de la page.

— C'est gigantesque… Cinq chambres et six hectares de terrain. C'est ridicule, George, tu disais que cette maison était trop grande pour nous, mais celle-là l'est au moins autant.

George haussa les épaules.

— C'est vrai… Mais, à la campagne, on aura besoin de plus de chambres pour les invités. Elle est belle, non ?

— Oui, George, elle est très belle, mais ce n'est pas pour ça qu'on doit l'acheter.

— Et regarde celle-ci.

Et il recommença son petit manège sauf que, cette fois, il s'agissait d'un presbytère dans le Somerset.

— Il y a aussi cinq chambres, mais on pourrait avoir chacun notre propre bureau. Et ça vient d'être redécoré. Tu ne crois pas qu'Ellie adorerait ce jardin ? Il y a même un ruisseau.

— Elle pourrait s'y noyer, rétorqua Jeanie d'un ton sec. George, est-ce qu'on pourrait discuter ?

George s'arracha à la contemplation de l'écran et fit pivoter sa chaise pour faire face à sa femme, les yeux encore brillants d'excitation.

— Tu m'as entendue lorsque j'ai dit que je n'avais aucune intention de m'installer à la campagne ?

George cligna des yeux.

— Bien sûr que oui.

— Alors, est-ce que tu peux me dire ce que tu fais, là ?

— Je cherche une maison parce que je sais que c'est une bonne chose pour nous, et que tu finiras par t'habituer à cette idée. On en a bien ri, Chanty et moi, dimanche dernier. Il faut toujours qu'on te force la main. Comme pour le magasin, tu te rappelles ?

George lui souriait avec affection. *Cela aurait sans doute paru touchant pour tout spectateur étranger*, songea Jennie avec colère.

— Tu me traites comme une gamine, ajouta-t-elle sans relever sa remarque à propos de la boutique.

Il utilisait cet argument chaque fois qu'il voulait lui prouver qu'il la connaissait mieux qu'elle-même. C'était George qui, dix ans plus tôt, après la débâcle dans la chambre à coucher, lui avait proposé d'acheter les locaux. Ils se promenaient lorsqu'il avait remarqué que le magasin était à vendre. Jeanie ne l'avait pas pris au sérieux. Elle était encore furieuse contre lui et pensait qu'il cherchait simplement à se faire pardonner. Il savait toutefois qu'elle songeait à ouvrir un commerce de diététique depuis quelques années. Il avait fini par la convaincre, avec la même insistance qu'aujourd'hui. Elle en avait plus qu'assez de lui en être reconnaissante.

— On ne pourrait pas louer un cottage comme on avait prévu de le faire ? Pour voir si ça nous plaît ?

Il secoua la tête avec obstination.

— Je ne veux pas d'une résidence secondaire, ce serait du gaspillage de payer un loyer. Non, je veux quitter Londres.

— Et si je ne suis pas d'accord ?

— Jeanie chérie, tu changeras d'avis. Quand tu verras les maisons qui sont en vente, tu me supplieras de déménager. Comment pourrais-tu ne pas aimer ? (Il montrait l'écran.) Chanty aussi pense que c'est une bonne idée, précisa-t-il pour appuyer ses propos.

— Ce n'est pas de sa vie à elle qu'on parle, George.

— Laisse-moi faire, d'accord ? Fais-moi confiance. Allons voir quelques maisons, et puis on prendra une décision. OK ?

Jeanie accepta. Durant l'espace d'un terrible instant, elle se vit patauger dans la boue, entourée de ploucs habillés n'importe comment, comme Rita l'avait prédit. Et il y avait George, bien sûr.

Chapitre 5

— Maman, il faut qu'on discute de la fête. Elle a lieu dans trois semaines.

Elles étaient assises l'une en face de l'autre dans la petite cour derrière *Graine de grenade*, une demi-heure avant l'ouverture. Jeanie avait récemment ajouté quatre tables et des chaises pour que ses clients puissent déguster leurs jus de fruits et leurs smoothies. Elle retourna s'installer sous le parasol pour éviter les rayons du soleil matinal.

— Ce n'est pas encore réglé ?

Selon Jeanie, l'organisation d'une soirée pour célébrer sa déchéance avait quelque chose de profondément déprimant, mais Chanty avait dit que ce serait amusant.

— Si, mais n'oublie pas que je serai absente pendant une semaine. Tout le monde a répondu ?

Jeanie acquiesça.

— Quarante-trois confirmations, aux dernières nouvelles.

Ses amis s'étaient montrés horriblement enthousiastes.

— On doit encore faire le plan de table, prendre des décisions concernant les discours, l'heure du dîner et le choix de la musique jouée par le quartet. Il ne faut rien laisser au hasard. Est-ce qu'on a vérifié si quelqu'un suivait un régime particulier ? Il faudra prévenir les traiteurs.

— Un régime particulier ? demanda Jeanie d'un air perplexe.

— Oui, maman. Végétarien, allergie au gluten ou aux arachides… Tu sais, ce genre de choses.

— Mes amis sont nés avant l'invention des allergies au gluten et aux arachides, rétorqua-t-elle d'un ton acerbe avant de passer la liste des invités en revue. Non, pour autant que je sache, ils ont encore toutes leurs dents. Je n'arrive même pas à trouver un végétarien.

Chanty se mit à rire.

— D'accord, d'accord, ne commence pas avec ma « génération de névrosés », comme tu dis.

— Ellie n'a pas eu de problème à la crèche ?

Jeanie trouvait que sa petite-fille était trop jeune, mais Alex avait insisté pour avoir davantage de temps pour lui, et Chanty avait cédé. Jeanie ne lui en voulait pas : sa fille craignait sans doute de le perdre de nouveau.

— Elle a adoré. (Le visage de Chanty s'adoucit.) Ils l'ont laissée peindre autant qu'elle voulait. Bon, maman, on peut s'y remettre ? Il faut que j'aille travailler, je suis déjà en retard.

Le jeudi suivant, Jeanie fut surprise de l'accueil chaleureux d'Alex lorsqu'elle vint chercher sa petite-fille. Il semblait même déterminé à faire la conversation.

— Chanty m'a dit que l'organisation de la fête se passait bien.

— Oui, je crois.

— Vous n'avez pas l'air très enthousiaste, sourit-il avec sympathie, s'exprimant d'une voix dénuée de sa malice habituelle.

Jeanie le regarda avec suspicion.

— Pour être honnête, ça m'angoisse un peu.

Alex éclata de rire.

— Je ne vous en veux pas. C'est un vrai cauchemar, si vous voulez mon avis.

— Quoi ? D'organiser une fête ?

— Non, d'avoir soixante ans.

— Et moi qui croyais que tu étais de mon côté pour une fois, grogna Jeanie en cherchant les chaussures d'Ellie.

— Je le suis, insista-t-il en riant. Mais je dois être honnête, non ?

— Tu n'es pas obligé d'être aussi cruel.

— Désolé… Désolé. Je ne savais pas que c'était si grave. Vous ne faites vraiment pas votre âge.

C'était reparti : « pas ton âge », c'était vraiment devenu les mots qu'elle détestait le plus au monde. Elle était toutefois surprise par cette tentative unique de son gendre de lui faire un compliment.

— Merci.

— Jean, je sais qu'on est mal partis tous les deux, dit Alex tandis que Jeanie prenait Ellie sur ses genoux, bataillant pour lui enlever ses pantoufles et lui mettre ses chaussures.

Jeanie se mordit la langue et patienta, tout en se demandant où il voulait en venir. Voyait-il un thérapeute ? Avait-il besoin d'argent ?

— J'aimerais beaucoup qu'on fasse la paix et qu'on devienne amis.

Elle comprit qu'il n'était pas facile de changer ses habitudes, même les plus stupides – comme détester son gendre par exemple. Même si elle refusait de l'admettre, une petite part de Jeanie appréciait d'avoir le droit d'être désagréable avec lui. Chaque fibre de son être résistait. C'était presque douloureux d'esquisser un sourire sincère, mais elle se força à essayer.

— Ce qu'il y a, c'est que…

— Je sais, vous ne me faites pas confiance, vous croyez que je vais de nouveau trahir Chanty.

Jeanie hocha la tête.

— La vérité, continua-t-il c'est que je ne me fais pas confiance non plus. Mais je fais des efforts.

— Ce n'est pas exactement ce qu'une mère rêve d'entendre, même si je ne peux pas te reprocher d'être honnête, comme toujours.

Les boucles noires d'Alex étaient attachées en une queue-de-cheval lâche. Avec son visage dégagé, il semblait plus jeune, plus vulnérable aussi.

— Mais il n'y a aucune garantie, n'est-ce pas ? Pas dans une relation amoureuse.

Jeanie fut contrainte d'approuver.

— Pourquoi maintenant ?

Elle aurait pu accorder à Alex le bénéfice du doute si elle n'avait pas remarqué son regard fuyant.

Il haussa les épaules.

— Il doit forcément y avoir une raison ?

— Pas vraiment… mais il y en a souvent une.

Alex soupira.

— Comme vous voulez, on fait toujours la paix ?

Elle serra la main qu'il lui tendait.

Jeanie ressentit une pointe de déception lorsqu'elle arriva à l'aire de jeux et découvrit que Ray et Dylan n'y étaient pas.

Ellie avait renoncé aux balançoires et s'amusait sur le toboggan. Un petit garçon se lança dans une figure compliquée et glissa sur le dos, la tête la première. Ellie tenta bien évidemment de l'imiter mais elle échoua et se retrouva la tête en bas, les bras le long du corps, à pleurer sur la rampe de métal. Jeanie la récupéra et la serra dans ses bras, mais, pour une obscure raison, la petite fille restait inconsolable.

— Allons jeter un coup d'œil à la nouvelle aire de jeux, finit-elle par proposer pour lui changer les idées.

Ayant retrouvé le sourire, Ellie partit en courant le long de la colline, aussi vite que le lui permettaient ses petites jambes, ses boucles volant au vent, tandis que Jeanie se pressait de la rejoindre avec la poussette.

Elle les vit dès qu'elle tourna le coin. Ray était perché sur le bord de la cage à écureuils pour soutenir son petit-fils qui se dirigeait vers la plus haute barre.

Ellie se mit à crier de joie lorsqu'elle aperçut Dylan. Elle voulait le rejoindre, mais la cage était réservée aux enfants plus âgés, et Jeanie commença à regretter sa décision.

— C'est trop haut, ma chérie, tu es trop petite.

Tandis que sa petite-fille ruminait sa déception en envisageant visiblement de pousser des hurlements de colère, Ray souleva Dylan.

— Allons aux balançoires, mon grand.

Un groupe de petits enfants s'amusaient à courir sur le revêtement en caoutchouc flambant neuf du monticule derrière les balançoires, et Ellie oublia rapidement Dylan pour se joindre à eux.

Jeanie s'assit dans l'herbe, et Ray s'installa à ses côtés, jambes croisées, cueillant de l'herbe et des brindilles.

— Comment allez-vous ?

Jeanie haussa les épaules.

— Je crois que ça va, et vous ?
— Si mal que ça ?
— Oh, vous savez ce que c'est !
Il la regarda de ses yeux gris-vert si semblables à ceux de son petit-fils, clairs et lumineux.
— Non, racontez-moi. (Jeanie resta silencieuse.) Vous avez écouté mes stupides histoires de famille dysfonctionnelle, c'est à votre tour, maintenant.
Elle resta un moment sans rien dire. Puis, soudain, quelque chose en elle se brisa comme si des années de silence avaient finalement réduit ses défenses en poussière.
— Vous voulez vraiment savoir ? demanda-t-elle d'une voix remplie de doutes qui la surprit elle-même.
— Bien sûr.
Il semblait déconcerté, mais Jeanie inspira profondément, déterminée. Cela faisait plusieurs jours que tout le monde l'énervait, comme si elle était sur le point d'exploser, et qu'elle ressentait le besoin de se confier à quelqu'un. *Vous ferez l'affaire*, pensa-t-elle en regardant cet étranger qui lui témoignait une étonnante sympathie.
— D'accord. (Elle inspira à nouveau, hésitante.) Eh bien… je vais avoir soixante ans dans quelques semaines, et mon mari et ma fille ont décidé que j'étais officiellement vieille. Ils veulent que je laisse tomber mon magasin de diététique, dont je suis propriétaire, que j'adore et qui marche super bien, pour aller m'enterrer à la campagne. Ils n'arrivent pas à comprendre pourquoi je ne saute pas sur l'occasion de prendre ma retraite pour m'installer dans un village perdu du Somerset. Les scones à la confiture au coin du feu, les bégonias

dont il faut s'occuper, les fêtes de la paroisse, la beauté reposante de la campagne… Est-ce que je suis… ?

Horrifiée, elle découvrit qu'elle parlait d'une voix tremblante, lourde de sanglots. Ray la regardait sans paraître embarrassé, attendant simplement qu'elle achève sa phrase.

— C'est tout ? demanda-t-elle en combattant ses larmes. Je suis censée me laisser faire ? Laisser tomber ?

— Qu'est-ce que vous voulez ?

— Que rien ne change. J'aime ma vie comme elle est. Enfin, presque.

— Qu'est-ce que vous n'aimez pas ?

Jeanie l'observa un instant.

— Quelle drôle de question !

Ray sourit.

— Vraiment ?

— Eh bien, oui ! Il y a des aspects de la vie qu'on n'aime pas, mais ils ne comptent pas vraiment. Ce que je veux dire, c'est qu'on pourrait en parler durant des heures, mais…

Elle avait l'impression de divaguer sans comprendre pourquoi. La franchise de cet homme la troublait, il était bien trop facile de se confier à lui.

— Vous ne devriez pas demander aux gens pourquoi ils ne sont pas heureux. Il vaut mieux ne pas penser à ce genre de choses, conclut-elle d'un ton sec.

— Désolé.

Il avait l'air tellement surpris par sa soudaine colère qu'elle ne put s'empêcher d'éclater de rire.

— Non, vraiment, c'est à moi de m'excuser, dit-elle. Je me comporte comme une folle furieuse.

Elle chercha un mouchoir dans la poche de sa veste.

— Votre mari tient compte de ce que vous voulez, non ? demanda-t-il.

Ses yeux clairs et lumineux semblaient la transpercer. Elle recommença à pleurer.

— Vous n'auriez pas dû insister, murmura-t-elle, mortifiée.

— Je n'en avais pas l'intention, je voulais juste…

Il se détourna, et, pendant un instant, ils restèrent silencieux à observer les enfants qui couraient dans le parc.

— Je ne me sens pas vieille, pas du tout.

Elle tentait en vain de retenir ses larmes mais ne se préoccupait plus de ce que Ray pouvait penser d'elle. Le besoin d'exprimer ses sentiments l'emportait sur tout le reste.

— Je n'ai pas l'impression d'avoir changé. Je suis en pleine forme. Je ne peux pas… je ne peux pas aller m'enterrer là-bas avec un homme qui se fiche totalement de moi au point de ne plus me faire l'amour depuis plus de dix ans.

Elle sursauta en prononçant ces mots, les joues rouges de honte. Elle se cacha le visage dans les mains, souhaitant soudain que la terre l'avale.

Elle entendit Ray soupirer profondément.

— Ça ne doit pas être facile, dit-il d'une voix douce et prudente.

Jeanie secoua la tête, surprise par son audace.

— Je… je n'arrive pas à croire que je vous ai dit ça… Je vous connais à peine. Je suis désolée… C'est horriblement embarrassant.

Ray sourit.

— Pour vous peut-être, mais…

Un téléphone sonna, et Ray plongea la main dans sa veste.

— Sauvée par le gong, souffla-t-elle piteusement.

— Bonjour… Oui… Oui… Non, je ne viendrai pas aujourd'hui. Je m'en occuperai demain à la première heure. Merci de m'avoir prévenu, Mica. Ouais… Au revoir.

Il remit le portable dans la poche de sa chemise.

— C'était le club.

— Papy ! Papy ! Je dois faire pipi… Vite, Papy.

Dylan s'agitait devant son grand-père en se tenant l'entrejambe. Ray se leva d'un bond.

— Allez, viens…

Ils se dirigèrent en courant vers les buissons à la lisière du parc, laissant Jeanie avec l'impression qu'elle venait de se faire renverser par un bus.

Ils ne discutèrent pas beaucoup après ça. Jeanie installa Ellie – rouge et en sueur d'avoir couru – dans la poussette, et lui donna un peu d'eau dans son gobelet en plastique bleu. Dylan les suivait en traînant les pieds, portant son anorak sur la tête comme une cape. Ils se séparèrent à la grille.

Ray hésita un instant.

— Je suis désolé que nous n'ayons pas eu l'occasion de terminer notre conversation.

Jeanie tenta de sourire.

— C'est aussi bien comme ça. S'il vous plaît, oubliez tout ce que je vous ai dit.

Avant de repartir, il lui sourit et lui effleura le bras d'un geste léger qui lui sembla pourtant très intime et qu'elle ne put s'empêcher d'apprécier.

Chapitre 6

Rita se pencha pour ramasser la housse de sa raquette, son tube de balles et sa veste posés dans le coin du court.

— Qu'est-ce qui t'arrive, Jean Lawson ? demanda-t-elle d'une voix agacée. (Jeanie savait qu'elle plaisantait.) Tu ne peux pas continuer à me laisser gagner. Je sais que je suis extraordinairement douée, mais tu me donnes l'impression d'être une pro !

Jeanie s'appuyait contre le filet en agitant sa raquette d'avant en arrière. Pendant trois jours, elle n'avait pensé qu'à Ray et à ce qu'elle lui avait dit.

— On va sur le banc ?

Elle attendit qu'elles soient toutes les deux installées. Le soir tombait, accompagné d'une petite brise printanière, mais il leur restait encore une quinzaine de minutes avant qu'il fasse noir.

— Alors ? (Rita observait son amie.) Il s'est passé quelque chose, je le sais.

— J'ai rencontré un homme, dit doucement Jeanie.

— Oh, ma chérie, ce n'est pas possible ! (Rita écarquilla les yeux.) Tu veux dire un homme, un vrai ?

Jeanie éclata de rire.

— Eh bien oui, c'est un homme, un vrai, dans tous les sens du terme ! (Elle lui parla de leurs trois rencontres, bien qu'il n'y ait pas grand-chose à en dire.) Ce n'est rien.

Je ne sais rien de lui, je ne sais même pas où il travaille… Il a juste parlé d'un « club » quand il téléphonait.

— Un night-club ?

— Je l'ignore.

— Si c'est le cas, ce n'est peut-être pas une bonne idée.

— Qu'est-ce que tu veux dire ?

— C'est peut-être un type louche, rétorqua Rita, l'air inquiet.

Jeanie se sentit immédiatement sur la défensive.

— Tu veux dire qu'il pourrait chercher à me séduire dans l'espoir de me vendre pour une jolie somme ? Ce n'est pas ça du tout.

— C'est peut-être un club de sport ou de fitness, suggéra Rita.

— Je n'en sais rien. Quelle différence cela ferait-il ? Je te dis qu'il n'y a rien. On s'est vus deux ou trois fois, c'est juste que…

— Il te plaît ?

Jeanie gloussa.

— Rita ! Bien sûr que non.

Elle venait à peine de prononcer ces mots lorsqu'elle comprit que c'était un mensonge. Elle trouvait Ray très attirant. Comment aurait-il pu en être autrement ? Elle n'avait simplement plus flirté depuis longtemps. C'était un peu comme un muscle qui s'était relâché. Elle s'aperçut qu'elle rougissait sous le regard complice de son amie.

— Ne sois pas ridicule, je suis mariée.

Rita acquiesça avec sagesse.

— J'avais remarqué, ma chérie.

Jeanie inspira.

— Non, tu ne comprends pas... Je lui ai dit que... Oh mon Dieu, ça me gêne rien que d'y penser. Je ne sais pas pourquoi j'ai fait ça.

— Tu lui as dit quoi ?

— Que je n'ai plus de relations sexuelles avec George depuis dix ans, ajouta-t-elle rapidement.

Rita avait écarquillé les yeux lorsqu'elle avait parlé de Ray, mais là, ils menaçaient tout simplement de rouler hors de leurs orbites.

— Quoi ? Quoi ? hurla-t-elle. Non ! Ce n'est pas possible ?

— Chuuut !

Jeanie jeta un regard aux personnes qui s'attardaient encore sur la pelouse voisine.

— Tu veux dire pas du tout, même pas une fois ? Depuis dix ans ? Nom de Dieu, ma chérie, pourquoi tu ne m'as rien dit ?

— Je crois que j'essayais de me convaincre que tout allait bien, puis les années ont passé et... voilà. (Rita resta silencieuse.) Je ne sais pas pourquoi j'en ai parlé à Ray. Je n'en avais pas l'intention, c'est sorti tout seul. (Elle souhaitait que Rita dise quelque chose.) Ce n'est pas grave, ajouta-t-elle doucement. Il y a probablement des millions de couples qui n'ont plus de relations sexuelles.

— Qu'est-ce qui s'est passé ? Pourquoi est-ce que ça s'est arrêté du jour au lendemain ?

Jeanie soupira.

— C'est là que ça se complique. Je n'en sais toujours rien. Il refuse obstinément d'en parler. J'ai essayé. Quand c'est arrivé la première fois, j'ai fait tout ce que je pouvais pour le forcer à cracher le morceau. Mais, chaque fois, il se fermait, refusait de dire quoi que ce soit. À la fin, il se mettait vraiment en colère, alors j'ai laissé tomber. Mais ça me rend folle de ne pas savoir. (Rita secoua la tête.) C'était toujours moi qui prenais l'initiative, jamais le contraire.

Elle s'interrompit. C'était nouveau pour elles : Rita et Jeanie discutaient souvent de leur vie quotidienne mais jamais de sexe.

— On ne le faisait pas souvent, mais je finissais toujours par le convaincre.

— Il était doué ? demanda Rita d'une voix qui indiquait clairement qu'elle connaissait déjà la réponse.

— Ça allait, je crois. Je n'ai pas de point de comparaison, je ne l'ai jamais fait avec quelqu'un d'autre. George a été mon premier… et mon seul amant.

L'homme chargé de fermer le parc remonta la colline, agitant sa cloche pour prévenir les retardataires, et Jeanie s'aperçut alors que le soleil était presque couché. Elle frissonna.

— On ferait mieux d'y aller.

Lorsqu'elles se levèrent, Rita passa un bras ferme autour de ses épaules, et Jeanie lui en fut reconnaissante.

Elle continua à lui parler de George tandis qu'elles montaient la colline.

— Nom de Dieu ! Quel salaud… Ma pauvre, c'est horrible. (Rita s'arrêta pour lui faire face.) Il est gay. C'est la seule explication.

— Quoi, il est brusquement devenu gay ? Après vingt-deux ans d'un mariage tout à fait normal ? Il aurait joué la comédie pendant toutes ces années ?

Rita soupira.

— C'est plutôt déprimant à imaginer. Je n'arrive pas à croire que tu as supporté ça pendant tout ce temps, ma chérie. George pense vraiment que tu es heureuse alors que vous n'avez pas de relations sexuelles ? Si c'était moi, je l'aurais quitté depuis longtemps.

— Les choses ont empiré avec les années, je crois. Le temps passe sans que tu t'en rendes vraiment compte. Je n'ai jamais cru que ça durerait, et maintenant... ça fait partie de notre mariage. Je l'aime, insista Jeanie, on s'entend vraiment bien tous les deux. Sauf peut-être pour le sexe.

— Sans parler de son besoin de tout contrôler.

— D'accord, ça aussi. Mais c'est la vérité, j'aime George. Je ne pourrais jamais le quitter, il ne s'en remettrait pas.

Jeanie se trouvait pathétique. Elle avait bien conscience que son amie ne laisserait jamais Bill s'en tirer à si bon compte.

Rita lui lança un regard ironique.

— Tu as raison. C'est toujours une bonne raison de ne pas quitter quelqu'un... L'encourager dans ses défauts...

Jeanie tiqua en entendant cette remarque sarcastique.

— Aimer quelqu'un, c'est toujours une bonne raison de rester.

— Alors, le type du parc, enchaîna Rita pour changer de sujet, qu'est-ce qu'il a répondu quand tu le lui as dit ?

— Pas grand-chose, le pauvre, qu'est-ce que tu voulais qu'il dise ?

— George est un imbécile, ajouta son amie d'un ton pensif.

Plus tard ce soir-là, Jeanie se tenait nue devant le miroir de la salle de bains à examiner son corps.

Elle tentait de s'imaginer se présentant ainsi devant Ray, mais la lumière blafarde du néon semblait se moquer d'elle. Elle n'avait pas vraiment honte de son corps. La graisse qui s'était accumulée sur son ventre – une des merveilles de la ménopause – la rendait folle mais refusait obstinément de disparaître. Ses petits seins avaient grossi avec le changement hormonal, mais elle avait toujours une silhouette élancée. Contrairement à certaines de ses amies, elle n'avait jamais envisagé de prendre des hormones de substitution. Selon Jeanie, la prise de THS était davantage une question de vanité lorsqu'on ne souffrait pas de bouffées de chaleur. Serait-elle plus belle, aurait-elle l'air plus jeune si elle suivait un traitement ? Elle observa son visage. Il était ridé, certes, mais elle avait toujours une belle peau, des yeux bleus perçants et, grâce à la magie de la coloration, ses cheveux auburn foncé étaient brillants et parfaitement coupés sous le menton. Toute sensualité semblait l'avoir désertée. Le miroir lui renvoyait l'image d'une femme qui pouvait être fière de son corps, mais se languissait des caresses d'un amant.

Chapitre 7

Jola jeta un regard reconnaissant à Jeanie lorsque celle-ci arriva au magasin. Une longue file de clients attendait patiemment devant le comptoir, tous avec les bras chargés, comme s'ils étaient convaincus que la consommation de produits diététiques et biologiques faisait d'eux des gens meilleurs.

— Bonjour.

Jeanie reconnut l'un de ses habitués, tandis qu'elle se pressait pour ouvrir la deuxième caisse. Jola et elle s'occupèrent de leurs acheteurs en silence, et la queue diminua rapidement. Bientôt, la boutique se vida.

— Tu veux une tasse de thé ? proposa Jeanie en se dirigeant vers la minuscule cuisine à l'arrière du magasin.

— Vous avez un moment ? Je voudrais vous parler.

Jola accepta la tasse de thé mais semblait étonnamment tendue. Jeanie gémit intérieurement. Durant des mois, elle avait redouté cette conversation où Jola lui annoncerait qu'elle retournait en Pologne. Elle savait que son petit ami avait tenté de la convaincre de rentrer avec lui mais qu'elle avait toujours refusé. Jeanie la payait bien – le double de son salaire en Pologne –, et la jeune femme aimait son travail. Mais son petit ami n'avait pas réussi à s'intégrer aussi bien qu'elle : il parlait à peine l'anglais et semblait lui reprocher sa réussite professionnelle même si – ou justement parce que – c'était elle qui l'entretenait. Jola la regardait d'un air sévère.

— Jean, j'ai l'impression que quelque chose ne va pas… avec le magasin. (Jeanie était perplexe.) Je vous ai entendue au téléphone, la semaine dernière… Vous avez dit à votre amie que vous ne vouliez pas quitter Londres… Mais je ne comprends pas ce que ça veut dire.

Elle remonta ses lunettes à monture noire sur son nez, le visage crispé par l'anxiété.

Jeanie essaya de se souvenir de la conversation en question. Avait-elle réellement dit cela ? Et elle se rappela : elle s'était plainte auprès de Rita du fait que George avait pris rendez-vous pour visiter une maison la semaine suivante et elle avait affirmé à son amie qu'elle n'avait aucune intention de l'accompagner.

— Vous ne partez pas, hein ? Vous ne laissez pas le magasin ?

Jeanie secoua la tête avec insistance.

— Non, il n'en est pas question. Je garde le magasin, Jola. (Celle-ci n'avait toujours pas l'air convaincue.) Je vais être honnête. George veut déménager à la campagne, mais je n'irai pas m'installer là-bas. Je te le promets Jola, je garde le magasin.

— Et votre mari ?

Jola avait grandi dans un environnement beaucoup plus traditionaliste.

— Il ne peut pas me forcer, la rassura Jeanie, même si elle ressentit une pointe d'anxiété à cette idée.

Jola acquiesça en souriant.

— Je suis contente.

— Et la Pologne ?

— Non, non… Pas encore. Mon copain, il a trouvé un travail. Il est content aussi.

— N'oubliez pas qu'on sera absents la semaine prochaine, dit Alex, qui se montrait toujours aussi amical.

— Je suis jalouse. La Bretagne est magnifique à cette époque de l'année.

Alex eut l'air morose.

— Je suppose.

— Essaie de paraître un peu plus enthousiaste.

— Je suis simplement débordé. La galerie m'a prévenu que si je n'étais pas prêt pour septembre il serait trop tard et que je devrais attendre jusqu'à la fin de l'année prochaine.

Ils étaient dans le hall, Ellie tirait Jeanie par la main.

— Viens, Jin, viens ! Arrête de parler.

— J'arrive tout de suite, ma chérie. Va chercher ton parapluie, et je t'emmène au parc.

Sa petite-fille vouait une véritable obsession à son parapluie vert orné de minuscules dinosaures, qu'elle emportait partout avec elle sans se soucier du temps qu'il faisait.

Alex sembla sur le point d'ajouter quelque chose. *Nous y voilà*, songea Jeanie. *Je vais enfin découvrir pourquoi il s'est montré si charmant durant ces derniers jours.*

— Hum… Jean, je me demandais… (Jeanie haussa les sourcils, curieuse.) En fait, j'aurais besoin de plus de temps.

Il passa la main dans ses boucles noires, mouchetées de taches de peinture bleue et verte, en s'appuyant contre le mur au bas de l'escalier.

— Je me demandais si vous pourriez prendre Ellie tous les jours jusqu'à la fin de l'été.

Jeanie sentit sa gorge se nouer.

— Tu veux dire tous les après-midi ?

Alex lui adressa un sourire contrit.

— Ça m'aiderait. Elle va à la crèche deux matinées par semaine, et vous la prenez déjà un après-midi, ça ne fera pas une grande différence. Je sais que je vous en demande beaucoup, mais Chanty refuse qu'Ellie aille chez une baby-sitter, et on ne peut pas se payer une nounou, pas dans notre situation.

— Mais, Alex, j'ai ma boutique.

Il haussa les épaules.

— Je sais bien et j'apprécie vraiment ce que vous faites, mais Jola ne pourrait-elle pas s'en occuper pendant quelque temps ?

Jeanie n'arrivait pas à croire qu'il ose lui demander cela.

— Non, elle ne peut pas. Elle sait faire beaucoup de choses, mais elle est incapable de passer les commandes ou de gérer les comptes.

Jeanie s'interrompit : elle n'avait aucun besoin de se justifier.

Alex se détourna, mais Jeanie eut le temps d'apercevoir les muscles de sa mâchoire se contracter. Il était en colère.

— Je peux la prendre un après-midi de plus, si ça peut t'aider. (Malgré ses sentiments, elle éprouvait pourtant une certaine sympathie pour lui.) Je suis désolée, Alex ; je ne cherche pas à être désagréable, mais c'est ma boutique. Je ne peux pas laisser quelqu'un d'autre s'en charger pendant trois mois.

— Mais vous allez vous en séparer bientôt si vous déménagez à la campagne, de toute façon. George compensera le manque à gagner, n'est-ce pas ?

— Ce n'est pas la question. (Elle ne put s'empêcher d'élever la voix devant tant d'égoïsme.) Pour ton information, je ne m'installerai pas à la campagne.

Ellie attendait devant la porte d'entrée et les regardait, agrippant son parapluie.

— Vous savez quoi ? Laissez tomber, lâcha-t-il d'un ton sec. Désolé d'avoir demandé.

— Tu sais que je t'aiderais si je le pouvais.

— Ouais, bien sûr.

Il la fusilla du regard avant de lui tourner brusquement le dos.

— Alex, s'il te plaît. Je sais qu'on a eu nos différends, mais ce n'est pas pour ça que je refuse. Je te l'ai dit, je veux bien la prendre un après-midi de plus.

— Comme vous voulez...

Il la dépassa dans le couloir étroit pour embrasser sa fille qui patientait près de la poussette.

— Amuse-toi bien au parc, Ellie.

Il fit ensuite demi-tour et ouvrit la porte de l'escalier, qu'il monta deux marches à la fois pour atteindre son studio à l'étage, sans prononcer le moindre mot.

Jeanie serra Ellie dans ses bras, prit la poussette et descendit les marches.

— Papa est fâché, commenta l'enfant, comme si cela n'avait rien d'inhabituel.

Jeanie n'osa pas répondre.

Elle fut soulagée de voir Ray, car elle était encore secouée par la méchanceté d'Alex.

— Bonjour, je suis heureux de vous voir.

Ray quitta le banc installé sur le ponton en bois devant l'étang lorsqu'il la vit approcher. Il était particulièrement séduisant, dans sa chemise de coton bleu et son jean, à la fois mince et élégant. Elle chercha le petit garçon des yeux.

— Où est Dylan ?

— Son père l'a emmené à une sorte de festival de musique pour enfants qu'il organise.

— Et pourtant vous êtes là ?

Ray ébaucha un sourire.

— Je ne voulais pas que vous pensiez que je vous évitais après… vous savez… Ça n'avait pas l'air d'aller très fort, l'autre fois. Bonjour, Ellie.

Jeanie sortit sa petite-fille de la poussette et commença à émietter du pain pour les canards.

— C'est mauvais pour eux, vous savez, dit-il d'un ton sérieux.

— C'est du bio, je l'ai pris au magasin.

Il rit.

— Ce n'est pas un problème de qualité, c'est le pain lui-même.

— Vraiment ? Et moi qui pensais qu'on avait toujours nourri les oiseaux avec du pain.

Ellie mâchouillait avec enthousiasme la tartine de seigle rassis que lui avait donnée Jeanie.

— Jette le pain, ma chérie, jette-le aux canards.

Sa petite-fille passa prudemment un morceau à travers le grillage de la barrière avant de mettre le reste dans sa bouche.

— C'est vrai, mais ça ne veut pas dire que c'est bon pour eux. Apparemment, ça reste collé à leurs intestins, et ils tombent malades. C'est normal, quand on y pense. C'est de la nourriture industrielle.

Jeanie y réfléchit un instant.

— C'est probablement vrai… Je devrais le savoir, je possède un magasin de diététique.

— Pour les humains, pas pour les canards.

Ils éclatèrent de rire, et leurs regards se croisèrent, l'espace d'une seconde. Jeanie sentit l'air se bloquer dans ses poumons et son cœur battre la chamade.

Elle se força à détourner les yeux et s'assit sur le banc, s'apercevant soudain qu'elle tremblait. Ray était toujours appuyé contre la barrière, les coudes posés sur la balustrade en bois à observer son visage rougissant, d'une façon troublante.

La petite fille poursuivait les pigeons, enivrée par un sentiment de liberté.

— J'ai eu une autre altercation avec mon beau-fils, Alex.

Elle commença à dire ce qui lui passait par la tête pour éviter son regard.

— Vous m'avez dit que vous aviez une relation difficile.

Elle hocha la tête, s'efforçant de ralentir son rythme cardiaque.

— Il m'a demandé de m'occuper d'Ellie tous les après-midi pour qu'il puisse peindre.

Ray l'observait d'un air interrogateur, un léger sourire aux lèvres.

— Et c'est grave ? (Il la vit bouillir d'indignation.) Je veux dire, je suis sûr que c'est grave.

— De toute évidence, rétorqua-t-elle d'un ton sec, personne ne semble remarquer que j'ai une boutique à gérer.

— Donc, vous avez refusé.

— Il était tellement désagréable… Mais, à présent, je me sens coupable. Je sais qu'il est casse-pieds, mais c'est vrai que ça ne doit pas être facile de s'occuper d'un enfant quand on essaie d'organiser une exposition. Ellie n'a pas l'air comme ça, mais elle peut être infernale.

— Il ne peut pas engager une baby-sitter pour quelques jours ?

— Chanty ne veut pas en entendre parler. Ellie va déjà à la crèche deux matinées par semaine.

— Vous faites ce que vous pouvez, mais c'est leur problème, après tout.

Jeanie acquiesça.

— Vous avez raison, c'est leur problème. C'est juste que je ne veux pas que ça crée des tensions entre Chanty et moi. Je risquerais de ne plus voir Ellie aussi souvent.

— Vous devriez peut-être avoir davantage confiance en votre relation avec votre fille.

— On dirait que je suis paranoïaque, n'est-ce pas ? soupira-t-elle. C'était tellement horrible quand on se disputait. Je ne pourrais pas supporter de revivre ça.

Elle lui parla du comportement d'Alex avant la naissance d'Ellie.

— Écoutez, Jeanie. Je ne suis pas vraiment un exemple à suivre. J'essaie d'en faire de même avec Nat – de lui faire confiance, je veux dire. Je suis convaincu qu'ils ont autant besoin de nous que nous avons besoin d'eux.

— Oui.

Jeanie se leva d'un bond, déterminée à mettre un terme à cette étrange intimité, même si elle avait l'impression ridicule de connaître cet homme depuis toujours.

— Allons à l'autre aire de jeux pour qu'Ellie puisse s'amuser.

— La poutre, la poutre, répéta Ellie alors qu'ils remontaient la colline.

— Elle sait passer sur la poutre suspendue ? Je suis impressionné, dit Ray. Dylan n'y arrive pas.

— Elle parle de celle qui est fixe, pas de celle qui bouge tout le temps !

Son cœur battait normalement tandis qu'elle tenait la main de sa petite-fille qui marchait sur les cubes en bois suspendus, mais elle n'osait pas regarder Ray.

— Allez-y, le défia-t-elle. À votre tour.

Elle montrait le rondin lisse, attaché avec des chaînes lâches, qui défiait les passants avec arrogance.

— Si vous me tenez la main, ajouta-t-il avec une ébauche de sourire.

— Aucune chance… Regarde, Ellie. (Elle le montra du doigt.) Ray va traverser le rondin suspendu sans tomber.

Elle ne pensait pas qu'il le ferait, mais, sans un mot, Ray sauta avec grâce sur le bloc de soutien, écartant les bras comme un funambule pour avancer calmement sur le bois. Celui-ci bougea à peine tandis qu'il traversait, tremblant légèrement sous son poids. Lorsqu'il atteignit l'autre côté, Jeanie entendit des applaudissements et se retourna pour apercevoir un groupe d'adultes et d'enfants qui s'étaient rassemblés pour observer Ray.

Un petit garçon sautillait d'excitation.

— Encore, encore !

Ray hésita.

— D'accord, une dernière fois.

— Vantard, le taquina-t-elle lorsque les spectateurs furent repartis.

— C'est vous qui m'avez forcé.

— C'est vrai... Où avez-vous appris ça ?

— J'ai fait une fugue et je me suis engagé dans un cirque. (Jeanie le regarda sans ciller.) Bon d'accord, je pratique l'aïkido... : les mouvements, l'équilibre...

— C'est un art martial ?

— Oui, en quelque sorte, sauf que l'aïkido se concentre davantage sur le mental... Je vous expliquerai, un jour. Je possède une école, un club dans le quartier d'Archway.

Jeanie commença à comprendre d'où lui venait cette impression de sérénité ainsi que son évidente forme physique.

Ellie avait repéré deux garçons plus âgés et les suivait prudemment autour des arbres bordant l'aire de jeux.

— Chanty et Alex partent la semaine prochaine... Ils vont en Bretagne. Alors, je ne serai pas là, dit Jeanie sans regarder Ray.

Elle se sentait nerveuse quand il était si près d'elle.

— Venez quand même.

— Qu'est-ce que vous voulez dire ?

Elle leva les yeux vers lui.

— Je veux dire : venez... pour me voir, Jeanie.

Sa voix était soudain grave et profonde, et ses yeux gris-vert, les yeux de Dylan, brillaient.

— Je... je ne peux pas.

— Vous ne pouvez pas ou vous ne voulez pas ?

Jeanie soupira, irritée.

— Ray, je suis mariée, on ne peut pas se voir. Je vous connais à peine.

— Boire un verre, c'est tout. Je ne vous propose rien d'inconvenant, quoique… (Il ne put s'empêcher de sourire devant son regard.) Juste un verre, répéta-t-il, d'une voix pleine de remords.

Ils échangèrent un sourire forcé, crispé. Jeanie jeta un coup d'œil autour d'elle en se demandant comment il était possible que personne ne se soit rendu compte de ce qui se passait entre cet homme troublant et elle.

— Je suis désolé. (Il perçut sa détresse soudaine.) C'était une impulsion. Ça faisait longtemps que… que je n'avais pas ressenti ça. Je pensais que ça aurait pu être agréable.

— Je vous ai dit que je ne pouvais pas, répéta-t-elle d'une voix hésitante, ce qu'il remarqua sans doute.

Elle le regarda plonger la main dans la poche de sa veste pour en sortir une carte.

— Si vous changez d'avis, dit-il en la lui tendant.

Jeanie parcourut le trajet du retour sans même s'en apercevoir. Avec la carte de Ray rangée dans la poche de son jean, elle avait l'impression de revivre, comme si toutes les cellules de son corps s'étaient soudain éveillées d'une longue torpeur. En vérité, pour la première fois depuis des années – non, corrigea-t-elle, pour la première fois de son existence – elle était confrontée à un désir physique qui risquait de la submerger.

Sa relation avec George avait toujours été tranquille. Jeanie avait été séduite par sa galanterie paisible : il lui ouvrait toutes les portes, refusait de la laisser payer quoi que ce soit et insistait pour la raccompagner, à une époque où le féminisme était en pleine expansion. Il avait été un compagnon agréable, amusant, qui planifiait leurs sorties comme des opérations militaires, l'emmenant voir des films étrangers ou des pièces de théâtre dans le parc, découvrir des pubs près de la rivière. Son travail d'infirmière était stressant, épuisant et mal payé, et c'était tellement reposant de savoir qu'à la fin de la journée George viendrait l'enlever dans sa MG décapotable et chercherait à lui faire plaisir.

Puis, le père de Jeanie était mort. Il avait brusquement succombé à une crise cardiaque tandis qu'il rédigeait un sermon. Bouleversée, sa mère l'avait découvert, raide mort, écroulé sur son bureau, alors qu'elle venait voir pourquoi il n'avait pas réagi lorsqu'elle l'avait prévenu que le dîner était prêt. George avait pris les choses en main, accompagnant Jeanie dans le Norfolk, rencontrant les responsables du funérarium, informant la famille, s'occupant du buffet pour la veillée funèbre, avant de se rendre à la mairie avec le certificat de décès. Il ne s'était pas imposé à elle ou à sa mère : il s'était simplement montré solide et compréhensif. Et Jeanie était tombée amoureuse de lui.

L'attraction physique qu'elle ressentait alors pour son mari était différente de l'incendie que Ray allumait à présent en elle par un seul de ses regards. Elle poussa la porte de la grille qui menait à la maison d'Ellie, presque incapable de gérer les émotions complexes qu'elle ressentait.

Chapitre 8

—On ne peut pas mettre Rita à côté de Danny, il est tellement ennuyeux, protesta Jeanie.

—Ce n'est pas très gentil, rétorqua George avec une grimace.

De la pointe de son stylo à bille, il tapotait le diagramme qu'il avait passé des heures à dessiner et qui était à présent étalé entre eux sur la table de la cuisine. Il traça un cercle autour du nom de Rita en ajoutant une flèche pointant vers l'autre côté de la table numéro un.

—C'est juste pour le dîner, ils peuvent changer de place après le plat principal. Bon, d'accord, on n'a qu'à l'installer entre Alistair et moi.

Jeanie observa le changement.

—Non, ça n'ira pas parce que Sylvie se retrouve à côté d'Alistair, et les femmes et leurs maris ne peuvent pas être côte à côte.

—C'est un cauchemar. On planche là-dessus depuis des heures et on ne parvient même pas à placer une seule table.

George jeta son stylo à bille.

—J'ai une idée, dit Jeanie en souriant, pourquoi est-ce qu'il faut absolument qu'il y ait un homme, une femme, un homme ? Pourquoi est-ce qu'on ne mettrait pas tous les noms dans un chapeau, et on en tire dix pour la première table, dix pour la deuxième et ainsi de suite ? C'est original, et tout le monde trouvera ça amusant. Et si on vivait dangereusement, si on prenait des risques ?

George eut l'air anxieux, mais elle vit qu'il faisait un effort pour se maîtriser.

— Hum... Bon d'accord, ça pourrait marcher. Qu'est-ce qu'on fait si je suis à côté de Marlene ?

Ils éclatèrent de rire.

— Pas de chance.

— Et si tu te retrouves avec Danny... ou Simon D. ? Ça tient toujours ?

Jeanie fronça les sourcils.

— Bien sûr que non, c'est mon anniversaire. Je me réserve le droit de piocher un autre nom, mais, en ce qui vous concerne, il faudra vous y faire. J'en ai plus qu'assez de ces conventions bourgeoises assommantes.

George esquissa un sourire crispé.

— D'accord, mais ça risque d'être... intéressant.

— Je l'espère bien.

Il se leva et récupéra le saladier. Ils passèrent les minutes suivantes à découper les noms des invités des quatre premières tables.

— Tu as qui ? demanda Jeanie en refermant le poing sur ses deux choix.

— Ta tante rasoir et le petit ami de Jola. Ce n'est pas juste, il ne parle même pas notre langue. Et toi ?

Jeanie sourit.

— Bill et John Carver... J'en ai de la chance, non ?

— Tu as triché.

George lui prit les papiers, cherchant une marque quelconque susceptible de les identifier.

Ils recommencèrent à rire.

— Tante M. Tu as de la chance, elle appartient à cette génération qui sait faire la conversation en toutes circonstances.

— Mouais… Pas vraiment le genre de conversation qu'on apprécie, ajouta George, un sourire aux lèvres. C'est ta fête, et c'est une bonne idée. Occupons-nous des autres tables.

— D'accord, mais pas avant d'avoir pris une tasse de thé. (Jeanie se leva pour remplir la bouilloire.) J'aurais aimé que tante Norma vienne. Elle me manque. Je n'arrive pas à croire qu'elle soit partie en randonnée à son âge.

Elle se réprimanda intérieurement en s'entendant prononcer ces trois petits mots.

Tandis qu'elle se déplaçait dans la cuisine pour sortir des tasses du vaisselier, prendre les sachets de thé et vérifier la date de péremption du lait, elle se sentait complètement déboussolée. Elle avait accepté de voir Ray plus tard dans la journée. Elle essayait de se convaincre que rien n'allait se passer, qu'elle ne sortirait pas en cachette. Pourtant, le lendemain soir de sa rencontre au parc avec Ray, George l'avait appelée « ma vieille » une fois de trop, ponctuant son implacable plaidoyer en faveur de la campagne de cette épithète condescendante. Jeanie avait envoyé un texto à Ray sous l'impulsion du moment.

Elle se répétait que rien ne l'obligeait à y aller, qu'elle pouvait toujours changer d'avis. Pourtant, sa décision de le rencontrer semblait jeter une ombre sur une tâche aussi simple que celle de préparer du thé pour son époux. Elle avait l'impression que George était hors d'atteinte, que sa trahison le tenait à l'écart, et elle ressentait le besoin instinctif de mieux le traiter, d'être plus attentive, dans une tentative lâche et méprisable de combattre ce sentiment de culpabilité qui la tenaillait.

Ray et Jeanie se retrouvèrent au parc à 18 heures, à l'endroit habituel, devant l'étang aux canards. Lorsqu'elle l'aperçut, Jeanie comprit que, même si elle avait passé la semaine à se convaincre qu'elle ne devait pas y aller, elle avait toujours su qu'elle le ferait.

« Si on prenait un verre ? J », lui avait-elle envoyé.

« Génial ! Quand ? », avait-il répondu.

Il ne s'était encore rien passé, se rappela-t-elle, et il ne se passerait rien. C'était un petit flirt sans conséquence. Elle s'était entichée d'un homme dans un parc : où était le problème ? Elle était vieille, stupide et déraisonnable, si l'on en croyait sa famille. Pourtant, la culpabilité et les mensonges étaient bien réels.

— Je sors avec Rita, demain, dit-elle à George la veille du rendez-vous.

Il leva la tête de ses mots croisés et acquiesça.

— Vous allez voir quoi ?

Jeanie remplissait le lave-vaisselle, rinçant les couverts pour les déposer, manche vers le bas, dans le panier.

— On ne va pas voir un film, c'est juste une soirée entre filles… Lily nous rejoindra peut-être.

— Comment va-t-elle ? Dommage qu'elle ne puisse pas venir à la fête. (Il lui adressa un sourire complice, en repoussant ses lunettes sur son front.) C'est pour bientôt, ajouta-t-il avec enthousiasme.

Jeanie avait à peine conscience de l'imminence de son anniversaire. C'était la dernière chose à laquelle elle pensait. En fait, elle était obnubilée par ses mensonges.

Et par Ray. Elle avait l'impression que ses préoccupations coupables étaient inscrites au néon sur son front, mais, bizarrement, George n'avait rien remarqué.

— Tu veux du café ?

Elle se dirigea vers la cafetière sans attendre la réponse de son mari, elle le connaissait aussi bien qu'elle se connaissait elle-même. Quelques semaines plus tôt, elle aurait puisé une sorte de réconfort dans cette intimité, mais, à présent, cela l'irritait. Elle souhaita, d'une façon totalement injuste, qu'une fois seulement George lui dise :

— Tu sais quoi, ma chérie ? Je prendrai plutôt une bonne tasse de tisane aux orties, aujourd'hui.

Elle se laissa guider vers la grille ouest du parc, celle qui menait à l'entrée principale du cimetière de Highgate, frémissant autant d'excitation que de froid.

— Où est-ce qu'on va ?

— Je pensais qu'on pourrait essayer ce nouveau petit resto grec au bas de la colline.

Ray semblait aussi tendu qu'elle. Son calme apparent et son sourire espiègle avaient disparu, remplacés par une timidité qu'elle ne lui connaissait pas.

— Les enfants, où êtes-vous ? On a besoin de vous ! plaisanta-t-il avec un sourire forcé.

— Je crois que j'ai surtout besoin d'un verre, pouffa Jeanie.

— Moi aussi.

Ils se mirent à glousser.

— Ce n'est pas bon signe, on a besoin de se soûler pour être ensemble, dit-elle.

— J'ai passé des heures à m'imaginer ce qui se passerait maintenant, avoua-t-il à la grande surprise de Jeanie.

Ils continuèrent à marcher sans se regarder. Jeanie prit une profonde inspiration et commença à se détendre. Une part d'elle-même pensait qu'elle était ridicule, qu'elle se faisait des idées et que Ray ne partageait pas ce qu'elle ressentait, même s'il avait insisté pour qu'ils se voient. Ce n'était pas grave, elle s'y était attendue. Pourtant, après ce qu'il venait de dire, elle comprit qu'elle n'était peut-être pas la seule à être bouleversée.

Le restaurant était presque désert, à l'exception d'un jeune couple qui partageait une assiette de hors-d'œuvre en buvant une bouteille de bière, assis devant la fenêtre. Jeanie en fut soulagée. Elle avait observé tous les passants depuis qu'elle avait retrouvé Ray, s'attendant à ce qu'une de ses connaissances les remarque et aille ensuite tout raconter à George, sans aucune arrière-pensée bien entendu. L'établissement semblait récent, les serveurs bien trop empressés dans un décor immaculé, comme si les propriétaires avaient manqué de temps pour lui donner une atmosphère. On leur indiqua une table à proximité des deux jeunes. *Probablement*, songea Jeanie, *parce que la plupart des gens apprécient l'illusion d'être entourés lorsqu'ils sortent dîner*. Mais Ray choisit une table de l'autre côté de la salle.

— Qu'est-ce que tu en penses ?

— Ça m'est égal… C'est bien, répondit Jeanie en toute honnêteté.

À présent qu'ils étaient assis l'un en face de l'autre après avoir commandé l'indispensable bouteille de vin, elle sentit son cœur s'emballer, tambouriner dans sa poitrine comme s'il voulait s'échapper. Elle voulait accrocher le regard de Ray afin de ressentir de nouveau ce choc intense, mais elle n'osait pas, aussi s'appliqua-t-elle à réarranger les couverts et à déplier sa serviette en papier bordeaux pour la placer sur ses genoux.

— Santé ! lança Ray après avoir empli leurs verres.

Ils trinquèrent et prirent une gorgée réconfortante. Elle espérait que le vin l'aiderait à se calmer.

— Parle-moi de toi, demanda Ray, raconte-moi tout.

Jeanie rit.

— Te parler de quoi ?

— De toi, de ta vie, où tu es née, qui est ta meilleure amie… ta chanson préférée… si tu aimes les carottes… Tu sais, les choses habituelles.

— Tu as combien de temps ?

Ils avaient retrouvé un franc sourire à présent, et ce lien magique qui les unissait l'emportait presque sur la conversation. Ils étaient simplement heureux d'être ensemble, à l'abri des regards critiques dans la lumière déclinante, tandis que le serveur allumait une petite bougie de table.

— Tu veux vraiment savoir ?

Ray acquiesça.

— Je suis née dans le Norfolk, près de Holt. Mon père était un pasteur anglican très… zélé. Pieux au point d'en être effrayant, en fait. Il aurait pu être heureux s'il avait été convaincu que c'était la volonté de Dieu, mais il voyait la vie comme une sorte de sacrifice permanent. Je crois que nous étions invisibles à ses yeux, tellement il était enfermé dans ses croyances. Maman travaillait pour la paroisse, elle était généreuse mais horriblement névrosée. J'avais un frère qui avait deux ans de plus que moi et qui est mort à quinze ans. Ma mère a complètement déraillé. Mes parents sont morts depuis longtemps. Ma meilleure amie d'enfance s'appelait Michelle. Elle était à moitié canadienne et elle est partie vivre à Toronto. (Jeanie s'interrompit un instant en se demandant ce que Michelle penserait de tout cela.) Qu'est-ce que tu voulais savoir d'autre ?

Ray voulut parler mais elle l'arrêta.

— Non… Ça me revient. J'aime assez les carottes… En fait, elles me sont totalement indifférentes… Je les préfère crues, et ma chanson préférée est… Non, je n'arrive pas à choisir.

— De quoi ton frère est-il mort ?

— D'un cancer. Il aurait probablement survécu si ça s'était passé de nos jours. Il existe des traitements efficaces pour les enfants, maintenant.

Elle lui parla des miracles de la science et des progrès extraordinaires en matière de chimiothérapie pour éviter de penser à la mort de son Will adoré. Elle n'en avait presque jamais parlé depuis ce matin où son père était entré dans sa chambre pour lui annoncer que « Will était avec Dieu ». Aucun de ses parents n'avait été capable de l'aider, et elle avait eu le sentiment que les autres s'en fichaient.

— C'est horrible, dit Ray.

Les hurlements de Will résonnaient toujours dans la tête de Jeanie. À la fin, c'étaient sa mère et une femme du village qui le soignaient à la maison, mais, chaque fois qu'elles le bougeaient, de jour comme de nuit,

Jeanie entendait ses cris d'agonie qui lui brisaient le cœur. « Il va aller mieux », lui disait sa mère pour la rassurer, et Jeanie faisait mine de la croire bien qu'elle pût lire la vérité dans son regard torturé. Même si elle savait qu'il était impossible que la silhouette jaune et émaciée qui avait autrefois appartenu à son frère guérît, elle refusait d'envisager le contraire.

— Sa mort a dû t'anéantir, affirma Ray.

En le regardant, elle comprit qu'il savait ce qu'elle ressentait.

— Ça s'est passé il y a longtemps.

— Ça ne change pas grand-chose.

Jeanie hocha la tête.

— C'est vrai, mais, en même temps…

Sa voix était chargée de sanglots trop longtemps réprimés. Ray posa une main sur la sienne. Lorsque le serveur approcha avec leurs assiettes, ils se séparèrent comme deux adolescents pris en faute.

— Désolée, ça me prend parfois par surprise. (Elle prit un pain pita chaud dont elle n'avait pas vraiment envie.) À ton tour, maintenant, insista-t-elle en ravalant ses larmes. Dis-moi ce qui est arrivé à ta compagne, celle pour qui tu as quitté ta femme.

Ray se détourna.

— On est restés ensemble pendant onze ans… puis elle est morte. D'une énorme tumeur de la glande surrénale. Elle disait qu'elle était simplement fatiguée et qu'elle avait l'impression d'avoir une sorte d'indigestion. Lorsqu'elle s'est décidée à consulter un médecin, la tumeur avait la taille d'un pamplemousse. Ils n'auraient rien pu faire de toute façon, et elle est morte six semaines plus tard. (Il s'interrompit, le regard encore hanté par la violence du choc initial.) Cela a fait dix ans en janvier.

— Je suis désolée.

— Elle fumait beaucoup, ajouta-t-il, comme s'il cherchait toujours une explication.

Ils restèrent un moment silencieux à combattre les fantômes du passé. Ils n'avaient presque pas touché à leurs plats.

— Ton mari croit que tu es où ?

— À une soirée entre filles avec mon amie Rita et sa copine Lily.

— Il va te poser des questions ?

Jeanie haussa les épaules.

— Ça dépend. S'il est d'humeur sourcilleuse, je risque de subir un interrogatoire interminable.

Elle frissonna en y pensant et se demanda pourquoi elle avait accepté de voir Ray. Un silence embarrassé suivit.

— Désolé... Mauvais sujet de conversation, murmura Ray en lui passant le houmous.

Jeanie en prit un peu avec son pain.

— Je pourrais te dire que mon mariage est horrible, que mon mari est un salaud ou un emmerdeur – voire les deux – et que je ne l'aime pas, mais... (Elle le regarda droit dans les yeux.) Ce serait un mensonge. (Ray patienta.) On a été heureux.

Elle s'interrompit en prononçant ces mots qui semblaient soudain inexacts. En y repensant, elle n'avait pas vraiment été heureuse avec son époux depuis bien longtemps. Elle ne savait toujours pas ce qui lui était arrivé tant d'années auparavant, mais sa conception de la vie en avait été irrémédiablement bouleversée.

Il ne voulait plus voir personne et refusait d'aller au restaurant, au théâtre ou au cinéma, même lorsqu'elle proposait de tout organiser. C'est d'ailleurs pour cela qu'elle avait commencé à sortir avec Rita.

— Ce n'est pas un mauvais mariage.

— Ne te sens pas obligée de me convaincre. Trente-deux ans de vie commune, c'est impressionnant.

Jeanie soupira.

— Ce n'est pas toi que j'essaie de convaincre, n'est-ce pas ?

Elle croisa le regard interrogateur de Ray, qui lui prit la main d'un geste décidé.

— Jeanie, je ne veux pas te causer de la peine. Je ne peux pas te dire que tu ne m'attires pas, mais il ne s'est encore rien passé, on peut encore en rester là avant de faire quoi que ce soit de regrettable.

Regrettable, songea-t-elle. Un mot si puissant. Son esprit refusait pourtant d'imaginer ce que « regrettable » voulait dire. *Il ne s'était rien passé et il ne se passerait rien*, se répétait-elle en boucle comme un mantra. Cette affirmation semblait néanmoins plus incertaine, moins convaincante.

— On ne pourrait pas simplement… continuer comme ça ? Sans penser à…

Il soutint son regard et, cette fois, elle ne chercha pas à détourner les yeux.

— Le parc sera fermé… Il est plus de 23 heures.

Ils changèrent de direction pour marcher le long de la route qui longeait le côté sud du cimetière.

— Quoi ? Il est déjà si tard ?

Jeanie regarda sa montre, surprise de découvrir qu'ils avaient passé cinq heures ensemble. Cinq heures qui s'étaient écoulées en un clin d'œil.

Elle était légèrement pompette, et l'obscurité froide de la nuit les dérobait aux regards.

— Embrasse-moi, dit-elle en se tournant vers Ray.

Sans un mot, il l'attira doucement sous un arbre surplombant les grilles du cimetière.

Rien n'aurait pu la préparer à ce qui arriva alors. Lorsque les lèvres de Ray se posèrent sur les siennes, elle se sentit soudain emportée dans un tourbillon de sensations délicieuses qui semblaient satisfaire un désir dont elle ignorait l'existence.

— Mon Dieu ! souffla-t-il. Tu trembles, ajouta-t-il, en l'enlaçant fermement.

— Ça, c'est ta faute ! (Elle rit doucement, hésitante.) Je ne peux pas rentrer… Il va deviner.

— Quoi ? Il sera déjà couché, non ?

Jeanie acquiesça, soulagée.

— J'avais oublié quelle heure il était… Je l'espère, mais je ferais bien de rentrer. Je ne veux pas qu'il appelle Rita au milieu de la nuit.

Ils remontèrent la colline, bras dessus bras dessous. Jeanie lui était reconnaissante de la soutenir.

— Qu'en pense Rita ?

— Oh, Rita… C'est mon amie. Tu l'adorerais.

Le silence les enveloppa tandis qu'ils envisageaient que leurs deux mondes puissent se rencontrer.

— Accepterais-tu de me revoir, Jeanie ? demanda-t-il doucement.

Chapitre 9

— Alors ?

La voix de Rita vibrait d'impatience.

— Hum…

— Que s'est-il passé ? Allez, ma chérie, donne-moi tous les détails, s'il te plaît. Tous les détails.

— Je suis à la boutique.

Jeanie se dirigea vers la kitchenette tout en sachant pertinemment que Jola pouvait toujours l'entendre.

— On pourrait en discuter plus tard ?

Elle entendit Rita soupirer de frustration.

— Comment peux-tu me faire une chose pareille ? Tu sais que je ne suis pas quelqu'un de patient.

Jeanie rit.

— Rendez-vous au *Nero* dans une heure et demie ?

— Ça marche.

Les yeux de son amie brillaient d'excitation tandis qu'elles s'installaient avec leurs cappuccinos. Le petit café était surchauffé et bondé, comme à l'accoutumée, avec tout un régiment de mères et de nounous, de poussettes géantes et de bambins agités, qui formaient un joyeux chaos.

— Crache le morceau, ordonna Rita en pianotant sur la petite table ronde.

— Par où commencer ? (Elle regarda Rita, soudain embarrassée.) Il est incroyable. On… on se comprend.

Je sais, on dirait une réplique sortie tout droit d'un roman à l'eau de rose, mais je n'arrive pas à le dire autrement. On est tellement bien ensemble, on pourrait parler durant des heures, dit-elle dans un souffle.

— On s'en fiche que vous parliez. Est-ce qu'il t'a embrassée ?

— Oui, répondit Jeanie en rougissant.

— Et ?

Rita se pencha vers elle, pressée d'entendre la suite.

Jeanie prit une profonde inspiration.

— C'était merveilleux.

Son amie applaudit.

— Hourra ! Tu le mérites, ma chérie.

— Vraiment ?

— Bien sûr. C'est bien normal quand on n'a pas couché avec son mari depuis des dizaines d'années.

— Une seule dizaine, c'est déjà suffisant.

— C'est du détail, ça, ma chérie. Fais-moi confiance, tu le mérites. C'est une histoire de sexe ou tu es en train de tomber amoureuse de lui ?

— Je n'arrive même pas à réfléchir. On s'est mis d'accord pour ne rien analyser et se contenter d'en profiter.

Rita souffla.

— Ça fait un peu cliché. C'est à moi que tu parles, madame L. Tu peux refuser d'analyser tout ça avec le type du parc mais, à moi, tu peux me le dire. Est-ce que tu es amoureuse ?

Jeanie éclata soudain en sanglots sans aucune raison.

— Ma chérie, qu'est-ce qui ne va pas ? (Rita lui prit la main, le regard contrit.) Je ne voulais pas te forcer.

— Ce n'est pas toi, c'est… Je n'en sais rien. Rita, je suis mariée, et George est quelqu'un de bien. Mais Ray est… Il est extraordinaire. Je n'ai jamais rien ressenti d'aussi fort pour qui que ce soit. Je ne sais pas ce que je dois faire.

Rita sortit un mouchoir en papier de son sac et le lui tendit.

— Oh, ma chérie…

— Et si Ray cherchait simplement à s'amuser avec moi ? Si jamais je tombais amoureuse de lui alors qu'il n'est pas sérieux ? Je ne sais pas grand-chose de lui et je m'en fiche… Mais imagine qu'il veuille juste passer du bon temps ? Et si, au contraire, il était sérieux ? Je ne peux pas quitter George. Je vais avoir soixante ans dans quelques jours.

Rita leva les mains.

— Bon sang, tu es obsédée, ma parole ! Qu'est-ce que tes soixante ans viennent faire là-dedans ? L'amour n'a pas d'âge. Est-ce que tu as l'impression qu'il te fait marcher ?

Elle avait l'air inquiète.

— Non, pas du tout.

— Eh bien, voilà ! Cela dit, Jeanie, tu viens à peine de le rencontrer, tu l'as dit toi-même. Tu dois vraiment prendre une décision maintenant ?

— Tu penses que je devrais simplement la fermer et en profiter ?

Rita haussa les épaules, comme pour s'excuser.

— Peut-être. Pourquoi pas ?

— Et continuer à mentir à George ? Il n'était pas encore couché quand je suis rentrée l'autre soir et il était presque malade d'inquiétude. Et, comme d'habitude, il m'a dévisagée et m'a dit que j'avais l'air soûle – ce qui n'était pas le cas, le vin n'avait rien à voir avec ça. J'ai eu droit à un interrogatoire en règle : où j'étais allée, pourquoi je rentrais si tard, pourquoi Lily ne m'avait pas ramenée à la maison comme d'habitude… C'était horrible. On dirait qu'il est jaloux, mais ce n'est pas le cas. Je crois qu'il ne serait même pas capable d'imaginer que je puisse le tromper. Il panique quand il ne peut pas me contrôler, c'est tout. Sauf que, cette fois, j'avais vraiment quelque chose à cacher.

— Tu ne crois pas que ce serait cruel de lui en parler alors qu'il n'y a presque rien à dire et que ça pourrait s'arrêter là ?

Jeanie acquiesça.

— Peut-être… Mais ça me rend malade, Rita. J'en viens presque à souhaiter ne jamais avoir rencontré Ray pour pouvoir retrouver ma vie d'avant.

— Presque, c'est bien là le problème.

Rita haussa les sourcils, et Jeanie éclata de rire.

— C'est vrai.

— Bien sûr que c'est vrai. Quoi qu'il en soit, si c'est vraiment ce que tu penses, tu peux simplement ne jamais le revoir. (Jeanie resta silencieuse.) C'est bien ce que je pensais, soupira son amie. C'est compliqué, je ne sais pas quoi te dire. Tu as découvert ce qu'il faisait dans la vie ?

— Il est propriétaire d'une école d'aïkido, je crois, dans le quartier d'Archway.

— Ce n'est donc pas un night-club. C'est une bonne chose, les arts martiaux permettent de forger le caractère et d'enseigner la discipline.

— Je suis contente que tu approuves, ajouta Jeanie en souriant.

— Tu sais bien que je ne veux que ton bonheur. (Elle se frappa dans les mains.) Bon, si on passait aux choses sérieuses… Je suis à côté de qui au dîner ?

L'entente cordiale entre Jeanie et son gendre appartenait au passé. Les vacances avaient apparemment été un désastre pour Alex et Chanty. Il avait plu durant des jours, le toit fuyait, et Chanty avait attrapé la grippe. De retour chez lui, Alex se retrouvait donc avec une montagne de travail et une belle-mère qui refusait de l'aider. Jeanie comprenait aisément qu'il ne soit pas de très bonne humeur.

— Bonjour. Entrez.

Il referma la porte derrière Jeanie lorsqu'elle rentra du parc avec Ellie et accueillit sa fille avec un enthousiasme feint.

— C'était comment le parc, ma puce ? Tu as fait de la balançoire ? Tu as donné à manger aux canards ?

Ellie en faisait des tonnes devant son père.

— Din est pas gentil, il me laisse pas taper dans sa balle…

Alex éclata de rire.

— Qui est Din ? demanda-t-il en regardant Jeanie.

— C'est Dylan… Il vient souvent au parc le jeudi.

Jeanie sentit le rouge lui monter aux joues tandis qu'elle détachait les sangles de la poussette pour qu'Ellie puisse en sortir.

Lorsqu'elle se releva, elle comprit qu'Alex s'en était aperçu, car il l'étudiait avec soin.

— C'est le petit garçon qui était avec vous il y a quelques semaines ?

Jeanie retint son souffle.

— Quand ça ?

— Je vous ai vue remonter la colline avec un homme et un petit garçon, une fois, quand je rentrais. (Il se mordilla le bout du pouce.) Ça m'était complètement sorti de la tête.

— Ray est le grand-père de Dylan. Lui aussi, il garde son petit-fils le jeudi après-midi. On discute, et les enfants jouent ensemble, malgré ce qu'Ellie vient de dire.

— Comme c'est pratique.

— C'est normal de se faire des amis sur l'aire de jeux, Alex.

Jeanie refusait de se laisser intimider, mais, tandis qu'elle rentrait chez elle, elle commença à s'inquiéter. Alex adorait causer des problèmes.

Jeanie redoutait de se rendre au parc ce jeudi-là, craignant que les choses n'aient changé avec Ray. Et si elle l'avait déçu ? S'il s'était lassé d'elle et avait décidé de ne plus venir ? Pourtant, elle désirait tout autant le revoir. Elle menait à présent deux existences totalement distinctes : une partie d'elle accomplissait les mêmes gestes que depuis des années, tandis que l'autre vivait sa véritable vie, celle qui la comblait, bien à l'abri dans ce jardin secret qui n'appartenait qu'à Ray. Elle s'agaçait lorsque quelqu'un réclamait son attention, l'empêchant ainsi de penser à lui. Ellie constituait la seule exception. Lorsqu'elles étaient ensemble, il semblait à Jeanie que ses ennuis disparaissaient comme par enchantement et qu'elle pouvait, comme sa petite-fille, ne vivre que pour l'instant présent sans penser au lendemain. Elle tourna au coin pour arriver à l'aire de jeux en retenant sa respiration. Ray était là, comme d'habitude, à la guetter. Un seul regard de ses yeux gris-vert suffit pour que son cœur s'emballe. L'heure et demie s'écoula comme dans un rêve. Ils discutèrent, coururent après les enfants, Ray réitéra son exploit sur le rondin suspendu, et ils prirent le thé dans un petit café.

— Ça te dit de venir prendre un verre avec moi, un soir ? demanda-t-il tandis qu'ils se dirigeaient vers la grille.

Elle n'avait pas prévu de le revoir avant d'avoir fêté son anniversaire.

— Tu seras trop vieille pour sortir, la taquina-t-il alors.

Elle lui donna une tape sur l'épaule.

— J'aimerais te donner un baiser d'anniversaire mais je ne crois pas que ce soit le bon moment, murmura-t-il en montrant les enfants lorsqu'ils se séparèrent, un sourire aux lèvres.

— Garde-le pour plus tard, chuchota-t-elle.

Chapitre 10

— Maman, qu'est-ce qui est mieux pour Ellie, d'après toi ? Je ne veux pas qu'elle soit debout pendant la fête, donc je pensais venir plus tôt pour qu'elle prenne son dîner avant de la mettre au lit à l'étage. Elle sera déjà endormie quand les invités arriveront.

Jeanie était sceptique, mais elle avait appris depuis longtemps qu'il valait mieux ne pas se mêler des décisions concernant la fillette. De plus, Ellie n'avait jamais eu d'autre baby-sitter qu'elle, c'était donc la seule solution envisageable.

— Très bien, ma chérie, tu peux la laisser ici le temps de rentrer te changer. N'oublie pas que les traiteurs viennent vers 16 heures. Ça ne posera pas de problème pour le dîner d'Ellie ? Ils vont réquisitionner la cuisine.

Elle entendit Chanty soupirer à l'autre bout de la ligne.

— Je ne sais pas ce qui est le mieux. J'avais oublié les traiteurs. Elle ne voudra jamais aller se coucher avec tout ce remue-ménage. Plan B, on l'amènera après le dîner et le bain. La fête commence à 19 h 30, on sera là vers 19 heures, et Alex apportera le lit pliant.

— Comme tu veux.

— Je suis tellement contente, maman. Ça va être une soirée merveilleuse. (Sa fille adorait les fêtes.) Tu as choisi la robe argentée ou la bleue ?

Jeanie sourit.

— Aucune des deux. La bleue me donne l'air d'avoir cent cinquante ans, et tout le monde a déjà vu l'autre – j'ai bien dû la porter des dizaines de fois. Non, je m'en suis offert une nouvelle, spécialement pour l'occasion.

— Génial, elle est comment ? Ellie, non ! Repose ça, c'est dégoûtant. Désolée, maman, Ellie a ramassé quelque chose... Ellie, j'ai dit « non », donne-moi ça. Lâche !

Sa petite-fille hurla de rage, et Jeanie entendit des bruits de lutte. Jeanie sourit.

— Quelle horreur ! C'est l'une de ces boîtes de plats à emporter, couverte d'un truc immonde. Londres est une ville répugnante.

Jeanie refusa de réagir à ce refrain familier.

— Elle est noire.

— Qu'est-ce qui est noir ?

— Ma nouvelle robe. Elle est noire, toute simple avec des bretelles assez larges. Un peu moulante.

— Ouah, sexy ! Je parie que papa l'aime beaucoup.

— Il ne l'a pas encore vue. Mais je me sens bien dedans.

Jeanie ne se souciait pas de la mode. Elle appréciait les beaux vêtements des autres, mais avait toujours éprouvé des difficultés à trouver ce qui lui allait. Élevée par des parents convaincus que de telles frivolités étaient l'œuvre du diable, elle ne portait que des habits résistants, pratiques et ternes, qui étaient bien souvent trop grands pour elle. Marquée par la mort de son frère, elle n'avait jamais fait de crise d'adolescence et ne s'était jamais rebellée contre le style vestimentaire qu'on lui imposait. C'était toujours Chanty qui, malgré le manque d'enthousiasme de sa mère, la poussait à s'acheter de nouvelles tenues. Jeanie avait pourtant choisi la robe noire avec soin, demandant même l'avis de la vendeuse dans la petite boutique au lieu de faire comme d'habitude – c'est-à-dire de se déplacer prudemment entre les rayons en choisissant des vêtements presque identiques aux anciens avant de les emporter rapidement comme si elle venait de commettre un hold-up. Debout devant le miroir, avec la vendeuse qui hochait la tête avec appréciation, elle ne pensait qu'à Ray et tentait de se voir à travers ses yeux à lui.

— Génial, maman, c'est ta soirée. Je suis certaine qu'elle te va à merveille.

— Oh, Chanty, juste une chose avant de raccrocher… (Jeanie voulait parler à sa fille seule à seule.) Alex va bien ?

— Oui. Qu'est-ce que tu veux dire ?

Sa fille était toujours sur ses gardes lorsqu'elle abordait le sujet avec sa mère.

— Il semblait stressé, c'est tout. Tu sais qu'il m'a demandé de garder Ellie tous les après-midi pendant l'été pour qu'il travaille sur son exposition.

Il y eut un silence.

— Non, je l'ignorais. Qu'est-ce que tu lui as répondu ?

— Je lui ai dit que je ne pouvais pas. Je ne peux pas laisser le magasin. Je préférais que tu ne lui en parles pas. Il était assez… déçu que je ne puisse pas l'aider.

— Mais tout va bien entre vous deux ?

— Oui, oui, tout va bien, mentit Jeanie.

— Je me sens coupable de le laisser s'occuper d'Ellie aussi souvent, mais je n'ai pas le choix. (Chanty soupira.) Tu crois que la petite pourrait aller chez une baby-sitter ? Juste pendant l'été ?

— Je suppose que ça dépend de la baby-sitter. Ça a l'air de marcher pour de nombreuses mères.

Elle avait bien conscience de manquer d'enthousiasme en pensant à sa précieuse petite Ellie à la merci d'une quelconque gardienne d'enfants.

— C'est probablement déjà trop tard pour trouver quelqu'un aussi rapidement, du moins quelqu'un de compétent.

— Je suis désolée, j'aurais aimé vous aider, ma chérie.

— Mais non, maman. Ce n'est pas ta responsabilité. Tu es déjà assez occupée avec le déménagement.

La gorge de Jeanie se serra. Le déménagement. Elle avait complètement oublié ce – toujours hypothétique – déménagement.

— On se voit demain, dit Chanty. J'ai hâte d'y être, maman.

Si sa fille se sentait coupable, c'était également le cas de Jeanie. Depuis qu'elle était devenue grand-mère, elle se sentait perdue face à ses responsabilités envers sa famille, comme si elle marchait sur des sables mouvants. Était-ce vraiment la « troisième vie » dont lui avait parlé tante Norma ou était-elle toujours une épouse, une mère et une grand-mère avant tout ?

Jeanie se réveilla le lendemain avec la certitude étrange d'être devenue une vieille retraitée, une « senior », comme on disait aujourd'hui. *Comment est-ce arrivé ?* se demandait-elle en se rappelant ce qu'elle pensait des gens de son âge dix ans auparavant. Rita disait que leur génération de baby-boomers était différente, qu'ils ne se laisseraient pas gagner par la vieillesse sans combattre. Mais chaque génération ne pensait-elle pas ainsi ?

La porte s'ouvrit, et la tête de George apparut, un grand sourire aux lèvres. Il portait un plateau parfaitement dressé : une rose rouge dans un vase, des toasts sur un plat d'argent, un pot de marmelade, une serviette pliée à côté d'un œuf à la coque, une cafetière fumante, une tasse de porcelaine bleue et une carafe de lait assortie. Une carte et un long cadeau emballé dans du papier doré étaient également posés contre le vase.

— Bon anniversaire, ma chérie.

Jeanie se redressa pour qu'il puisse déposer le plateau.

— Merci, George, c'est adorable.

Il ouvrit les rideaux et fit un commentaire sur le temps, comme d'habitude.

— C'est magnifique, la journée parfaite. (Il s'assit sur le lit.) Allez, la pressa-t-il, ouvre-le.

Jeanie éclata de rire.

— D'accord, d'accord, laisse-moi le temps.

Elle était touchée par l'enthousiasme de son mari. Elle chassa Ray de son esprit tandis qu'elle prenait son cadeau.

C'était une boîte de cuir bleu marine aux contours dorés renfermant une très belle montre rectangulaire avec un ravissant bracelet d'argent.

Jeanie était surprise.

— C'est parfait, chéri, absolument parfait.

Elle passa la montre et agita le poignet vers George.

— Je dois reconnaître qu'elle te va bien, dit-il, manifestement très content de lui.

Elle se pencha pour l'embrasser, et, pour une fois, il l'enlaça et la tint serrée contre lui. Elle n'arrivait pas à se souvenir de la dernière fois qu'il avait fait cela et faillit pleurer sur ce qu'ils avaient perdu.

— Tu avais deviné ? Je n'aurais rien pu t'offrir d'autre, pas avec mon obsession des montres, même si tu me l'avais demandé.

Jeanie sourit en secouant la tête.

— J'en voulais une depuis longtemps, mais, non, je n'avais même pas pensé à mes cadeaux. Je l'adore.

Elle pleura pour de bon. George, horrifié, lui prit la main.

— Qu'est-ce qui ne va pas, ma vieille ?

Jeanie sourit à travers les larmes. Si seulement il pouvait cesser de l'appeler ainsi. Elle avait l'impression que tout ce qui n'allait pas entre eux pouvait se résumer à ces deux petits mots.

— Rien, je vais bien… Je suis simplement un peu émue.

George acquiesça.

— C'est difficile d'avoir soixante ans, surtout pour une femme.

— Pourquoi « surtout pour une femme » ?

— Oh, tu sais, pour les hommes, ça dure plus longtemps.

— Quoi donc ?

George eut l'air embarrassé par le ton susceptible de sa femme.

— Hum… C'est probablement une question de perception.

En temps normal, elle l'aurait forcé à s'expliquer car elle savait parfaitement ce qu'il voulait dire. Au lieu de quoi, elle serra les dents et retourna à son petit déjeuner, entama son œuf à la coque et se servit une tasse de café.

— Qu'est-ce qu'on va faire ? demanda-t-elle entre deux bouchées.

George s'était levé et déambulait dans la chambre.

— C'est ta journée, tu choisis. Tu ne comptes pas aller à la boutique au moins ?

Jeanie secoua la tête en réfléchissant.

— Non, Jola se débrouillera. Puisqu'il fait si beau, pourquoi est-ce qu'on n'irait pas déjeuner en terrasse dans le quartier de Kenwood ?

— Va pour Kenwood.

— Ouah ! Tu es très belle… magnifique.

George était appuyé contre la cheminée du salon pour éviter de gêner les traiteurs. Il portait son vieux smoking assorti d'une cravate noire, ses cheveux gris étaient peignés avec soin, et il arborait une paire de chaussures d'intérieur noires ornées d'un monogramme. Vêtu ainsi, il avait tout du tombeur, si on passait outre son côté maniaque névrosé. Jeanie tourna sur elle-même.

— J'adore ta robe.

— Parfait.

Elle agita sa nouvelle montre et lui sourit pour le remercier. Il vint lui prendre la main.

— Jeanie, je veux que tu passes une soirée parfaite. Tu le mérites.

Elle lut soudain une certaine vulnérabilité sur son visage. Était-ce sa façon de lui dire qu'il était désolé, qu'il regrettait d'avoir tout gâché ?

La sonnette retentit.

— C'est sûrement Chanty.

La salle à manger semblait sortir tout droit d'un rêve. Tandis que le soleil se couchait, les guirlandes scintillantes et les longues chandelles pâles baignèrent la pièce sombre dans une lumière dorée, soulignant la perfection des nappes blanches et des verres de cristal, des bouquets de roses pâles et des tenues de soirée étincelantes des invités.

George provoqua l'hilarité générale quand il avoua que le plan de table était le fruit du hasard mais que, au moins, tout le monde discutait. Jeanie se rendit compte qu'elle était déjà bien pompette. Une fois qu'ils avaient installé Ellie dans la chambre d'amis et que les premiers invités avaient commencé à arriver, Jeanie avait senti quelque chose en elle se briser. Pourtant, elle renonça à s'inquiéter et s'autorisa à se détendre à grand renfort de coupes de champagne. Plus rien ni personne ne lui importait. Demain serait toujours un autre jour.

Elle sourit en regardant ses amis rassemblés en groupes improbables. Alex s'efforçait d'être gentil avec Rita ; Jola s'ennuyait à mourir en écoutant l'interminable monologue de Danny ; Marlene, son ancienne partenaire de tennis, tentait de convaincre Sue, la voisine de Jeanie et de George, du bien-fondé de la politique de droite. Chanty avait eu la chance de se retrouver avec le charmant mari de la cousine de George. La majorité d'entre eux étaient visiblement heureux d'être là, à savourer le saumon fumé, le canard rôti et le gâteau au chocolat et aux fraises que les serveurs leur apportaient.

— Tu t'amuses ? lui murmura Bill, le mari de Rita.

Jeanie aimait beaucoup Bill. C'était un homme calme et honnête qui avait su rester modeste malgré les millions qu'il avait gagnés avec ses jardineries. Elle se demanda soudain si Rita lui avait parlé de Ray. Mais, ce soir, elle s'en fichait.

— J'adore.

— Alors, voici la fameuse montre ? (Il lui prit le poignet.) Pas mal.

— Tu étais au courant ? demanda-t-elle en riant.

— Bien sûr, tout le monde était au courant, sauf toi, Jeanie. George nous a tannés pendant des mois. Rita, Chanty, Jola et moi, on a dû lui donner notre avis.

— Vous étiez d'accord ?

Bill éclata de rire.

— Bien sûr que non. George a profité de son statut d'expert pour nous convaincre qu'il fallait un bracelet de cuir. Chanty pensait que tu aimerais les chiffres romains, et moi… (Il se frappa doucement le torse.) J'ai proposé un bracelet de métal. C'est plus moderne, tu ne trouves pas ? Il ne faut pas verser dans le traditionnel.

— Qu'en a dit Rita ?

— Oh, Rita… Elle pensait qu'il aurait mieux fait de t'acheter une Aston Martin.

— Elle a tout à fait raison, les interrompit John Carver, le séduisant décorateur d'intérieur gay qui les avait aidés pour la maison. Comme je dis toujours, une femme n'a jamais trop d'Aston Martin.

— J'aimerais dire quelques mots…, commença George tandis que tante M. frappait doucement son verre de cristal avec sa fourchette pour demander le silence. Jeanie m'a épousé voilà trente-deux ans, et, à mes yeux, c'est la meilleure femme de toute l'Angleterre.

Des bravos retentirent dans la pièce pendant que George repoussait ses lunettes sur son nez en attendant que le calme revienne.

— Comme beaucoup d'entre vous le savent déjà – mais ça ne va pas m'empêcher de continuer parce que c'est une histoire géniale –, on s'est rencontrés dans un cinéma d'Islington. Ils passaient *Ne vous retournez pas* avec Julie Christie, que mon copain adorait. Au milieu du film, on a entendu un cri angoissé venant du rang juste derrière nous : « À l'aide ! Vite, quelqu'un s'est évanoui… » Puis quelqu'un d'autre a ajouté : « Y a-t-il un docteur dans la salle ? » Je ne savais pas quoi faire et je dois avouer que je suis resté là tandis que les lumières s'allumaient. Et, soudain, cette magnifique fille aux cheveux auburn s'est approchée. Tout le monde semblait paralysé. On regardait ce pauvre type s'effondrer en s'étouffant dans son siège. Sans hésiter, elle s'est penchée pour lui prendre le bras. « Bonjour, vous allez bien ? » lui a-t-elle demandé. « Vous avez eu une attaque. » Le jeune homme a immédiatement ouvert les yeux, visiblement très surpris. « Vous êtes épileptique ? » lui a demandé la fille, mais il a secoué la tête. « Non, non… Je vais bien, je vais bien… » Mais il était très pâle et transpirait beaucoup. Il n'avait vraiment pas l'air d'aller bien. Elle l'a aidé à se relever et a essuyé la sueur de son front.

» Ils ont fini par appeler une ambulance et ils ont emmené le type. Jeanie, car c'était bien elle, était si calme, douce et sûre d'elle, qu'on s'est tous mis à l'applaudir quand elle est retournée s'asseoir. (George s'interrompit, certain que tout le monde l'écoutait.) Et moi, j'étais amoureux. J'ai dit à mon ami que je devais absolument parler à cette fille et, à la fin du film, je suis sorti avant les autres pour l'attendre sur le trottoir.

Jeanie essayait de se souvenir de la fille dont il parlait. Elle était déjà quelqu'un de responsable, songea-t-elle avec un petit sourire cynique, s'apercevant que, lorsqu'elle avait rencontré George, elle essayait de fuir le plus loin possible du morose presbytère, dans le Norfolk, et du sens perverti du devoir qui y régnait. Elle n'avait jamais été insouciante ou frivole. C'était son frère Will qui avait été le farceur de la famille, cherchant sans cesse à dérider ses parents. Elle se rappela toutes les fois qu'il l'avait faite rire aux larmes et lui envoya un baiser imaginaire en se demandant ce qu'il aurait pensé des soixante ans de sa petite sœur, s'il avait toujours été en vie.

George parlait toujours.

— Quand elle est sortie, mes amis et moi, on est allés lui parler de ce qui s'était passé. Elle était accompagnée d'une autre fille qui était aussi infirmière. On les a invitées à prendre un verre. La suite… (Il tendit la main à sa femme.) appartient à l'histoire. Ce qui ne veut pas dire, poursuivit-il lorsque les applaudissements cessèrent, que Jeanie est une sainte.

— Elle te supporte depuis plus de trente ans, non ? Sacré veinard ! cria un homme, et George sourit.

— C'est vrai, je suis un veinard. Et à choisir entre une sainte et Jeanie, je choisis Jeanie. Elle m'aide à garder les pieds sur terre, elle est courageuse et ne se laisse pas faire. Elle est l'amie dévouée, honnête et tolérante, que tout homme rêverait d'avoir.

D'autres bravos et applaudissements saluèrent cette déclaration. Jeanie baissa la tête, frappée par la cruauté de sa situation actuelle. Elle croisa le regard de Rita qui faisait de son mieux pour rester impassible.

L'espace d'un instant, le silence retomba, et George sembla perdu. Jeanie s'aperçut que les invités retenaient leur souffle tandis qu'il recommençait à parler en regardant leurs amis.

— Je n'ai rien à ajouter, sinon que je l'aime, que je l'ai toujours aimée et que je l'aimerai toujours.

Il s'assit comme si ses jambes ne le portaient plus.

Tous accueillirent cette déclaration avec un silence respectueux. Jeanie, Chanty et bien d'autres avaient les larmes aux yeux. Elle vit qu'Alex la regardait avec respect et sentit que Bill posait un bras sur son épaule pour l'enlacer.

— Portons un toast à ma chère Jeanie qui, vous serez tous d'accord avec moi, n'a pas pris une ride. (John Carter avait pris le relais, et ils se mirent debout, verre à la main.) À Jeanie… Joyeux anniversaire.

— Un discours, un discours ! cria quelqu'un.

Jeanie secoua la tête en riant.

— Je voulais simplement vous remercier d'être venus aujourd'hui. Merci à toi, George, pour ce magnifique discours. (Elle se pencha pour embrasser son mari qui semblait épuisé.) C'était merveilleux.

Il sourit.

— Je le pense vraiment, Jeanie.

Alex ouvrit les fenêtres de la salle à manger, laissant entrer la chaleur de cette nuit d'avril, et les invités se dirigèrent vers la terrasse et le jardin où les traiteurs avaient accroché des lanternes et des flambeaux.

Rita se rapprocha d'elle pour lui passer un bras autour des épaules.

— C'est une soirée merveilleuse, ma chérie.

— Ça s'est bien passé avec tes voisins de table ?

— Très bien. Tu sais qu'on voit les choses différemment, Alex et moi, et en plus je le trouve égoïste, mais il n'est pas désagréable quand il fait des efforts.

— J'espère que tu lui as parlé de mes nombreuses qualités.

— Chérie, je t'ai fait une promo d'enfer. (Elle regarda autour d'elle pour vérifier que personne ne pouvait les entendre.) Est-ce que ça va ? Ça n'a pas dû être facile.

Jeanie secoua la tête.

— Je me sens horriblement mal.

— Il le pensait vraiment…, commença Rita.

— Ne…

— Maman ! (Chanty l'enlaça fermement.) C'était magnifique, non ? Tu as aimé le discours de papa ?

Jeannie la serra contre elle.

— Oui. Tout est parfait. Merci, ma chérie. Je suis si heureuse que tu m'aies poussée à organiser cette fête.

Chanty fit une grimace à Rita.

— Tu n'imagines même pas tous les problèmes que j'ai eus pour la convaincre. « Je déteste les fêtes… Je n'ai pas envie de fêter ça… Ça va nous prendre des jours pour tout organiser… »

Rita éclata de rire.

— C'est une vieille entêtée, mais on l'aime quand même.

Bien plus tard dans la soirée, George et elle étaient assis dans leur cuisine silencieuse, l'air frais pénétrant par les fenêtres ouvertes, une bougie solitaire brillant entre eux. La table était couverte de restes emballés dans du film transparent et de cartons de verres que les traiteurs viendraient prendre le lendemain matin. George grignotait une cuisse de canard froid.

— C'est ce que je préfère, dit-il.

— Quand tout le monde est parti ? sourit Jeanie en ôtant ses chaussures sous la table. Je vois ce que tu veux dire.

— Ça s'est bien passé, tu ne trouves pas ?

— C'était merveilleux. On ne peut jamais en être sûr, mais je crois que tout le monde s'est bien amusé.

— Le copain de Jola semblait un peu perdu, et je ne crois pas que ce soit à cause de Bea.

— Elle ne comprenait probablement rien avec tout ce bruit, mais je suis contente qu'elle soit venue.

Bea était l'une de leur voisine qui avait dans les quatre-vingt-dix ans et n'entendait plus grand-chose. Ils la connaissaient depuis qu'ils avaient emménagé là.

Ils discutèrent encore un peu, puis George se leva et lui prit la main pour la mettre debout.

— Au lit, bâilla Jeanie, mais George la retint.

Soudain, il se pencha pour lui donner un long baiser sur les lèvres. Jeanie resta immobile. *Non*, pensa-t-elle, *non, s'il vous plaît... Pas maintenant*. Il l'enlaça et commença à la caresser, faisant glisser la bretelle de son épaule gauche pour embrasser sa peau nue. Il avait la respiration rapide et saccadée.

— George...

Elle s'écarta doucement, mais il insista.

— Jeanie... montons... S'il te plaît.

Il l'embrassa à nouveau avec une passion désespérée et violente, comme s'il se forçait.

Il l'entraîna vers la porte, la tenant par le poignet, puis changea soudain d'avis et se dirigea vers le salon pour l'allonger sur le canapé. Elle avait rêvé de cela pendant dix ans, mais quelque chose n'allait pas. Ce n'était pas Ray, le problème, elle pensait à peine à lui. Non, elle était furieuse, indignée, que George puisse, ne serait-ce qu'un instant, penser en avoir le droit.

— George, arrête… Je t'en prie… Pas comme ça…

Lorsqu'il refusa de l'écouter, elle cria :

— George !

Elle le repoussa d'un geste brusque et se releva rapidement, le souffle court.

Son mari était affalé au milieu des coussins, les lunettes de travers, le visage figé, en proie à un désespoir qu'elle ne pouvait même pas imaginer.

— Pardon… pardon…, murmura George tandis qu'elle l'observait. Oh, Jeanie ! J'ai cru… Tu es si belle ce soir, et ça fait si longtemps… Je croyais que c'était ce que tu voulais.

Il semblait perplexe.

Jeanie sentit ses forces l'abandonner et s'assit à côté de son époux.

— Pas comme ça, George. Pas si soudainement. Ça fait dix ans…

George la regardait tristement de ses yeux de hiboux.

— Dix ans, vraiment ? Je ne m'en étais pas rendu compte. (Un silence s'installa entre eux.) Tu ne… tu n'as plus envie de… ?

— Bien sûr que si… Même si ce serait plutôt bizarre, après tout ce temps. Ce n'est pas moi qui ai voulu ça.

(Elle soupira de frustration.) George, tu ne m'as toujours pas dit pourquoi tu avais soudain cessé de me désirer.

Elle l'étudiait tandis qu'il bataillait pour faire passer son bouton de manchette droit dans la boutonnière de sa chemise. De forme ronde et gravé d'un monogramme doré, il lui avait été offert par son père pour son vingt-et-unième anniversaire et était presque trop grand pour passer par le trou de la chemise. Elle se pencha et l'aida, attendant qu'il parle.

— Pourquoi, George ? demanda-t-elle finalement comme il restait silencieux.

Son regard s'éclaira soudain quand il la regarda, puis il se détourna nerveusement.

— Il n'y a aucune raison.

Réponse puérile, ridicule. Jeanie se leva.

— Je suis trop vieille pour ce petit jeu, murmura-t-elle d'une voix fatiguée, s'apercevant soudain qu'elle était vraiment trop vieille pour l'écouter rebattre le même mensonge.

Son mari avait l'air obstiné.

— Il ne s'est rien… Je ne peux pas en parler.

— Dis plutôt que tu ne veux pas.

Elle récupéra son écharpe de laine bleu pâle sur le dossier du fauteuil. Dans une dernière tentative, elle croisa les bras et ajouta, tandis qu'il restait affalé au milieu des coussins :

— Essaie de te mettre à ma place, George. Imagine qu'on ait couché ensemble. Je me serais dit : « Ça y est, on est repartis. » Si je ne t'avais pas posé de questions, j'aurais pu croire que tout était réglé. Et imagine que tu aies refait la même chose qu'il y a dix ans. (Elle lui lança un regard interrogateur.) Je crois que je ne m'en serais pas remise.

George acquiesça lentement.

— J'étais sincère ce soir, Jeanie. Je t'aime, je t'ai toujours aimée et je t'aimerai toujours.

Elle hocha la tête parce qu'au moins, cette fois, elle savait qu'il ne mentait pas.

— On est bien, toi et moi, non ? (Jeanie se contenta de le regarder.) Je sais qu'on a ce problème de sexe, mais à part ça ? Je ne supporterais pas de te perdre.

Jeanie se détourna. Elle se sentait soudain trop fatiguée pour ajouter quoi que ce soit. Ils n'étaient pas sur la même longueur d'onde. Elle savait qu'il lui cachait toujours quelque chose : elle avait remarqué son regard fuyant. Et maintenant, elle aussi avait quelque chose à cacher.

— Bonne nuit, George.

— Bonne nuit.

— C'est comme les bus. On attend pendant des heures, puis en voilà deux qui arrivent en même temps.

Rita remontait la colline à grandes enjambées, Jeanie sur ses talons. Elles atteignirent le sommet balayé par le vent, s'arrêtant un instant pour reprendre leur souffle et apprécier la vue panoramique de Londres qui s'étendait à leurs pieds.

— Ce n'est pas marrant, rétorqua Jeanie alors qu'elles éclataient de rire.

— Je t'en prie, ma chérie. On devrait être en train de choisir nos dentiers, pas de combattre des hordes en chaleur.

Ce matin-là, Jeanie avait envoyé un texto à Rita dès qu'elle avait osé réveiller son amie. Malgré sa fatigue, elle avait passé une nuit blanche. À 5 heures, elle était descendue à la cuisine pour regarder le soleil se lever en mangeant les dernières fraises de la veille.

— Aurais-je dû le laisser faire ? (Cette question l'avait tourmentée toute la nuit.) Ça nous aurait rendu la vie plus facile… Comme avant.

Rita prit une longue gorgée d'eau, à la bouteille qu'elle emportait toujours, puis s'essuya la bouche du revers de la main. Même à cette heure matinale, elle était parfaite dans son pantalon de survêtement moulant gris et son débardeur de lycra rose.

— Si tu n'avais pas envie, tu n'avais pas envie. Point à la ligne.

— C'est aussi simple que ça ? On ne pourrait pas s'asseoir un moment ? demanda Jeanie qui se sentait soudain très faible.

Le banc était mouillé, et elle se demanda s'il avait plu durant la nuit.

— On dirait que ça te perturbe vraiment. (Rita l'étudiait avec inquiétude, ôtant délicatement un morceau de cellophane collé sur le banc avant de s'asseoir.) Ça n'avait rien à voir avec le type du parc, la nuit dernière, n'est-ce pas ? Tu les compares ?

Jeanie réfléchit un instant.

— Je ne crois pas. J'ai eu l'impression d'être attaquée, de devoir me défendre. (Rita haussa les sourcils.) Je sais qu'il s'agit de George, mais tu ne l'as pas vu, Rita. Il avait l'air fou.

— De désir ?

— Non… De désespoir, plutôt.

— Pas génial. Jeanie, qu'est-ce que tu ressens pour lui ? Tu le trouves toujours attirant ? As-tu ressenti le moindre désir quand il t'a embrassée ?

Elle secoua la tête.

— Avant, oui, mais je ne pense plus à lui de cette façon. Et, la nuit dernière, il ne m'a même pas laissé l'occasion de ressentir quoi que ce soit.

— Sauf de la colère. Qu'est-ce qu'il a dit, ce matin ?

— Je ne l'ai pas attendu. Je ne pouvais pas le regarder en face.

— Oh, ma chérie ! (Rita vit que Jeanie pleurait avant même que celle-ci s'en rende compte.) Tu vas lui en parler ?

— Ça ne servirait à rien.

— Tu comptes faire comme s'il ne s'était rien passé ? demanda Rita, perplexe.

— Qu'est-ce que je peux faire d'autre, Rita ? C'est lui qui refuse de me parler ! rétorqua Jeanie d'un ton sec.

— D'accord, d'accord. Pas la peine de te mettre en colère.

— Excuse-moi, mais tu ne peux pas comprendre. Tu ne te retrouverais jamais dans une situation aussi ridicule, toi.

Le silence de Rita semblait confirmer cette affirmation.

— Et le type du parc ?

Jeanie se détendit lorsqu'elle pensa à Ray, oubliant même les reproches qu'elle s'adressait depuis que George lui avait sauté dessus.

— Il n'a rien à voir avec tout ça, Rita… C'est Ray, c'est tout.

Son amie eut l'air sceptique et prit une nouvelle longue gorgée d'eau, essuyant le goulot avant de tendre la bouteille à Jeanie.

— Tu as toujours des relations sexuelles avec Bill ?

Elle voulait brusquement s'assurer que le reste du monde tournait normalement. Rita éclata de rire.

— Ce n'est plus comme avant, mais c'est toujours génial avec Bill. On se connaît bien, on sait ce que l'autre apprécie… Et on essaie de rendre les choses plus excitantes en regardant parfois des films pornos.

Jeanie écarquilla les yeux.

— Du porno ?

— Ne sois pas choquée. Tu devrais essayer, c'est à mourir de rire.

Elle tenta de s'imaginer regarder ce genre de films avec George, mais échoua.

— Tu penses revoir Ray ?

— Je… Ça me semble stupide et essentiel à la fois de le revoir et de ne pas le revoir.

Rita se leva.

— Viens, cette discussion commence à tourner en rond. Il faut que tu arrêtes d'y penser.

Chapitre 11

Perchée sur l'échelle du magasin pour remplir les étagères au-dessus du frigo, Jeanie décrocha son téléphone.

— Bonjour, ma chérie, tout va bien ?

Selon Jola, les températures estivales expliquaient la soudaine affluence de clients en cette semaine suivant l'anniversaire de Jeanie. À la perspective de parader dans leurs vêtements légers, ils ne pouvaient plus ignorer leurs complexes. Ils s'étaient rués sur le jus de *goji*, les pilules anticellulite, les pruneaux, les graines de luzerne, le son et les légumes frais.

— Tu pourrais passer directement après le boulot ?

Sa fille semblait étrangement énervée et tendue. Jeanie se demanda si Alex n'avait pas de nouveau fait des siennes.

— Tout va bien ? Ellie va bien ?

— Je ne peux pas en parler maintenant.

— D'accord, on se voit tout à l'heure. Chanty, tu veux que ton père vienne aussi ?

— Non ! répondit-elle, comme prise de panique. Non, viens seule.

Jeanie raccrocha et jeta un coup d'œil à sa montre. Il ne restait que dix minutes avant la fermeture.

— Bonjour, Jean.

Une femme d'âge mûr, rondelette, la regardait sous son large chapeau de plage.

— Bonjour, Margot, que puis-je faire pour vous ?

Elle gémit intérieurement en descendant de l'échelle, sachant qu'elle allait devoir écouter Margot se plaindre de ses différents petits tracas – des genoux raides à l'eczéma en passant par les ballonnements – pendant des heures. Celle-ci avait probablement essayé tous les compléments alimentaires existant sur le marché sans jamais suivre le traitement jusqu'au bout et voulait à présent discuter de la nouvelle cure miracle dont elle avait entendu parler dans la presse.

— J'ai trouvé un article sur ces nouvelles recherches, commença-t-elle en s'éventant avec un journal.

— Je crains d'être un peu pressée aujourd'hui. Je ferme dans cinq minutes et je dois vérifier la caisse.

Margot leva piteusement les yeux vers la pendule accrochée au mur derrière le comptoir.

— C'est ma petite-fille… Il faut que j'y aille. Pourriez-vous revenir demain ?

Sa cliente prit le temps de réfléchir.

— Je suppose… Allez-y, ma chère. Je sais ce que c'est avec les tout-petits.

Chanty et Alex étaient tendus.

— Où est Ellie ?

Il n'était que 18 h 30.

— On l'a mise au lit un peu plus tôt. On ne voulait pas qu'elle entende ça, répondit Chanty d'un air grave.

Ils se tenaient tous les trois dans le salon.

— Qu'est-ce qui se passe ?

Le cœur de Jeanie tambourinait dans sa poitrine.

Les lèvres de Chanty tremblèrent.

— Maman, c'est difficile…

Elle jeta un coup d'œil à son mari, mais Alex regardait dans le vide, appuyé comme toujours contre la cheminée, frottant ses pieds nus l'un contre l'autre.

— C'est Ellie… Elle a parlé d'un homme…

Non, songea Jeanie en levant les yeux vers Alex qui refusa de croiser son regard. Elle attendit.

— Elle a dit que cet homme, qu'elle appelle « Way », l'avait prise sur ses genoux et l'avait… touchée.

Jeanie crut qu'elle allait exploser. Elle se laissa tomber sur le canapé.

— Je n'y crois pas, dit-elle froidement.

Sa fille encaissa le coup.

— Maman ?

— C'est un mensonge, rétorqua Jeanie d'une voix ferme.

— Maman… C'est Ellie qui nous l'a dit. Est-ce que tu es en train de dire que tu crois que ta petite-fille ment ?

— C'est Ellie qui te l'a dit ? s'enquit-elle doucement.

— Non, elle l'a dit à Alex.

— D'accord.

Jeanie inspira profondément, craignant de dire quelque chose qu'elle risquait de regretter.

— On est très inquiets. Alex m'a dit que ce Ray et toi, vous vous voyez au parc.

— Est-ce qu'Ellie te l'a dit ? l'interrompit Jeanie.

Le visage de Chanty se ferma lorsqu'elle comprit où sa mère voulait en venir.

— Je ne vais pas demander à une enfant de deux ans de répéter quelque chose d'aussi traumatisant. Tu essaies de me faire croire qu'Alex a tout inventé ?

— Je pense simplement qu'il a pu se tromper, répondit Jeanie d'une voix lente et posée. Alex ?

Celui-ci alla s'asseoir sur l'accoudoir du fauteuil juste derrière sa femme. Jeanie était convaincue que, debout devant la cheminée, il se sentait trop exposé.

— Je sais ce qu'elle a dit.

— Qu'est-ce qu'elle a dit exactement ? Dis-moi ce qu'Ellie t'a dit.

Elle avait bien conscience de s'exprimer d'un ton menaçant, mais elle s'en fichait.

Son gendre soupira.

— Ce que Chanty vient de dire. Que Ray l'avait prise sur ses genoux et l'avait touchée.

— Ellie a dit ça ? Tu es vraiment certain que c'est ce qu'elle a dit ?

Alex acquiesça en détournant les yeux.

— Elle n'a pas vraiment dit ça comme ça, je ne me souviens pas exactement des mots qu'elle a utilisés, mais l'essentiel, c'est que…

Jeanie se tourna vers sa fille en se demandant comment elle pouvait ne pas voir que son mari mentait comme un arracheur de dents.

— Je ne le dirai qu'une fois. (Elle regarda Chanty droit dans les yeux pour la convaincre.) Je n'ai jamais, pas même une fois, perdu Ellie de vue. Et je suis absolument certaine que Ray ne l'a jamais touchée. Jamais. Il ne lui a jamais pris la main ou ne l'a jamais poussée sur la balançoire. Et il ne lui a jamais adressé la parole, sauf pour lui dire bonjour et au revoir ou lui tendre un carton de jus de pomme. Jamais. Il ne s'est rien passé. (Elle s'interrompit.) De plus, dit-elle à Chanty qui lui adressait un regard glacial, tu dois savoir que je suis dévouée à Ellie corps et âme et que je n'hésiterais pas à mourir pour elle. Je ne comprends pas que tu puisses croire que je permettrais à un étranger de molester ma petite-fille en ma présence.

— On n'a jamais dit qu'il l'avait molestée..., soupira Chanty en levant des yeux incertains vers son époux.

— Si, c'est exactement ce que vous avez dit.

— Maman, tu peux comprendre qu'on s'inquiète. J'ai perdu la tête lorsqu'Alex me l'a dit. Ces choses-là arrivent sans que personne s'en rende compte.

— Il ne s'est rien passé, et je ne suis pas n'importe qui. Je suis ta mère et la grand-mère d'Ellie.

— Je sais, maman, et je te fais confiance. C'est des autres que je me méfie. Ça peut arriver quand tu es aux toilettes ou quand tu vas acheter une boisson, quand tu as le dos tourné même pendant quelques minutes. Tu ne t'en es probablement même pas aperçue, dit-elle en regardant Jeanie d'un air interrogateur.

— Pour l'amour du ciel, je ne suis pas sénile ! Je sais encore ce que je fais. (Ils étaient visiblement convaincus qu'elle n'était qu'une vieille folle incompétente.) Ça ne s'est pas passé comme ça. Je te le répète : je ne l'ai jamais laissée seule avec qui que ce soit, même durant une seconde. Je ne ferais jamais ça. Je suis encore plus paranoïaque que toi.

Chanty semblait prête à la croire.

— Peut-être qu'Alex a mal compris...

— Je sais ce qu'elle a dit, déclara-t-il d'un air obstiné, mais sans conviction.

— Je ne comprends pas pourquoi Ellie dirait quelque chose comme ça s'il ne s'était rien passé, poursuivit Chanty.

— Moi non plus, rétorqua Jeanie en observant Alex. (Elle soupira.) Je comprends que tu t'inquiètes, ma chérie, mais quoi qu'Ellie ait pu raconter, ça ne s'est pas passé quand elle était avec moi.

— C'est qui, ce type ? demanda Chanty.

— Il dirige une école d'aïkido à Archway. Il garde son petit-fils les jeudis après-midi, et, si tu veux mon avis, c'est un homme tout à fait honorable. Les enfants jouent ensemble.

Elle s'interrompit, espérant qu'elle en avait assez dit. Ce qu'elle faisait avec Ray était peut-être mal, mais cela n'avait rien à voir avec la situation présente. Elle se rendit compte qu'elle rougissait, mais c'était de colère et non de culpabilité.

— Je préférerais que tu ne le voies pas quand tu gardes Ellie.

Chanty parlait comme une maîtresse d'école qui réprimande un élève désobéissant. Jeanie se hérissa.

— Chanty, si tu ne me fais pas confiance, il vaudrait peut-être mieux que je ne prenne plus Ellie du tout. Je ne veux pas que tu t'inquiètes chaque fois qu'on quitte la maison.

Elle observait Alex, attendant qu'il daigne croiser son regard. Pourquoi faisait-il cela ? Ne comprenait-il pas qu'il risquait de se retrouver avec Ellie sur les bras un après-midi de plus ?

— Alex ?

Chanty avait finalement décrété qu'ils devaient prendre cette décision ensemble.

— Je suis convaincu que Jean ne ferait jamais rien qui puisse blesser Ellie, mais je serais plus rassuré si ce type se tenait à l'écart de ma fille, déclara-t-il d'un air suffisant.

— Il ne l'a pas touchée ! Vous n'avez donc rien écouté de ce que j'ai dit ? demanda-t-elle d'une voix aiguë.

Elle n'en pouvait plus. Elle se leva pour partir.

— Quand bien même, ajouta-t-il, tu ne sais rien de lui.

Chanty se leva également.

— Je suis sûre que tu nous comprends, maman.

Jeanie donna un baiser léger à sa fille.

— Si tu ne me fais pas confiance, tu ne devrais pas me laisser m'occuper de ta fille, répéta-t-elle.

— Maman, je t'ai dit qu'on te faisait confiance, n'est-ce pas Alex ? (Il acquiesça.) Je ne veux pas qu'il y ait de problème entre nous. Mais il fallait que je sache ce qui s'est passé.

Jeanie les observa tous les deux.

— Vous me croyez lorsque je vous dis que Ray n'a jamais touché Ellie, même de façon appropriée ? Promettez-moi que ça n'ira pas plus loin.

Ils hochèrent la tête sans conviction. Jeanie sentait que sa fille ne savait toujours pas quoi penser.

— N'en parle pas à papa, ça ne ferait que l'inquiéter, dit Chanty, baissant la voix tandis qu'elle raccompagnait sa mère jusqu'à la porte.

C'est seulement à cet instant que Jeanie comprit que Chanty éprouvait des doutes sur les propos d'Alex.

Ce jeudi-là, Jeanie emmena sa petite-fille dans un autre parc, de l'autre côté de Crouch End. Elle n'avait pas prévenu Ray, car elle ignorait ce qu'elle devait lui dire. *On ne peut pas se voir parce que ma famille pense que tu es un pédophile.* Comment annoncer cela à quelqu'un ? Elle avait pourtant bien conscience qu'elle devait mettre un terme à leur brève liaison. Leur relation ne valait pas le coup de se disputer avec sa fille ou de se voir interdire de garder sa petite-fille, sans parler du fait que Ray risquait peut-être sa vie et sa carrière. Elle tremblait encore de rage en repensant au regard coupable d'Alex, et craignait de ne pas s'être montrée suffisamment convaincante. Elle voulait en discuter avec Ray, mais ne le pouvait pas. Elle était horriblement embarrassée par le comportement de sa famille et savait également que, si elle lui parlait, si elle entendait sa voix, elle ne saurait pas résister. Sa famille devait passer avant tout.

« As-tu vu la vache, la vache aux yeux bleus ? » commença-t-elle à chanter tandis qu'elles descendaient Hornsey Lane dans la chaleur du mois de mai, attendant qu'Ellie se joigne à elle. « Toujours à la tâche, elle faisait meuh meuh ! » poursuivit la petite fille, agitant sa casquette de gauche à droite, « avec sa tite queue terminée par un plumet… »

Jeanie sourit, heureuse, sans chercher à corriger les paroles.

Son portable sonna tandis qu'elles atteignaient les grilles de Priory Park. C'était un texto de Ray : « Tu viens ? J'ai des fraises. »

Des fraises d'anniversaire. Elle remit fermement le téléphone dans la poche de son pantalon de coton.

— Jin, regarde… Regarde, Jin.

Elle suivit le regard de sa petite-fille.

— Un bac à sable… Tu veux y aller ?

Ellie acquiesça.

— Le seau… (Elle montrait un seau abandonné.) Orange… Il est tombé…

Elle s'amusa à ramasser des poignées de sable qu'elle jetait dans le seau avant de le vider de nouveau. Un petit garçon s'approcha et se saisit du seau.

— À moi, dit-il, mais Ellie refusait de lâcher la poignée bleue.

— Jin… Nooooooon. Pas au garçon… À moi, à moi.

Ellie se mit à crier de plus en plus fort jusqu'à ce que le petit garçon récupère son seau orange. Elle mit des heures à se calmer. Elle était rouge, ses boucles blondes collées par la sueur, et était couverte de sable de la tête aux pieds.

— Et si on allait manger une glace ? lança gaiement Jeanie, mais le cœur n'y était pas.

Elle ne pouvait s'empêcher de regarder autour d'elle dans l'espoir ridicule de voir Ray traverser la pelouse pour se diriger vers elle.

— Méchant garçon, répétait Ellie, les yeux bruns brillants de colère. Il a pris mon seau.

— C'était son seau, à lui, rétorqua Jeanie. On en prendra un pour toi la prochaine fois, ajouta-t-elle, sachant pertinemment que c'était un concept incompréhensible pour une gamine de deux ans.

Jeanie acheta une glace à Ellie, et elles s'assirent sur un banc tandis que la fillette prenait délicatement une cuillère dans son petit pot, la dégustant avec une lenteur étudiée. Lorsqu'elle eut terminé, elle avait une énorme moustache au chocolat.

— Encore ? demanda-t-elle avec espoir en se tournant vers Jeanie.

Jeanie sourit.

— Non, ma chérie. Une, c'est assez.

— Din ? demanda l'enfant entre deux hoquets. J'ai le hoquet, dit-elle en riant.

— Dylan ne pouvait pas venir aujourd'hui.

— D'accord… Din joue avec moi, affirma-t-elle en ajoutant, tandis que Jeanie restait silencieuse.

— Jin… Jin… Din joue avec moi, et j'ai bobo à la jambe à cause de la balle.

— Je sais, ma chérie, mais ta jambe va bien, maintenant ?

Ellie, l'air incertaine, releva le bord de sa jupe pour lui montrer sa blessure invisible.

— J'ai bobo à la jambe comme papa quand il était une petite fille.

— Un petit garçon, la corrigea Jeanie en souriant.

Elle prit sa petite-fille sur ses genoux pour lui nettoyer le visage avec des lingettes. Ellie se débattit et cria, mais Jeanie tint bon. Elle enlaça pendant un instant ce petit corps chaud, écartant les mèches humides de son front. Le simple fait d'imaginer que quelqu'un puisse lui faire du mal la rendait malade. Ce qu'Alex avait fait était horrible. À moins qu'il n'ait vraiment pensé que quelqu'un avait abusé de sa fille ?

— Je t'aime, murmura-t-elle dans les cheveux d'Ellie.

— J'ai trouvé une maison ! s'écria George lorsqu'il entendit Jeanie entrer.

D'un bond, il se leva de son fauteuil sur la terrasse pour venir à sa rencontre dans la cuisine, grande silhouette dégingandée agitant une feuille devant son visage.

Jeanie mit ses lunettes de lecture. La propriété, un ancien presbytère au bord de Blackdown Hills, était magnifique et comptait cinq chambres, un salon…

— C'est parfait : elle remplit tous nos critères et est vendue sur le marché pour un peu plus d'un million de livres.

— Génial.

En cet instant, Jeanie n'aurait pas protesté si on lui avait demandé d'aller vivre dans les Hébrides. Au moins le déménagement aurait l'avantage de la tenir éloignée de Ray. Il lui avait envoyé deux autres textos auxquels elle n'avait pas répondu : « Qu'est-ce qui se passe ? X » et « Parle-moi ! X »

— Tu imagines comme ce serait merveilleux d'être à la campagne quand il fait aussi chaud ? dit George, se servant d'une liasse de feuilles pour s'éventer.

— Il ne fait presque jamais aussi chaud au début du mois de mai. Ça ne vaut pas la peine de déménager dans le Dorset.

— Le Somerset… Cette propriété est à la frontière entre le Somerset et le Devon. Je vais te servir un verre, tu as l'air épuisée. (Il l'observa jusqu'à ce qu'elle détourne les yeux.) J'ai préparé du thé glacé. (Jeanie hocha la tête.) Viens t'asseoir sur la terrasse, ma vieille, et je t'apporte ça.

La sollicitude dont il faisait preuve la blessait. Elle savait pourquoi il agissait ainsi. Depuis le soir de son anniversaire, il la traitait comme si elle était une petite chose fragile.

— J'ai ajouté de la menthe. Comment va Ellie ?

— Bien… Elle est toujours aussi adorable.

Elle lui raconta l'épisode du petit garçon et du seau, et ils éclatèrent de rire.

Ça sera toujours comme ça…, songea-t-elle en prenant une gorgée. *Comme ça, tous les deux.*

— Jeanie. (George avait l'air sérieux.) Tu es d'accord pour déménager, n'est-ce pas ? (Jeanie haussa les épaules.) Je pensais simplement que ce serait une bonne occasion de recommencer à zéro, de se construire une nouvelle vie.

— Celle que nous avons me convient très bien, George.

Il sembla soulagé.

— Non... Je suis content que tu sois de cet avis, mais imagine combien ce sera mieux de vivre là-bas, ajouta-t-il en lui remontrant la photo.

— Tu n'as pas encore tout vu, cette propriété est probablement au bord d'une falaise.

— Si elle ne te plaît pas, on en trouvera une autre qui n'est pas près d'une falaise, poursuivit-il en souriant pour la convaincre.

Elle aurait voulu être aussi enthousiaste que lui, ne plus jouer les rabat-joie et... Et quoi ?

— Je vais la visiter samedi. Tu m'accompagnes ?

— C'est le jour le plus chargé à la boutique.

George se décomposa.

— Dimanche, alors ? Je vais reporter le rendez-vous.

— D'accord... Je pense que je vais monter et prendre un bain pour me rafraîchir.

Le soleil se couchait, et, avec lui, la température commençait enfin à baisser. Alors qu'elle s'apprêtait à quitter la pièce, elle ne put s'empêcher de remarquer le regard presque suppliant de son époux, mais elle savait qu'elle ne pourrait rien ajouter pour le consoler. Pas sans mentir.

Le lendemain matin, elle arriva au magasin de bonne heure. Elle avait besoin de récupérer quelques documents avant de se rendre chez Tony, son comptable. Tandis qu'elle glissait ses papiers dans son attaché-case, elle leva les yeux et sursauta. Le visage de Ray était pressé contre la vitre de la porte de la boutique.

— Nom d'un chien, tu m'as fait peur ! souffla-t-elle en le laissant entrer.

— Ça prouve au moins que tu es toujours en vie, dit-il en souriant. (Ils restèrent un instant silencieux.) Jeanie ?

— Je suis en retard, il faut que j'y aille.

Ray semblait perplexe.

— Qu'est-ce qu'il y a ? Il s'est passé quelque chose ?

— Je ne peux plus te revoir, bafouilla Jeanie, incapable de croiser son regard.

— D'accord..., soupira-t-il. Tu pourrais au moins m'expliquer ?

Il se tenait au milieu du magasin, complètement immobile, les bras croisés, et l'observait rassembler les quelques documents manquants étalés sur le comptoir.

— Je te l'ai déjà dit, je suis en retard, répondit-elle. Je dois y aller.

Ray se dirigea en silence vers la porte qu'il ouvrit pour elle. Elle se mit à chercher ses clés dans la poche de sa veste de tailleur puis au fond de son énorme sac avant de reposer brutalement son attaché-case sur le comptoir pour en vérifier tous les recoins. Sans succès.

— Nom d'un chien !

Elle revérifia son sac. Elle s'aperçut soudain que ses mains tremblaient, mais elle semblait incapable de faire autre chose que de chercher frénétiquement ses clés, tout en ayant bien conscience qu'elle ne se calmerait pas, même lorsqu'elle les aurait retrouvées.

— C'est ça que tu cherches ?

Ray tenait le trousseau dans sa main droite.

Jeanie le regarda, n'osant parler. Ray était si proche d'elle que son cœur se mit à battre la chamade.

Ray ne bougea pas et se contenta de lui tendre les clés.

— Elles étaient sur l'étagère, dit-il doucement.

Elle ne fit aucun geste pour les prendre et resta plantée là à le regarder, aussi les déposa-t-il sur son attaché-case.

— Je ferais bien d'y aller, ajouta-t-il.

Tout sembla soudain se dérouler au ralenti tandis qu'elle le regardait se retourner et sortir. Après ce qui lui sembla une éternité, une petite voix, qu'elle finit par identifier comme la sienne, souffla :

— Ray, il faut vraiment que j'y aille et je suis vraiment en retard pour mon rendez-vous avec mon comptable.

— Je sais, affirma-t-il en souriant.

— On peut se voir plus tard ? En ville ? Ou, du moins, loin d'ici ?

— Tu n'es pas fâché ?

Ils dégustaient une soupe miso dans un restaurant japonais au coin de Lisle Street. C'était l'heure du déjeuner, mais ils s'étaient installés dans un petit coin juste en dessous du porte-manteau, ce qui leur convenait très bien. Ray avait pris son temps pour digérer ce qu'elle venait de lui dire.

— Tu penses vraiment qu'il a tout inventé ?

Jeanie le regarda, incrédule.

— Il ne s'est rien passé, donc c'est la seule explication.

— C'est tellement horrible. Il a probablement entendu Ellie parler de quelque chose – tu sais comment ils sont à cet âge – et il a mal compris.

— Chanty a dit la même chose, mais je suis convaincue que ce n'est pas ça. Si tu l'avais vu, il ne pouvait même pas me regarder en face.

— Jeanie, à moins que ce type ne soit un parfait crétin, t'accuser d'avoir laissé quelqu'un abuser de sa fille est complètement idiot. Pourquoi ferait-il une chose pareille ? (Ray veillait à s'exprimer d'une voix ferme, mais elle voyait bien qu'il était inquiet.) Ils ne comptent pas aller plus loin, n'est-ce pas ?

— Ils m'ont affirmé le contraire… Je crois que j'ai réussi à convaincre Chanty. (Elle secoua la tête, exaspérée.) Je n'arrive toujours pas à croire qu'il ait pu dire ça…

Ray prit une gorgée de bière à même la bouteille.

— La moindre rumeur pourrait me ruiner, finit-il par dire en passant la main dans ses cheveux gris trop longs, un geste que Jeanie avait appris à aimer. Natalie m'empêcherait de revoir le petit, je perdrais l'école. Il ne faut même pas de preuve, une simple rumeur suffirait.

Jeanie acquiesça.

— Je suis désolée.

— Comme si c'était ta faute, rétorqua-t-il avec un sourire narquois.

— C'est ma famille.

— Donc, tu ne penses pas qu'Ellie ait dit quoi que ce soit ?

Ils adressèrent un regard distrait à la serveuse qui leur apportait leurs plats.

— Elle a sûrement parlé de toi. Elle vous adore, Dylan et toi ; tu la fais rire. Mais elle raconte toujours des tas d'histoires sans queue ni tête sur toutes les personnes qu'elle connaît. Elle est trop jeune pour comprendre que s'asseoir sur les genoux de quelqu'un peut poser des problèmes. De toute façon, tu ne l'as jamais prise sur tes genoux.

Jeanie eut soudain très chaud et enleva sa veste de tailleur.

— Elle parle peut-être d'un autre homme ? Elle dit peut-être la vérité, mais a confondu l'homme en question, ajouta-t-il, perplexe.

Jeanie, qui n'y avait jamais pensé, réfléchit à cette possibilité.

— Elle ne voit que moi, George et Alex... On ne la laisse jamais seule avec quelqu'un d'autre. (Elle prit un peu de riz et de poulet avec ses baguettes.) Elle monte sur leurs genoux tout le temps. (Ray lui adressa un regard interrogateur, et elle éclata de rire.) Non... Je suis certaine que ni mon mari ni mon gendre ne pourrait abuser d'un enfant.

— Ton gendre est un menteur.

— Ce n'est pas toujours la vérité qui compte, n'est-ce pas ?

Ces mots semblaient flotter dans l'air. Ils savaient tous deux ce qu'elle voulait dire. Le plaisir qu'elle avait ressenti à revoir Ray avait disparu.

— C'est la première fois qu'on me fait du chantage, dit Ray.

Il semblait déconcerté, troublé, et avait perdu ce calme qui le caractérisait. Elle le vit inspirer profondément comme s'il se réfugiait dans quelque abri secret l'espace d'un instant.

— En aïkido, on apprend à voir son agresseur comme quelqu'un qui aurait perdu le contact avec sa nature profonde et non pas comme quelqu'un de mauvais. On n'apprend pas à se battre mais à se défendre. On utilise le poids de son assaillant contre lui.

— Ça a l'air génial, mais je ne vois pas comment ça peut être utile si le type ne se jette pas sur toi avec une machette.

— Il finira bien par se trahir.

Il fit un geste dans sa direction, mais elle croisa les mains sous la table.

— Tu sais qu'on ne peut plus se voir, déclara-t-elle d'une voix détachée.

Ray ne dit rien et baissa la tête.

— Du thé ?

La serveuse s'était approchée avec une grande carafe de faïence. Ils hochèrent tous deux la tête bien que leurs tasses ne soient pas vides.

— Ce truc avec Alex me fait peur, Ray. C'est de ta vie qu'il s'agit, et de mon mariage. Dieu seul sait comment Chanty réagirait si elle apprenait que je trompe son père… Je ne pourrais pas supporter le risque de perdre Ellie encore une fois. Ça ne vaut pas le coup.

Elle lui adressa un regard implorant, mais décela une pointe d'amusement dans ses yeux gris-vert.

— Tu nous as vus ? Deux vieux fous pris dans la tourmente des amours adolescentes contrariées.

Elle éclata de rire, et, l'espace d'un instant, tous ses soucis s'évanouirent.

— Évite de parler de vieux fous, s'il te plaît.

— Jeanie, tu ne trouves pas que c'est notre tour ? On s'est mariés, on s'est occupés de notre famille... Ça ne s'est pas très bien passé dans mon cas, d'accord. Mais toi, tu as fait ce qu'il fallait, tu as toujours été là pour eux. Et soudain, il y a ce lien puissant entre nous, auquel on ne s'attendait pas du tout. Je pense tout le temps à toi, Jeanie. Je ne devrais peut-être pas te dire ça, mais..., ajouta-t-il d'une voix douce. (Jeanie rougit.) Je sais qu'on ne se connaît pas bien toi et moi, mais je m'en fiche. Je sais que ça fait cliché de dire ça, mais, avec toi, je me sens jeune de nouveau. Tu connais ce dicton qui dit que « l'amour n'a pas d'âge » ? Est-ce que c'est de l'amour ? Je n'en sais rien et je crois que je me fiche de savoir ce que c'est.

Ils restèrent silencieux durant quelques minutes. Le mot « amour » flottait entre eux, trop fragile pour qu'on ose l'effleurer.

Comme Jeanie restait silencieuse, Ray poursuivit :

— Tout ce que j'essaie de dire, c'est... (Il s'interrompit et leva les bras dans un geste de frustration.) C'est très simple, en fait. J'ai du mal à envisager de ne plus te revoir.

— Qu'est-ce que je peux faire ? demanda-t-elle d'une voix faible, presque inaudible.

Il prit ses deux mains dans les siennes, le restaurant et les autres clients semblant soudain disparaître autour d'eux.

— Jeanie, on ne peut rien faire. Rien de ce qu'on ne fera ne pourra tout arranger. Il faut qu'on s'y fasse, qu'on prenne les choses comme elles viennent. Si tu veux qu'on en reste là, on en restera là. Je me ferai une raison. (Il se tut un instant, lui serrant les mains.) Mais ce qui existe entre nous est tellement précieux…

Il essuya doucement une larme unique qui roulait sur la joue de Jeanie.

— Je pleure pour un oui ou pour un non ces derniers temps, murmura-t-elle avec colère.

Ray se redressa.

— Je ne te forcerai jamais à faire quoi que ce soit… Ce ne serait pas juste. Ça risque de détruire ton mariage.

— On ne peut plus se voir en présence des enfants.

— Non, de toute évidence, on ne peut pas. (Il semblait attendre quelque chose, mais elle ne savait pas quoi dire.) Accepterais-tu de me revoir seul ?

Jeanie secoua la tête.

— Parfois, je me dis que je ne devrais pas et, deux minutes plus tard, j'ai l'impression de ne plus pouvoir me passer de toi.

Il esquissa un sourire crispé.

— Mais… ? dit-il pour l'inviter à continuer.

— Comment ça va se passer ? Si on se rend compte qu'on ne peut pas se contenter de boire un verre ? Si on va plus loin ? Qu'est-ce qui se passera ?

— Je n'ai pas de réponse à ça, Jeanie, sourit-il.

— Ce n'est pas drôle.

— Peut-être pas, mais ce n'est pas non plus une catastrophe, n'est-ce pas ?

Jeanie secoua la tête, incapable de réfléchir. Elle regarda sa montre.

— Il faut que je parte bientôt. On ne pourrait pas parler d'autre chose de plus normal, comme…

Ils se regardèrent et éclatèrent de rire.

— Ne compte pas sur moi pour discuter de politique ou du temps qu'il fait. Tout ce dont j'ai envie, c'est de t'embrasser, dit Ray en levant les sourcils d'un air interrogateur.

— Pas ici, rétorqua-t-elle en regardant autour d'elle, affolée.

— Où, alors ?

— On est trop vieux pour s'embrasser en public.

Ray gloussa.

— C'est le cas de la plupart des gens. Ça limite quelque peu les options, vu qu'on est dans le centre de Chinatown. Cela dit… (Il fit signe à la serveuse de leur apporter l'addition.) Juste pour savoir, murmura-t-il, tu aimerais que je t'embrasse ?

Jeanie ressentit une vague de désir qui la submergea malgré elle, la laissant pantelante. Elle comprit en levant les yeux vers lui qu'elle n'avait pas besoin de répondre.

Chapitre 12

— On pourrait mettre le piano ici, pour Ellie.

George se comportait comme s'il avait déjà acheté la maison. Tandis qu'ils parcouraient les pièces vides, son mari commençait à déménager mentalement les meubles de leur maison de Highgate pour les installer dans l'ancien presbytère de Woodmanstead – prononcé « Woomsted ». Rasé de près, James, l'agent immobilier, attendait patiemment en jouant avec ses boutons de manchette et acquiesçait avec un peu trop d'enthousiasme à chaque remarque de George. Ses yeux brillaient d'un éclat qui, selon Jeanie, signifiait que cette vente allait lui rapporter beaucoup d'argent.

— C'est la première maison qu'on visite, dit-elle à George d'un ton sec.

— Ça ne veut pas dire qu'on ne peut pas l'acheter, rétorqua-t-il doucement.

— Bien sûr que non, mais on devrait au moins aller voir les autres. Celle-là coûte très cher.

Elle savait qu'elle perdait son temps. S'il voulait l'acheter, George le ferait, sans se soucier du prix ou de ce qu'elle en pensait.

— C'est parfait, répétait-il doucement, tandis que les yeux de l'agent brillaient davantage.

— Arrête de dire que tu l'adores. Il risque d'augmenter le prix. N'oublie pas qu'il n'est pas de notre côté.

Jeanie était fatiguée. Cela faisait des semaines qu'elle dormait mal. Après le déjeuner, Ray l'avait emmenée à St James Park. Un vent piquant et des averses avaient remplacé la chaleur des jours précédents, qui n'était plus qu'un souvenir lointain. Quelques touristes se promenaient dans le parc, mais ils n'étaient pas nombreux, et Ray avait déposé son manteau pour qu'ils s'installent sous une aubépine, lui gardant les jambes croisées et le dos bien droit, et elle tenant les jambes repliées sous elle et tirant sur la jupe de son tailleur pour cacher ses genoux.

— Tu as l'air bizarre avec ce tailleur, dit-il.

Malgré son inquiétude, elle faillit éclater de rire.

— Comment oses-tu dire ça ! Je te ferai remarquer qu'il s'agit de mon honorable tailleur-pour-comptable. Je ne le porte que pour lui. C'est si laid que ça ?

— Je n'ai pas dit que c'était moche, juste que... ça ne te ressemble pas. Non, en fait, c'est moche. Ton comptable ne ferait pas du bon travail si tu te présentais en jean ?

— J'ai toujours été convaincue du contraire. C'est ma façon totalement démodée de lui faire comprendre que je le respecte, je crois.

Ils observèrent un groupe d'adolescents en voyage scolaire, qui marchaient d'un pas traînant, totalement inconscients de ce qui se passait en dehors de leur petite bulle.

— C'est la faute du chauffage central, déclara Ray en les montrant du doigt.

— Quoi ?

— On est bien plus résistants qu'eux. On les a tellement dorlotés qu'ils se sont ramollis. (Il commençait à s'échauffer, et Jeanie comprit que c'était un sujet sensible pour lui.) J'ai grandi à Portsmouth, mon père était dans la marine marchande, et on vivait dans un petit pavillon plein de courants d'air, équipé seulement d'un poêle électrique.

— Celui avec les fausses braises orange au-dessus des barres de métal ? l'avait-elle interrompu. Je m'en souviens. C'était toujours mieux que celui qu'on avait : un horrible machin avec une grille et des ouvertures en forme d'alvéoles. On avait le choix entre crever de froid ou crever de chaud.

Ray esquissa un sourire.

— Exactement. Ce n'était pas un de ces chauffages pour fillettes. Je me souviens que je mettais mes vêtements devant le poêle le matin avant de les enfiler, tellement ils étaient froids. Qu'est-ce qu'ils connaissent de tout ça, eux ? demanda-t-il en montrant avec dédain la troupe d'étudiants étrangers. C'est notre faute.

— Ça, c'est ben vrai ! le taquina-t-elle en affectant un accent plouc. On n'avait rien à manger, sauf les restes du voisin. Et on s'partageait une paire de chaussures avec mes dix frères et sœurs. (Elle le repoussa gentiment.) Le monde change, c'est tout.

— Sérieusement. Prends un type comme ton gendre, poursuivit Ray. De toute évidence, il se prend pour Dieu, et je suis certain que son arrogance n'a rien à voir avec la confiance en soi. Il est devenu comme ça parce qu'on lui a toujours tout pardonné et parce qu'il a été dorloté toute sa vie.

Jeanie fronça les sourcils.

— S'il te plaît, je n'ai pas envie de parler de lui.

Il l'attira contre lui.

— D'accord, je la ferme si tu m'embrasses.

Elle lui donna un long baiser plein de tendresse. L'espace d'un instant, elle en oublia même qu'ils étaient dans un lieu public. Elle voulait simplement qu'il continue à l'embrasser pour effacer la douloureuse décision qu'elle avait prise.

Elle soupira lorsque leurs lèvres se séparèrent.

— Ray… ça ne marchera jamais, déclara-t-elle en s'apprêtant à se mettre debout.

Il se releva en même temps qu'elle, secouant sa veste pour enlever les brins d'herbe.

— C'est ta décision, dit-il en lui prenant le menton et en baissant les yeux vers elle.

Elle le laissa faire, tout son corps profitant de cette caresse légère, tandis que la douleur de le perdre était toujours bien présente au fond de son cœur.

— Il faut que j'y aille, conclut-elle en récupérant son sac et son attaché-case.

— Est-ce qu'on pourrait rester un peu seuls ? demanda George à James qui accepta.

L'agent sortit s'appuyer contre la porte ouverte de sa Peugeot, son portable gris métallisé collé à son oreille.

George prit Jeanie par la main pour l'emmener dans la magnifique chambre à coucher du premier étage – la « chambre principale », en jargon d'agent immobilier.

— Regarde cette vue.

La propriété était située au bord d'une vallée, ses fenêtres donnant sur les collines de Blackdown Hills. La lumière du soleil illuminait les coteaux et les fleurs roses et blanches des pommiers dans le verger. Des moutons paissaient dans les champs. L'ensemble ressemblait presque à un paysage de carte postale.

— Imagine comme ça doit être agréable de se réveiller avec ça.

— C'est magnifique, dit-elle, tandis qu'elle se sentait mourir intérieurement.

— Ce n'est pas trop grand, et on a encore des chambres pour nos invités, poursuivit-il. Si on est prêts à signer le contrat, James dit qu'on pourrait s'installer dès la fin de l'été. Il n'y a aucun problème : le propriétaire est mort voilà un an, et ses héritiers veulent vendre au plus vite. (Il passa un bras autour des épaules de Jeanie, un geste qui n'était absolument pas naturel.) Imagine Ellie courant dans le jardin ! (Il montra quelque chose derrière Jeanie.) Regarde, il y a même une balançoire accrochée à ce vieux chêne.

Son bonheur était à la fois touchant et inquiétant. Jeanie savait qu'elle était piégée. Si elle ne se décidait pas à parler ou à faire quelque chose, elle devrait vivre là jusqu'à la fin de ses jours. Qu'est-ce que Ray avait dit déjà ? *« On ne pourra jamais tout arranger. »*

— Quelle est la ville la plus proche ?

— James dit qu'on est à égale distance de Honiton et de Chard. Je sais que c'est un peu isolé, mais le village est charmant. Et on est près de la mer.

Jeanie tenta de s'imaginer leur vie dans ces lieux. Elle avait quitté la maison de ses parents à dix-huit ans pour devenir infirmière. Elle avait vécu dans une résidence réservée au personnel hospitalier près de Russel Square, un bâtiment triste et sévère qui, pour elle, représentait le centre du monde. Cela faisait plus de quarante-deux ans. Elle observa son mari qui discutait d'un air grave avec le charmant jeune homme. George se comportait comme s'il envisageait de déménager depuis des années.

Il débordait d'enthousiasme tandis qu'ils prenaient la route pour rentrer chez eux. Il se tournait souvent vers Jeanie, semblant attendre qu'elle lui rende son sourire – ce qui la rendait folle.

— On peut mettre la maison sur le marché dès maintenant. Ce n'est pas grave si on n'arrive pas à la vendre tout de suite, on se débrouillera. Et on pourra s'y consacrer pleinement une fois qu'on aura le presbytère. On s'en sortira très bien, qu'est-ce que tu en penses ?

Et, comme elle restait silencieuse, il ajouta :

— Tu es bien calme, ma vieille. Je sais que tu n'étais pas convaincue au début, mais tu as changé d'avis maintenant que tu as vu la maison ?

Et comme elle refusait toujours de dire quoi que ce soit :

— Allez, Jeanie, crache le morceau ! Quel est le problème ? C'est mal situé ? Trop grand ? Dis-moi. (Il rit.) Je dois avouer que tu es un peu bizarre depuis que tu as soixante ans.

Elle était presque trop en colère pour lui répondre. Mais elle connaissait son époux. Il la harcèlerait sans relâche jusqu'à ce qu'elle cède.

— George, je t'ai déjà dit ce que j'en pensais. Je n'ai rien à ajouter.

Telle une épouse délaissée guettant l'arrivée de son amant, Jeanie attendait chaque soir le moment où George irait se coucher et où elle serait enfin en sécurité, seule, dans sa chambre. Elle pleurait, la tête sous la couette pour étouffer les violents sanglots qui lui coupaient le souffle. Elle pleurait pour Ray, mais pas seulement. Elle versait des torrents de larmes sur son enfance malheureuse, sur la maladie et la mort de son frère, sur la vie de mensonge qu'elle menait avec son époux depuis qu'il avait quitté le lit conjugal et sur l'homme qu'il était devenu. Les larmes auraient dû apaiser Jeanie, mais, au contraire, ses crises se transformaient en tempêtes de plus en plus intenses et sans pitié qui manquaient de la détruire. Pourtant, chaque nuit, elle pleurait, en en venant presque à attendre cet instant avec impatience, pour sombrer ensuite dans un sommeil épuisé.

— Maman, tu as une mine affreuse.

Sa fille l'observa depuis le siège du côté conducteur, tandis que Jeanie s'installait dans la voiture. Ellie tendait la main depuis la banquette arrière pour atteindre sa grand-mère.

— Jin… viens voir mon sac et mon parapluie.

Elle agita un sac d'un rose criard contenant son parapluie vert orné de dinosaures en direction de Jeanie, qui embrassa sa petite main.

Chanty attendait, mains sur le volant, que sa mère attache sa ceinture.

— Tu veux que je m'installe à l'arrière avec Ellie ? Pour la calmer ?

Chanty secoua la tête, sa queue-de-cheval blonde lui balayant le dos.

— Ça ira. J'aimerais qu'elle fasse la sieste, sinon elle va être infernale.

C'était dimanche, et elles allaient prendre le thé chez tante Norma. Celle-ci préparait toujours tout dans les moindres détails : une assiette de petits canapés de pain blanc beurré, sans croûte, et un magnifique plat à dessert en bois à trois étages – des biscuits secs au-dessus, des petits gâteaux au milieu et une tarte aux fruits en dessous – le tout à déguster avec les doigts, bien entendu ma chère ! Tante Norma détestait les fourchettes à dessert – qui n'étaient selon elle qu'une « horrible invention des Européens ». Elles dégustèrent du Lapsang Souchong, en feuilles – surtout pas en sachets – dans des tasses de porcelaine anglaise avec soucoupes assorties. Tante Norma laissait toujours Ellie boire un petit peu de thé dans sa propre tasse. À la surprise de Chanty et de Jeanie, la petite fille n'avait jamais renversé la moindre goutte sur le tapis couleur crème.

— Maman ? (Chanty l'observait du coin de l'œil tandis qu'elles traversaient Wimbledon Common.) Tu es sûre que ça va ? Tu as l'air épuisée.

— Je vais bien.

— Tu es toujours en colère à propos de l'homme du parc ?

— Je... Il vaut mieux qu'on ne parle plus de ça.

— Il fallait que je sache, maman. C'est Ellie. Tu en aurais fait autant si tu avais été à ma place.

— Ça n'a rien à voir. Je vais bien, ma chérie.

— Parle-moi, maman, je t'en prie. Je suis désolée d'avoir douté de toi. Ça n'avait rien à voir avec toi. C'est simplement qu'Alex m'a raconté ce qu'Ellie avait dit et...

— Je t'ai dit que ce n'était pas ça, l'interrompit Jeanie en posant la main sur le bras de sa fille.

— Qu'est-ce que c'est, alors ? Papa m'a dit que tu n'étais plus toi-même. Il s'inquiète pour toi, il a peur que tu ne sois malade. S'il te plaît, dis-moi... C'est à propos du déménagement ? Papa a dit que tu avais adoré la maison.

— Elle est très belle, mais ça ne veut pas dire que j'ai envie d'y habiter. J'aimerais autant qu'on ne parle pas de ça maintenant. Je vais bien. Ça va aller.

Mais sa fille ne renonçait pas aussi facilement. Elle se rangea le long du trottoir, dans une des rues à l'arrière de Wimbledon Village, et coupa le moteur.

— Désolée, maman, mais on n'ira pas chez tante Norma à moins que tu ne me dises ce qui ne va pas.

Elle jeta un coup d'œil à l'arrière pour s'assurer qu'Ellie dormait toujours, et attendit, bras croisés, que sa mère se décide à parler.

Jeanie était trop épuisée pour se disputer.

— D'accord... Je crois que c'est le déménagement. Je ne veux pas m'installer là-bas, je ne veux pas renoncer à ma boutique... ni à ma vie. (Elle s'aperçut que Chanty s'apprêtait à l'interrompre et leva la main pour l'en empêcher.) Ne commence pas à me parler des avantages du Somerset. Je ne suis pas stupide, je peux très bien m'en rendre compte par moi-même, mais j'ai l'impression que plus personne ne m'écoute. Toi, ton père, on dirait que vous ne me croyez plus capable de faire quoi que ce soit. Prends l'incident du parc, par exemple – ou plutôt l'absence d'incident... Tu as insinué que je n'étais plus capable de me souvenir de ce que j'avais fait. Et tu as refusé de me croire quand je t'ai dit ce qui s'était vraiment passé. Et ton père... Ton père veut me forcer à déménager. Je lui ai dit depuis le début que je ne voulais pas m'installer à la campagne. Je lui ai proposé de louer un cottage s'il avait tellement envie de passer du temps loin de Londres. Dieu sait qu'on peut se le permettre.

Mais il n'a rien voulu entendre. Il a continué son petit manège pour acheter une maison et refuse de m'écouter quand je lui dis que je ne veux pas déménager. En fait, depuis qu'il a pris sa retraite voilà dix ans, il est devenu de plus en plus tyrannique. Il n'était pas comme ça, avant : il était facile à vivre. Tu devrais plutôt t'inquiéter pour lui. En ce qui me concerne, c'est très simple. Je ne veux pas vendre ma boutique et je ne veux pas aller m'enterrer à la campagne avec lui. (Elle parlait d'une voix dure et stridente, les mains croisées sur ses genoux, en évitant de regarder sa fille.) J'ai soixante ans, pas un siècle, et je n'ai rien fait pour mériter ce manque de respect de ta part ou de celle de ton père.

Elles se turent un instant.

— Oh, maman…

— Je t'en prie, ne…

Elle savait qu'elle risquait de craquer si Chanty tentait de la réconforter, et tenait à ne pas perdre le contrôle d'elle-même.

— Ça va aller, je t'ai dit. Ça va passer. (Malgré ses efforts, elle avait les larmes aux yeux.) C'est juste un peu difficile pour l'instant.

— J'ai l'impression que c'est en partie ma faute. (Chanty s'interrompit, soudain inquiète.) Mais, à part ça, vous n'avez pas de problème, papa et toi ? Je veux dire : tout va bien entre vous ?

C'était la première fois que Chanty lui posait ce genre de questions, et Jeanie ressentit soudain le besoin pressant de dire la vérité à sa fille. *Non, ça fait des années que ça ne va pas. Ton père me cache quelque chose. J'ai rencontré un homme avec qui je veux m'enfuir… Le type du parc.*

— Ce cher papa, dit Chanty, avec lui tu sais toujours où tu en es. Le discours qu'il a fait à ton anniversaire était magnifique, tu ne trouves pas ? (Jeanie songea que sa fille s'y prenait fort mal pour la convaincre.) Il faut que tu lui parles, maman. Dis-lui ce que tu ressens. Je suis certaine qu'il ne te forcerait jamais à déménager. Vous pourriez faire comme tu as dit : louer un cottage pendant quelque temps et décider de ce que vous ferez plus tard.

— Ça va aller, répéta Jeanie pour ce qui lui semblait être la centième fois, s'efforçant de parler d'une voix ferme afin de convaincre sa fille qu'elle se sentait mieux alors que rien n'avait changé, si ce n'est que les craintes de Chanty avaient été apaisées.

— J'en suis sûre. Mais il faut que tu lui parles, maman. Promis ?

Jeanie sourit et promit, et Chanty remit le moteur en marche.

Jeanie se trouvait à la boutique ce mardi matin lorsqu'elle leva les yeux pour découvrir, stupéfaite, que Dylan se tenait devant elle. Il était accompagné d'une femme d'une petite trentaine d'années, au beau visage pâle et anxieux, qui tenait fermement la capuche du sweat-shirt de Dylan, le tirant en arrière chaque fois qu'il essayait d'avancer. Il adressa un sourire à Jeanie.

— Bonjour Dylan, comment vas-tu ?

La femme la dévisagea, curieuse.

— On se voit parfois au parc, expliqua Jeanie, quand j'emmène ma petite-fille, Ellie.

C'était probablement la fille de Ray, et Jeanie éprouvait des difficultés à calmer les battements de son cœur.

— Oui, bien sûr… Papa me l'a dit, et Dylan a parlé d'Ellie… Pas toujours gentiment, ajouta-t-elle sur un ton d'excuse.

Jeanie éclata de rire.

— Je crois qu'Ellie est obsédée par votre fils, ajouta-t-elle, surprise de parler d'une voix égale.

Dylan sourit.

— Elle veut jouer avec moi, mais elle peut pas parce qu'elle est encore trop petite.

— Tu dois toujours être gentil, tu le sais, murmura la femme d'un air sévère. Au fait, je m'appelle Natalie.

— Jeanie. (Elles se saluèrent en souriant.) Comment va votre père ?

— Il va bien, il est très pris avec le club. (Elle regarda Jeanie.) Vous allez toujours au parc ? Dylan n'a plus parlé de vous depuis quelque temps.

— Pas à celui de Waterlow… Ma fille préfère que j'emmène Ellie à Priory Park. Elle pense que les jeux sont plus stimulants là-bas, rétorqua-t-elle en feignant de s'occuper de la caisse.

Sa remarque lui semblait tellement ridicule qu'elle s'attendait presque à ce que Natalie éclate de rire, mais celle-ci hocha la tête d'un air grave.

— Je comprends tout à fait… La nouvelle aire de jeux est géniale, mais elle ne convient pas vraiment aux enfants de son âge. Priory est un peu loin pour nous, on vit dans le quartier nord.

— Papy traverse le rondin suspendu, les interrompit Dylan, attendant que Jeanie confirme.

— C'est vrai, il est très doué.

Elle vit les yeux de l'enfant briller de fierté à ces mots.

— Vous avez du lait de riz ? demanda Natalie en parcourant les étagères des yeux.

— De riz, d'avoine, de soja…, répondit Jeanie en lui désignant l'étagère.

— Le soja est mauvais pour la santé, ça donne le cancer, affirma Natalie de sa voix douce sans s'adresser à personne en particulier. À moins qu'il ne soit fermenté, ce qui n'est pas le cas de celui-ci. Elles sont très belles, dit-elle en montrant un panier de poires. Elle choisit soigneusement deux fruits qu'elle posa sur le comptoir.

— J'en ai mangé une ce matin au petit déjeuner. Elles sont délicieuses.

Jeanie se demanda si Natalie était au courant pour Ray et elle, avant de se rappeler l'expression de curiosité polie sur le visage de Natalie lorsqu'elle avait salué Dylan. Non, Natalie n'était pas au courant. Jeanie était convaincue que Ray n'aurait jamais envoyé sa fille ici, même si une part d'elle-même souhaitait qu'il l'ait fait.

— Ray garde toujours Dylan le jeudi ? demanda-t-elle sans pouvoir s'en empêcher.

— Chaque fois qu'il en a l'occasion. Mais la baby-sitter n'a plus besoin d'aller à l'hôpital, alors il le prend parfois un autre jour. Vous avez du pain d'épeautre ?

Jeanie en prit un dans la vitrine avant de l'emballer pour le déposer avec les autres achats de Natalie. La jeune femme ne ressemblait pas beaucoup à son père, sauf au niveau de la bouche. Elle arborait elle aussi cette expression de contrôle de soi et cette volonté de faire ce qu'il fallait.

— Dites-lui bonjour de ma part, dit Jeanie.

Elle se sentait incapable de discuter davantage avec cette femme et cet enfant qui lui rappelaient, sans le savoir, ce qu'elle avait perdu et, pourtant, elle avait un besoin irrépressible de parler de Ray durant des heures.

Cela faisait deux semaines et quatre jours qu'elle l'avait quitté à St James Park, et, fidèle à sa parole, il n'avait pas cherché à la recontacter.

Jeanie avait l'impression de mener une lutte de chaque instant, depuis le moment où elle se levait, avant George, et déjà épuisée. Elle s'était efforcée de ne pas penser à Ray, de ne pas le contacter ou de ne pas comparer ce qu'elle éprouvait pour son époux avec les émotions intenses que cette brève liaison avait éveillées en elle. Elle avait bien vite renoncé à tenir ses bonnes résolutions, cela dit, sauf en ce qui concernait sa promesse de ne pas le revoir. Cette petite victoire, aussi maigre soit-elle, ne parvenait toutefois pas à atténuer la rancune et la colère accumulées durant toutes ces années contre son mari, et que sa rencontre avec Ray avait soudain libérées.

— Pourquoi est-ce que tu ne le quittes pas ? demanda Rita, perdant soudain patience. Ça te rend malade.

Elles étaient assises sur la terrasse de Jeanie, un grand verre de sauvignon à la main, seulement éclairées par la lampe de la cuisine et la flamme d'une bougie tremblotante posée au bout de la table. Jeanie portait un pull marin tandis que Rita était emmitouflée dans un plaid couleur cassis, qu'elle avait récupéré sur la banquette de la cuisine, et d'où ne dépassaient que son visage et sa main droite. Pour une fois, elle était trop préoccupée par les problèmes de son amie pour lui demander de poursuivre la discussion à l'intérieur.

— Quitter George ?

— Oui, George. Qui d'autre ? (Rita secoua la tête.) On dirait que tu trouves ça complètement ridicule.

— C'est le cas. Comment pourrais-je le quitter ? On est ensemble depuis toujours.

— Et c'est une bonne raison de rester ?

Elles s'observèrent en silence, bien conscientes que ce n'était pas la première fois qu'elles abordaient ce sujet sensible.

— Si tu me dis que tu ne peux pas le quitter parce que tu l'aimes, ça c'est une bonne raison.

— Je l'aime, souffla Jeanie d'une voix qui manquait de conviction.

Son amie soupira, exaspérée.

— D'accord, mais est-ce qu'il t'aime, lui ? Bill n'envisagerait même pas de déménager si je… si ça ne nous rendait pas heureux tous les deux. Tu dois lui en parler, Jeanie.

— De Ray ?

— Non, pas de Ray, espèce d'idiote. Dis-lui que tu ne comptes pas déménager à la campagne. Pas seulement que tu n'en as pas envie, mais que tu refuses.

— C'est peut-être la meilleure chose à faire, Rita.

Rita posa brutalement ses lunettes sur la table en bois.

— Non, mais tu t'es entendue ?

Jeanie tressaillit.

— Chut ! Ne parle pas si fort, ordonna-t-elle en se retournant pour jeter un coup d'œil vers la cuisine.

— Il est sorti, Jeanie.

— Il pourrait rentrer plus tôt que prévu.

George s'était rendu à un dîner en l'honneur d'un de ses anciens collègues, qui prenait sa retraite. Jeanie ne comprenait pas pourquoi il voulait revoir les gens qui s'étaient débarrassés de lui aussi facilement, mais il avait insisté.

— Eh bien au moins il t'entendrait ! Ce qui serait une bonne chose, si tu veux mon avis, puisque tu n'as visiblement aucune intention de lui en parler.

— Je t'en prie, Rita. Ne sois pas méchante. Je ne le supporterais pas.

Le visage de son amie s'adoucit, et elle se pencha vers Jeanie.

— Désolée, ma chérie, mais je ne supporte pas de te voir si triste. C'est vraiment important. Si George vend la maison et que tu t'installes avec lui à la campagne, il sera trop tard. Tu ne pourras t'en prendre qu'à toi-même. C'est maintenant ou jamais. Dis-lui, s'il te plaît, ou c'est moi qui m'en charge.

Cette menace glaça Jeanie d'effroi.

— Promets-moi que tu ne feras jamais ça. D'accord, je lui parlerai. Mais je sais qu'il refusera de m'écouter. Il est convaincu que je ne sais pas ce que je veux. Il a même persuadé Chanty que tout ira pour le mieux quand on sera installés. (Son amie se contenta de la regarder sans rien dire.) Et tu sais quoi ? Peut-être que si je ne dis rien et que je pars avec lui, j'arriverai à être heureuse là-bas. (Elle s'interrompit.) Je parviendrai à oublier cette folie… et à l'oublier, lui.

— C'est ce que tu veux ?

Jeanie haussa les épaules.

— Peut-être… Je n'ai pas vraiment d'autre choix. Ce serait tellement ridicule, tellement extrême…

— Quel autre choix ? Dis-moi à quoi tu penses.

Jeanie soupira.

— Je pourrais quitter George et partir vers le soleil couchant avec un homme que je connais à peine. Non pas qu'il me l'ait demandé… Abandonner ma famille et détruire un mariage qui dure depuis des années. Je n'ai jamais dit que tout était parfait, dit-elle lorsque Rita haussa les sourcils. Mais tu vois, j'ai été heureuse… satisfaite…

Rita acquiesça.

— Les choses changent, Jeanie. N'oublie pas que tu risques de te retrouver coincée avec George pour encore trente ans.

Elles éclatèrent de rire.

— Vu comme ça…

— Qu'est-ce qu'il y a de si drôle ?

Les deux femmes sursautèrent lorsque George, vêtu d'un smoking noir et d'une cravate bleu marine, passa soudain la tête par les fenêtres de la terrasse.

— Oh, on était simplement en train d'envisager de quitter nos maris pour un jeune et bel étalon ! répondit Rita, parfaitement à l'aise tandis que Jeanie tentait de se calmer, heureuse qu'il fasse trop sombre pour que George se rende compte de son trouble.

— Ce serait marrant, dit George en riant. Je peux vous offrir un autre verre, mesdames ?

Rita bâilla et se leva, ôtant le plaid.

— C'est gentil, George, mais je vais y aller.

— Maintenant, j'ai l'impression de vous avoir interrompues, dit-il en éprouvant quelques difficultés à se tenir debout. Je t'en prie, reste et prends encore un verre. Un brandy peut-être ? J'ai un excellent armagnac…

— Non, vraiment, il faut que j'y aille.

Elle se pencha pour embrasser Jeanie et lui souffla :

— Parle-lui maintenant !

— Je suis un peu soûl, précisa inutilement George lorsque Rita ferma la porte. (Il sourit distraitement à Jeanie, lui montrant la bouteille de brandy, qu'il avait sortie de l'armoire.) Viens prendre un petit verre avec moi.

Jeanie savait qu'il serait impossible de lui faire entendre raison, pas quand il était dans cet état, mais elle eut soudain envie d'être avec lui, de prendre du bon temps avec son époux. Peut-être était-ce pour s'assurer que tout n'était pas fini.

— D'accord… Mais alors un tout petit verre.

Chapitre 13

« Ce soir ? Comme d'habitude ? », avait répondu Ray au texto de Jeanie.

Elle avait craqué. Ce matin-là, George était parti passer le week-end à Gleneagles. C'était son partenaire de golf Danny qui organisait ce voyage annuel en compagnie de six autres joueurs. Ils prendraient l'avion jusqu'à Édimbourg où une voiture les attendrait pour les amener à l'hôtel. Ils participeraient à un important tournoi privé dont le gagnant avait l'immense honneur de régler l'addition du dîner de clôture du dimanche soir. George ne serait pas de retour avant lundi.

Après avoir accompagné son époux, son lourd sac de golf sur l'épaule, à l'aéroport, Jeanie se retrouva un peu perdue au magasin ce vendredi matin-là. Elle se répétait qu'elle ne pouvait pas aller à ce rendez-vous tout en sachant pertinemment qu'elle finirait par s'y rendre. Pendant sa pause-déjeuner au *Caffè Nero*, elle avait envoyé un texto à Ray, ses mains tremblant si fort qu'elle avait à peine réussi à choisir ses mots et à taper : « Tu veux qu'on se voie ? » Puis l'attente avait commencé.

Rien. Elle avait vérifié cent fois que son portable fonctionnait correctement. C'était le cas. Toujours rien. Elle était incapable de ralentir son rythme cardiaque ou d'avaler quoi que ce soit, et son téléphone restait obstinément silencieux. À 15 heures, elle avait réussi à se convaincre que Ray ne voulait plus la voir, que ce qui venait à peine de commencer était terminé. Mais elle n'y croyait pas.

Elle ne vit pas tout de suite qu'il lui avait répondu. Margot était de retour pour poser des dizaines de questions à Jeanie sur l'acide hyaluronique et sur les effets possibles de ce traitement sur son eczéma. Lorsque Jeanie retourna à la caisse et découvrit le message, elle faillit s'évanouir.

— Des mauvaises nouvelles, ma chère ? demanda gentiment Margot en l'observant.

Le restaurant grec était presque désert, mais il était encore tôt. Jeanie s'était arrangée pour quitter la boutique le plus tard possible afin de ne pas avoir le temps de réfléchir. Elle traversa le parc à la hâte en cette douce soirée tout en inspirant profondément. Elle était euphorique et se sentait enfin libre. Ses pas lui semblaient si légers qu'elle avait l'impression de voler.

Ray l'attendait, appuyé contre le mur du restaurant, les yeux brillants d'excitation.

— Bonsoir.

— Bonsoir.

Ils restèrent silencieux, soudain intimidés, jusqu'à ce qu'elle s'appuie contre lui, consciente de la douceur de sa chemise, pour respirer le délicieux parfum de sa peau tandis qu'il l'enlaçait. Machinalement, elle jeta un coup d'œil alentour.

— Personne ne nous regarde, dit-il doucement.

Elle s'écarta néanmoins de lui.

— Un verre ? demanda-t-il en ouvrant la porte du restaurant.

Ils commandèrent le vin rouge de la maison, et Jeanie fit semblant d'étudier le menu bien qu'elle soit incapable de lire quoi que ce soit.

— Je ne sais pas quoi prendre... Je... je ne sais même pas ce que je veux.

Ray leva les yeux vers le serveur.

— On pourrait avoir une grande assiette de frites, s'il vous plaît ?

— Ce sera tout ?

Le jeune garçon, qui ne devait pas avoir plus de seize ans, semblait inquiet, comme s'il s'attendait à ce qu'on lui reproche les caprices de ses clients.

— Pour l'instant, ajouta Ray pour le rassurer en lui tendant les menus.

Jeanie soupira, soulagée.

— C'est exactement ce qu'il me faut. (Elle avala rapidement une gorgée de vin.) Je ne devrais pas être ici... George est absent pour le week-end. (Ray haussa les sourcils et sourit.) Je me suis promis que je ne... Pourtant, je suis ici.

— Essayons de ne pas penser au pourquoi du comment. Profitons de cette soirée.

Il l'observa de ses yeux rieurs, et elle acquiesça.

Le serveur leur apporta les frites, croustillantes et qui semblaient délicieuses.

Ils mangèrent en silence pendant un instant, puis Jeanie posa à Ray des questions sur sa famille et son enfance.

— Papa n'était ni un alcoolique ni un bon à rien, mais il passait le plus clair de son temps en mer, et maman ne le supportait pas. Elle s'inquiétait en permanence et devait en plus s'occuper de nous. Jimmy faisait les quatre cents coups, mais elle ne nous a jamais grondés.

— Tu les vois souvent ?

— Ils sont tous morts.

— Même ton frère ?

Ray acquiesça.

— Il est mort voilà deux ans, de problèmes de foie liés à l'alcool. Il n'avait que soixante et un ans.

Il s'interrompit, et Jeanie vit dans ses yeux un regard qu'elle connaissait bien : celui des personnes qui refusent de se laisser gagner par l'émotion en racontant leur histoire.

— Je ne l'ai presque plus jamais revu après qu'il a quitté la maison. Il est parti en mer quelque temps, comme mon père, mais il ne l'a pas supporté et il a déraillé. Il a commencé à boire et à prendre Dieu sait quoi. J'ai perdu sa trace pendant des années jusqu'à ce qu'on se retrouve il y a cinq ans. Il avait lu un article sur l'école d'aïkido dans le journal local et m'a appelé. Il avait arrêté de boire et s'était repris en main, mais il était trop tard. Son foie était foutu. Il est retourné à Portsmouth, et je lui rendais visite pendant le week-end. J'aurais aimé qu'on se retrouve plus tôt. (Il y eut un petit silence.) Ah, la famille…

— Au moins, vous vous êtes rapprochés, dit Jeanie.

— Je sais, mais je ne peux pas m'empêcher de penser qu'il a gâché sa vie. Jimmy a toujours été un électron libre, un vrai rebelle. Je ne saurai jamais ce qui a mal tourné.

— Il a bien dû connaître des moments de bonheur, dit-elle doucement.

Ray sourit.

— Ça, je n'en doute pas. (Il vida son verre.) Et maintenant ?

Jeanie avait cessé de réfléchir, grâce au vin.

— Tu habites près d'ici ?

Ray soutint son regard.

— À moins de cent mètres.

— Vraiment ?

— Aux dernières nouvelles, oui.

Ils furent tous deux ramenés à la réalité du moment.

— On… on pourrait aller chez moi.

— Je ne…

Jeanie retint son souffle.

— Tu n'as pas l'air convaincue.

— Je ne le suis pas.

— On pourrait aller se promener dans le parc.

Elle rit.

— Non, Ray, allons chez toi.

Son appartement se trouvait au rez-de-chaussée d'un immeuble des années 1930, situé dans une rue adjacente menant au parc de Hampstead Heath. Le bâtiment ne payait pas de mine avec sa façade fatiguée, son ascenseur branlant et la peinture du hall d'entrée qui s'écaillait. L'appartement de Ray était pourtant lumineux, et les meubles en bois clair ainsi que les estampes japonaises renforçaient l'atmosphère de calme qui y régnait. Jeanie fut immédiatement attirée par la grande fenêtre de la largeur de la pièce, s'y attardant un instant pour observer les arbres du parc qui disparaissaient lentement dans le couchant. Selon elle, c'était là l'appartement d'un homme qui recherchait la paix. Ray s'était déchaussé lorsqu'il était entré, et elle l'entendit marcher sur le parquet derrière elle, allumer la lumière et ouvrir les armoires pour prendre des verres à vin. Elle se pencha pour se débarrasser de ses chaussures, craignant d'atteindre le point de non-retour si elle s'écartait de la fenêtre. Lorsqu'elle se tourna, elle vit qu'il avait posé une bouteille de vin rouge et deux verres sur la table basse devant le canapé, et qu'il cherchait un CD sur son étagère parfaitement rangée.

— Chet Baker ? proposa-t-il.

Jeanie secoua la tête.

— Connais pas.

— C'est l'occasion ou jamais... Si tu aimes le jazz.

— On verra bien.

La complainte langoureuse et entêtante de la trompette de Baker emplit la pièce, et Jeanie s'enfonça dans le canapé, les yeux fermés. Cet endroit, cet homme, cette musique, cet instant, tout se mélangeait en elle en un tourbillon de plaisir. Elle s'aperçut qu'elle souriait.

Ray lui servit un verre, mais elle n'y toucha pas.

— Est-ce que ça va ?

Il vint s'installer près d'elle.

— Très bien, répondit-elle.

Elle le vit se détendre, et un sourire gagner ses lèvres.

Ils restèrent assis en silence, côte à côte, à écouter la musique.

— J'ai eu envie de t'amener chez moi depuis le début. Pour qu'on puisse être seuls. (Ray prit la main qu'elle lui tendait.) En tout bien tout honneur, sourit-il. C'était juste pour ne plus avoir à s'inquiéter de qui que ce soit.

— C'est parfait, murmura-t-elle.

Le désir les enchaînait l'un à l'autre comme une certitude ancrée au plus profond d'eux-mêmes, mais ils ne se pressaient pas, profitant du bonheur d'être tous les deux, de se sentir si proches.

— Ray…

Elle voulait se confier à lui, lui expliquer ce qu'elle ressentait, l'effet qu'il avait sur elle, mais elle ne parvenait pas à parler. Elle croisa son regard et, libérée du monde extérieur, se laissa entraîner dans ce tourbillon de passion, une passion qui l'avait toujours effrayée jusqu'à ce soir où ils pourraient enfin appartenir l'un à l'autre. Il posa ses lèvres sur les siennes, et une vague de désir la submergea, la laissant pantelante.

Elle ne se rendait plus compte du temps qui s'était écoulé depuis qu'ils étaient allongés. Les lois de ce monde n'existaient plus.

— Jeanie ?

Ray la regardait, l'air triste, troublé.

Elle se redressa.

— Qu'est-ce qui ne va pas ?

Ray serra Jeanie contre lui, attirant son visage contre son épaule. Encore troublée par leurs baisers, elle attendait qu'il dise quelque chose.

— Jeanie, j'ai vraiment envie de toi, mais c'est une étape importante pour nous. Ce n'est pas… Ce n'est pas qu'une histoire de sexe… En tout cas, pas pour moi.

Elle lui sourit.

— Ce n'est pas à moi de dire ça ?

Le visage de Ray s'éclaira, et elle l'entendit s'esclaffer.

— C'est vrai… Mais je ne veux pas qu'on aille trop vite. (Il baissa les yeux vers elle.) C'est… C'est un grand pas… Je n'arrive pas à le dire autrement.

— Tu… Tu n'as jamais eu de relations depuis Jess ?

— J'ai eu quelques aventures sans importance. (Elle l'entendit soupirer.) Ça me fait peur, Jeanie.

Elle s'assit et tendit la main vers son verre. Elle ne comprenait pas ce qu'il cherchait à lui dire, soudain inquiète qu'il la compare à son ancienne compagne.

— Je croyais qu'on devait profiter du moment présent, le taquina-t-elle, et il esquissa un sourire.

— J'aime passer du temps avec toi-même si on ne fait que manger des frites ou jouer avec Dylan et Ellie. Mais si on fait l'amour… tout sera différent.

Elle attendit.

— Tu as peur que ce ne soit pas bien avec moi ? finit-elle par demander pour rompre le silence. Je sais bien que ça fait dix ans que je n'ai pas…

Ray la regardait, horrifié.

— Non, ce n'est pas ça, bien sûr que non… (Il haussa les épaules avec exaspération.) Je ne m'explique pas très bien, n'est-ce pas ?

— Qu'y a-t-il à expliquer ? Je t'en prie, dis-moi.

L'hésitation de Ray lui rappelait douloureusement George. Et si c'était elle, le problème ? Et s'il y avait quelque chose en elle qui décourageait les hommes de lui faire l'amour ?

Ray se leva et se mit à faire les cent pas.

— En fait, ce que j'essaie de te dire est très simple. (Il s'arrêta, les mains sur les hanches, croisant le regard de Jeanie.) Je crois que je suis en train de tomber amoureux de toi, et ça me terrifie parce que, si on fait l'amour, je ne pourrai plus me passer de toi. Sauf que toi… tu retourneras chez ton mari.

Jeanie ne put s'empêcher de sourire. Elle était soulagée, mais pas seulement… Il la désirait vraiment.

— Ces dernières semaines ont été très difficiles pour moi, poursuivit Ray. Tu ne voulais plus me revoir. (Il leva la main pour l'empêcher de l'interrompre.) Je comprends parfaitement pourquoi, je ne t'en veux pas du tout. Mais rien n'a changé, Jeanie. On en est toujours au même point qu'il y a trois semaines.

Jeanie comprit soudain qu'il ne parlait pas uniquement d'elle.

— Parle-moi de Jess, demanda-t-elle.

Une expression de surprise douloureuse sur le visage, il s'enfonça dans le canapé, plaçant ses mains sous ses cuisses en un geste très enfantin.

— Il ne s'agit pas tant de Jess que de la peine que j'ai ressentie quand elle est morte. Tu es sûre que tu as envie d'entendre ça ? s'enquit-il avec inquiétude. (Jeanie acquiesça.) Je l'aimais tellement. Qu'est-ce que je peux dire ? Elle était très jeune... La différence d'âge posait parfois quelques problèmes, mais, globalement, on avait une vie normale. Je dirigeais une imprimerie avec mon ami Mike – tu sais, des brochures, des affiches et d'autres choses pour des compagnies maritimes à Portsmouth. Elle travaillait pour les ressources humaines dans une société d'informatique. Je ne suis même pas sûre de ce que ça veut dire.

— On appelait ça le service du personnel avant.

— Quoi qu'il en soit, Jess était très douée. Ils lui en demandaient toujours plus. Je pensais qu'elle était fatiguée parce qu'elle travaillait trop, mais elle en avait marre que je lui répète de se reposer. En fin de compte, ça n'avait rien à voir avec son travail : elle avait une saloperie de cancer. Si j'avais été plus malin, je l'aurais emmenée chez le médecin, et ils auraient peut-être pu la sauver.

Ray parlait comme s'il lui racontait une histoire, une histoire qui finissait mal. Il était toujours en colère, mais parlait d'une voix égale, comme s'il prononçait un discours appris par cœur. Jeanie ignorait s'il s'était déjà confié à d'autres ou s'il se répétait ces phrases quand il était tout seul, mais il n'avait pas besoin qu'elle lui dise qu'il n'était pas responsable de la mort de Jess.

— Elle était si jeune, Jeanie. Elle n'avait que trente-deux ans quand elle est morte. C'était beaucoup trop tôt.

Jeanie acquiesça.

— C'est vrai.

Elle observa son visage aux traits burinés, comme marqués par la vie et non par le soleil.

— Je ne t'ai pas dit tout ça pour que tu t'apitoies sur mon sort. Ce que j'essaie de te dire, c'est que je n'ai pas supporté de perdre Jess. Sa mort m'a anéanti. J'ai commencé à boire et à négliger mon boulot. Mike m'a aidé, au début, mais il a fini par racheter ma part de l'entreprise. Il n'avait pas le choix, c'était ça ou tout perdre. Avec ce qu'il m'a versé, j'ai pu me passer de travailler pendant quelque temps. Du coup, je buvais toute la journée. J'étais une épave.

— Ça se comprend.

— Peut-être pour quelques mois, mais ça a duré des années. Il y avait des jours où je ne sortais que pour acheter du whisky. J'aurais pu me bousiller le foie, comme Jimmy.

Ray se pencha et prit la main de Jeanie dans la sienne, la retournant pour lui caresser les doigts, le regard perdu.

— Qu'est-ce qui s'est passé ? Comment tu t'en es sorti ?

Il rit doucement.

— Tu vas probablement me prendre pour un fou, mais c'est l'univers qui m'a sauvé.

Jeanie haussa les sourcils.

— Tu veux dire Dieu ?

— Je préfère parler de l'univers. La foi en Dieu s'accompagne toujours de tout un tas de préceptes et de dogmes, auxquels je ne crois pas. Dieu, l'univers, le destin… Appelle-ça comme tu veux… J'étais dans un état épouvantable, comme d'habitude, soûl, pas rasé, maigre à faire peur… Je devais ressembler à l'un de ces sans-abri qui traînent à Archway. J'avais besoin d'argent. À cette époque, nous… j'habitais derrière les quais. Ce jour-là, je longeais le bord de l'eau pour aller au distributeur – à vrai dire, je titubais plus que je ne marchais – lorsque j'ai eu un petit malaise.

» Je me suis assis sur un banc à côté d'un type très vieux – il devait bien avoir quatre-vingts ans – qui semblait en pleine forme et qui n'arrêtait pas de me regarder. « Qu'est-ce que vous regardez ? » lui ai-je demandé d'une voix assez agressive, ce qui n'a pas eu l'air de le gêner. « Un type au bout du rouleau », a-t-il répondu calmement. J'ai dû lui dire un truc du genre : « En quoi ça vous regarde ? » J'étais assez en colère qu'il ose me parler comme ça. « Ça me regarde quand je vois quelqu'un souffrir autant que vous », a-t-il rétorqué.

» Je crois que c'était la première fois depuis une éternité que quelqu'un m'adressait la parole, à l'exception de la fille à la caisse du supermarché qui m'indiquait le prix de ma bouteille. Ça m'a complètement déstabilisé.

Je n'avais plus personne. Mes parents étaient morts depuis des années, je n'avais aucune nouvelle de mon frère, qui devait probablement être dans le même état que moi, et mes amis m'avaient laissé tomber. « J'ai mal, mais personne ne peut m'aider », ai-je avoué. « C'est vrai », a répondu le vieil homme. « Vous êtes le seul à pouvoir faire quelque chose. » J'ai éclaté d'un rire qui, même dans l'état dans lequel j'étais, me semblait cruel et cynique. « C'est vrai. Je suis le seul à pouvoir changer les choses et je m'en contrefous. » L'homme a hoché la tête : « C'est ce que je vois. » « Alors n'essayez pas de me dire des conneries du genre : vous avez tant de choses à partager ou la vie est si précieuse », ai-je ajouté. « Ce n'était pas mon intention », a dit l'homme. « Mais j'ai envie de vous dire autre chose. »

» J'essayais de me convaincre que je me fichais du monde entier, mais je me souviens que j'avais envie de savoir ce qu'il allait dire. Il a bien vu que j'étais curieux et a semblé peser ses mots comme s'il voulait s'assurer de ne pas commettre d'erreur. Il savait peut-être qu'il n'aurait pas de seconde chance de me parler. « J'ai passé toute mon existence à chercher le sens de la vie », m'a-t-il dit.

« Comme vous, je me suis retrouvé à un point où je ne pensais plus qu'à m'apitoyer sur mon sort, pas sur celui des autres. J'ai fini par toucher le fond. Je crois que je serais peut-être mort si l'un de mes amis ne m'avait pas demandé de l'accompagner à ses cours d'aïkido. Je lui ai ri au nez. Des arts martiaux ? Moi ? Je n'arrivais pas à me lever le matin. Mais il a insisté. Il est venu chez moi et m'a presque traîné jusqu'au dojo. J'y suis allé parce que je n'avais pas le choix. J'étais une épave. J'avais toutes les peines du monde à me tenir debout, mes mains tremblaient... J'avais peur d'être jugé. Mais j'ai choisi de rester. C'est ce qui m'a sauvé tant physiquement que psychologiquement. » Puis le type s'est levé, et je me souviens d'avoir paniqué à l'idée qu'il me laisse seul. « Je n'oserais jamais vous dire – ou même vous suggérer – ce que vous devez faire. Je vous raconte simplement ce qui m'est arrivé », a-t-il conclu.

» Et cet homme grand et fier est parti, le dos bien droit malgré son âge. J'avais désespérément envie de lui parler davantage. J'avais oublié à quel point les interactions avec d'autres êtres humains étaient importantes pour moi. Mais j'étais bien trop orgueilleux pour lui demander de revenir. Je suis retourné à cet endroit tous les jours durant une semaine, mais je ne l'ai jamais revu. J'ai attendu encore pendant un mois avant de me renseigner sur les écoles locales d'aïkido, m'attendant presque à le retrouver dans l'une d'elles. Mais il n'était jamais là. Ça n'avait aucune importance. Comme lui, je n'ai jamais regardé en arrière. (Ray avait les yeux embués.) Il m'a sauvé la vie, Jeanie. Je sais que ça fait cliché de dire ça, mais c'est vrai. (Il sourit et secoua la tête.) C'est ce que je voulais dire en parlant de l'univers. Quand j'y repense, j'ai l'impression que ce type n'était pas réel, qu'il n'était qu'une sorte d'apparition.

— Ça n'a peut-être aucune importance.

— Je t'ai raconté cette histoire pour de mauvaises raisons. Je suis terrifié à l'idée de perdre quelqu'un, de replonger. Tu... C'est pour ça que j'essaie de mettre de la distance entre nous. (Il esquissa un sourire penaud.) Je sais que je n'y arriverai pas, mais j'essaie.

Lorsqu'elle regarda sa montre, elle s'aperçut qu'il était plus de 3 heures du matin.

— Oh ! Je n'ai pas vu le temps passer.

Elle commença à paniquer, comme si cette heure prenait soudain une autre signification plus menaçante.

— Tu peux rester si tu veux.

— Non… Je ferais mieux d'y aller.

Elle avait brusquement envie de se retrouver seule, de savourer cette soirée, à l'abri des émotions violentes que Ray éveillait en elle.

— Je te raccompagne.

Ils sortirent dans la fraîcheur de cette nuit de mai, longeant Swains Lane pour dépasser le cimetière et remonter Highgate Hill.

— On habite si près l'un de l'autre, chuchota-t-elle tandis qu'ils se dirigeaient vers la maison. Ne t'approche pas.

Ray esquissa un sourire.

— Tes voisins sont curieux ?

— Tu n'as pas idée.

— Puisque George est absent, on peut se voir demain ?

— Je suis à la boutique toute la journée. Il y a beaucoup de monde le samedi, lui répondit-elle à regret.

— Je dois garder Dylan, demain soir.

Il l'entraîna à l'ombre du mur de l'église pour l'embrasser doucement. Plus tôt dans la soirée, elle avait eu envie d'être seule, mais, à présent, elle s'accrochait à lui, souhaitant ne jamais quitter le refuge de ses bras.

Elle ne dormit que quelques heures et s'éveilla à l'aurore, oubliant, l'espace d'un instant, que George ne viendrait pas lui apporter sa tasse de thé et ouvrir ses rideaux, un grand sourire aux lèvres. Elle semblait différente, comme si elle évoluait dans un nouveau monde de sensualité et de plaisir. Contrairement à la Jeanie raisonnable que son époux réveillait chaque matin et qui ne traînait jamais en chemise de nuit, ne repoussant jamais le moment de se doucher ou de faire son lit, et qui prenait son petit déjeuner dans la cuisine à 8 heures tapantes, elle se sentait étrangement satisfaite et comblée. C'était un peu comme si cette autre femme était une imposture qui ne la quittait jamais et jouait la comédie depuis des années. Elle refusa de se lever et se blottit dans la douce chaleur de sa couette, savourant le souvenir des caresses de Ray. *Encore une heure*, se dit-elle, appréhendant déjà de découvrir le travail qui l'attendait au magasin.

La sonnerie du téléphone la réveilla brutalement.

— Jeanie ?

C'était George.

— Oh... Bonjour, ça va ?

— Je t'ai réveillée ? C'est impossible, il est plus de 9 heures, dit-il d'une voix pétillante, pleine d'énergie.

— Non, j'allais partir travailler, mentit-elle. Excuse-moi, j'étais perdue dans mes pensées.

— Aucun problème. La journée d'hier était géniale ! Le temps est parfait. Il y a un peu de vent, mais c'est toujours comme ça, à Gleneagles. Devine quoi ? J'ai gagné ! Roger et moi, on a gagné ! C'est fantastique, tu ne trouves pas ? Danny en était malade, mais c'est bien fait pour lui. Il ne peut pas tricher : ici, ils l'ont à l'œil. Je t'ai téléphoné hier soir, mais tu n'as pas décroché.

Il attendait visiblement une explication, et Jeanie tenta désespérément de trouver une excuse plausible. Elle ne pouvait pas dire qu'elle était avec Rita puisque

George savait que son amie était partie avec son mari à Antigua pendant deux semaines dans leur résidence secondaire.

— J'ai pris un verre avec Jola après le boulot. On en avait bien besoin après la journée qu'on a passée.

Ce qui était vrai, du moins en partie.

— Tu es rentrée à quelle heure ? Il devait être très tard, je t'ai appelée à 23 heures.

— Je n'en ai pas la moindre idée… On est restées longtemps au magasin.

Jeanie était fatiguée de se demander si son mari se contenterait de ce mensonge. Il y eut un silence à l'autre bout du fil.

— Oh… D'accord. C'est juste que tu me préviens toujours quand tu sors.

— Je t'ai dit qu'on s'était décidées à la dernière minute.

— Je ne te fais pas de reproches. Je m'inquiétais simplement pour toi. (Jeanie refusa de répondre à ce mensonge.) Bon, dit-il d'un ton léger, il faut qu'on y aille. Le ciel est un peu couvert, mais, d'après la météo, il ne devrait pas pleuvoir avant ce soir. J'espère qu'ils ont raison.

— De vrais golfeurs se laisseraient-ils décourager par une petite tempête ?

Elle l'entendit éclater de rire.

— Non, mais j'espère ne pas en arriver là. Au revoir, ma vieille. Passe une bonne journée.

— Toi aussi.

Peut-être était-ce le fait que son mari ne soit pas assis en face d'elle à manger des toasts à la marmelade en remontant ses lunettes sur son nez, mais la nuit dernière semblait lointaine, totalement séparée de la réalité de son mariage. Et rien n'avait l'air réel ce matin-là. Elle évoluait dans un brouillard de lassitude et d'euphorie qui ne laissait aucune place à la culpabilité.

Chapitre 14

L'affaire était conclue, les contrats pour l'achat de l'ancien presbytère étaient signés. Jeanie ignorait totalement pourquoi George semblait si pressé d'acquérir la propriété.

— Il faut qu'on vende cette maison, dit-il avant de boire sa tasse de café. Le plus vite possible.

Elle acquiesça.

— Tu as trouvé une agence ?

— Je crois qu'on devrait choisir Savills. Ils n'ont pas de bureau à Highgate, mais il y en a un à Hampstead. Il nous faut quelqu'un de confiance, et je n'ai jamais entendu parler des agences qui se trouvent sur la colline.

— À toi de voir.

Elle enleva la croûte de son toast au blé complet, mâchant lentement. Cela faisait des semaines qu'elle avait perdu l'appétit, mais elle avait toujours fait très attention à son alimentation, aussi se forçait-elle à manger.

George était revenu enchanté de son voyage en Écosse. Ce week-end l'avait transformé, il débordait littéralement d'énergie. Jeanie ne pouvait s'empêcher de se demander s'il était vraiment si important de gagner. Depuis son retour, elle s'était aperçue qu'elle était tout à fait capable de vivre avec lui sans ressentir la moindre irritation. Il ne l'énervait même plus. Elle se sentait étrangement en paix. Mais elle ne faisait plus vraiment attention à lui.

— Est-ce que tu m'écoutes ? demanda George avec impatience.

Elle sourit.

— Excuse-moi. Qu'est-ce que tu disais ?

— J'ai parfois l'impression que tu es sur une autre planète, affirma son mari, étonnamment perspicace. Je disais que je prendrais rendez-vous cette semaine.

— Bien… Tu t'en occupes, n'est-ce pas ?

— Oui, mais ce serait bien que tu t'y intéresses un petit peu, rétorqua-t-il d'un ton irritable.

— Tu sais bien que je n'avais pas envie de vendre la maison.

George leva les yeux au ciel.

— Tu ne vas pas recommencer, Jeanie. Je croyais qu'on s'était mis d'accord. (Elle ne prit pas la peine de répondre, mais George ne désarma pas.) Tu ne comptes pas nous causer des problèmes ?

— Des problèmes ? Qu'est-ce que tu veux dire ? demanda-t-elle, surprise.

— Être désagréable avec les agents immobiliers ou les futurs acheteurs… C'est tellement facile de créer une mauvaise ambiance.

— Ne compte pas sur moi pour acheter des fleurs ou préparer le café, George, mais je ne t'en empêcherai pas si tu penses que ça peut faire une différence.

— Jeanie, je t'en prie. Qu'est-ce qui t'arrive ? Je ne te comprends plus. Je sais que tu n'avais pas envie de déménager, mais tu as adoré la maison, je l'ai bien vu. Pourquoi faut-il que tu sois aussi butée ?

— Ça ne sert à rien de discuter avec toi, George, parce que tu ne m'écoutes jamais et que tu te fiches complètement de ce que je pense, dit-elle d'une voix lasse.

— Tu sais bien que ce n'est pas vrai. Ton opinion compte pour moi, seulement tu changes tout le temps d'avis. Je suis un peu perdu.

Elle envisagea durant un instant de lui demander quand elle avait changé d'avis, mais elle savait que c'était inutile. Chanty lui avait assuré que son père ne déménagerait pas sans son consentement, et elle en avait discuté avec lui, comme sa fille le lui avait conseillé, quand il était revenu de sa partie de golf. Elle s'était assise avec lui à la table de la cuisine et lui avait dit, avec des mots simples, qu'elle ne voulait pas s'installer à la campagne. Elle avait présenté ses arguments d'une voix posée, lui proposant même de louer un cottage pour le week-end puisqu'il souhaitait tant quitter Londres, mais George avait eu sa réaction habituelle : « Tu finiras par t'y habituer. Tu as adoré la maison. Chanty pense que c'est une bonne idée. Tu ne sais pas ce qui est bien pour toi. » (mais moi oui !) Il n'avait pas été aussi direct sur ce dernier point, mais elle avait compris le message.

— Ne parle pas du magasin aux agents immobiliers, dit-elle avant de se lever.

— Bien sûr que non. Il t'appartient, lui assura George d'une voix apaisante. (Il avait sans doute aperçu la lueur meurtrière qui brillait dans les yeux de sa femme.) Mais qu'est-ce que tu vas en faire, Jeanie ? Tu ne peux pas t'en occuper depuis le Somerset.

Et voilà, il avait retrouvé son agressivité. Incapable d'en supporter davantage, Jeanie quitta la pièce sans dire un mot.

Étendue sur son lit, elle ne parvenait même plus à pleurer. Les paroles de Rita résonnaient dans sa tête. Pourquoi ne pas quitter George ? Pour la première fois, Jeanie se mit à envisager sérieusement cette possibilité, puis finit par la rejeter. Elle était tout simplement incapable d'imaginer pareil scénario. Cela n'était pas dû à une crainte particulière – même si Jeanie était convaincue que son père se retournerait dans sa tombe si elle venait à divorcer. Non, elle était submergée par un sentiment diffus de perte imminente, déjà ressenti à la mort de Will. Et tout son être se révoltait contre cette douleur.

Les jeudis n'étaient plus les mêmes. Jeanie continuait à éviter Waterlow Park, pas parce qu'elle craignait qu'Alex et Chanty ne la voient avec Ray – celui-ci lui avait assuré qu'il gardait rarement Dylan le jeudi –, mais parce que cela lui rappelait les instants qu'ils avaient partagés quand tout était encore si simple et si excitant et qu'ils ignoraient ce qui allait se passer. Mais, ce jour-là, Alex lui avait expressément demandé de venir récupérer Ellie au parc. Il devait la prendre à la crèche de Dartmouth Park – où elle passait trois matinées par semaine – avant de se rendre à un rendez-vous dans le West End à 14 heures, et Waterlow Park était sur le chemin.

Le temps avait de nouveau changé. Il faisait chaud, et le soleil brillait : l'été s'annonçait en avance. Ce matin-là, Jola et elle avaient fermé la boutique pour faire l'inventaire. Jeanie s'était aperçue qu'elle avait tendance à oublier certains produits dans la réserve lorsqu'elle rangeait les étagères. Elle avait été bien trop occupée ces derniers jours pour contrôler les livraisons de façon efficace. Surprise par l'ampleur de la tâche, elle n'avait pas vu le temps passer et se retrouvait en retard. Elle savait qu'Alex serait pressé et espérait qu'il ne se montrerait pas trop désagréable. Depuis l'incident avec Ray, il semblait mal à l'aise en sa présence et s'efforçait de ne pas la contrarier. Mais elle ne lui avait pas pardonné son comportement abject et l'évitait au maximum.

Jeanie arriva au pied de la colline, près de l'ancienne aire de jeux, mais Ellie et Alex n'étaient pas là. Elle chercha vers l'étang aux canards, mais ils demeuraient introuvables. Elle vérifia son téléphone et s'aperçut que son beau-fils lui avait laissé un message, mais la sonnerie de son portable était trop faible pour qu'on l'entende au milieu de la circulation de Highgate Hill. Il avait emmené Ellie à la nouvelle aire de jeux.

Jeanie avait chaud. Elle remonta lentement la colline pour découvrir un spectacle étonnant. Le parc était noir de monde. Des dizaines d'enfants, dont une majorité de moins de cinq ans – les autres étaient encore à l'école –, s'amusaient comme des petits fous. Face à face au milieu de l'aire de jeux, Alex et Ray se disputaient. Les autres parents et nounous faisaient mine de ne pas voir ce qui se passait tout en restant silencieux afin de ne pas perdre un mot de leur conversation animée. Elle pensa d'abord que son gendre avait découvert qu'ils entretenaient une liaison et exigeait des explications. Son sang ne fit qu'un tour.

— Vous n'êtes qu'un imbécile. (Ray parlait d'une voix froide et posée.) Ça n'a rien à voir avec vous, espèce de crétin égoïste. C'est de votre fille qu'il s'agit.

Oh non, pensa-t-elle, *pas ça. Je vous en prie, pas ça.*

Le charmant visage d'Alex était déformé par la rage. Les poings serrés sur ses hanches osseuses, il était penché vers Ray comme s'il s'apprêtait à le frapper. Jeanie repéra Ellie, affalée et étrangement calme aux pieds de son père. Elle aperçut également Dylan, caché derrière les jambes de son grand-père, les yeux écarquillés par l'inquiétude.

— Fichez-moi la paix. Ce ne sont pas vos oignons. C'est ma fille, et vous n'avez aucun droit de vous en mêler ou de me dire comment l'élever. Partez. Fichez le camp et laissez-nous tranquilles.

Il y eut un silence choqué. Même les enfants s'étaient arrêtés pour regarder ce qui allait se passer.

— Au nom du ciel ! Pourquoi hurlez-vous, tous les deux ? demanda Jeanie avec colère tandis qu'elle s'approchait d'eux.

— Ce type se permet de faire des remarques sur ma façon de m'occuper de ma fille, se plaignit Alex en baissant immédiatement le ton. Parlez-lui, vous. C'est votre ami après tout. Dites-lui d'aller se faire voir et de se mêler de ses oignons.

Il essuya la sueur de son front du revers de la main.

— Bonjour, Jeanie, dit Ray qui semblait éprouver quelques difficultés à rester calme.

— Quelqu'un pourrait m'expliquer ce qui se passe ?

— Ellie est tombée de la poutre en bois. J'étais là, j'ai tout vu. Elle s'est cogné la tête au poteau pendant sa chute. Je crois qu'elle a pris un mauvais coup. Elle est tombée comme une pierre. Je sais bien qu'elle s'est relevée rapidement, mais elle était étourdie. Elle n'a même pas pleuré.

— Elle va bien. Regardez-la. Vous pensez sérieusement que je mettrais la vie de ma fille en danger ? Elle n'a rien. Elle aura une belle bosse, c'est tout. (Il écarta les bras pour montrer les autres enfants.) Ça arrive tout le temps ce genre de chose.

Ray se tourna vers Jeanie, le regard inquiet.

— Tu n'étais pas là. C'était violent, ça a vraiment fait un drôle de bruit. Je ne suis pas sûr qu'elle ait une commotion, mais il faudrait l'emmener aux urgences. Je sais reconnaître une mauvaise chute. Ça fait partie de mon travail.

Alex se détourna, énervé.

— Bla bla bla... Pour l'amour du ciel, ça suffit maintenant. Je n'emmènerai pas ma fille aux urgences pour une petite bosse. Ils vont croire que j'ai perdu l'esprit. Dites-lui, Jean. Dites-lui qu'il est complètement stupide.

Jeanie se pencha pour observer sa petite-fille qui lui sourit d'un air las.

— Bonjour Jin... Je suis tombée. J'ai bobo, ici. (Elle frotta sa tempe où apparaissait déjà une ecchymose.) Papa, il est pas gentil, il crie sur Way.

Jeanie s'agenouilla pour l'embrasser.

— Tu te sens bien, ma chérie ?

Elle caressa la petite tête blonde, son cœur battant la chamade en pensant qu'elle aurait pu être blessée.

— Oui... mais j'ai bobo au bras, aussi... Regarde, Jin.

— Tu vas bien, dit Alex d'une voix rassurante, prenant sa fille dans ses bras pour jeter un œil à son ecchymose. Tu t'es juste cogné la tête... Ellie, tête de linotte.

Jeanie soupira en se demandant comment convaincre Alex.

— Il n'y a pas toujours de symptômes visibles, Alex. Il faudrait qu'elle voie un médecin si elle s'est cogné la tête. Je t'assure qu'ils ne vont pas te prendre pour un fou. J'ai été infirmière, tu te souviens ? Et je te garantis qu'on préférait les fausses alertes. C'était toujours mieux que de s'occuper d'un enfant atteint de dommages cérébraux ou pire…

Alex lui adressa un regard peu amène.

— C'est ridicule. J'ai rendez-vous en ville avec un acheteur potentiel. C'est important. Et vous êtes en train de me dire que je dois attendre des heures dans un hôpital puant pour qu'ils me disent que ma fille n'a rien et que j'ai perdu mon temps ? Jamais, vous m'entendez ? (Il toisa Jeanie.) Vous ne devriez pas écouter cet homme. Vous me décevez, Jeanie.

Elle réfléchit rapidement.

— D'accord. Vas-y Alex. Tu as raison, tu vas être en retard.

— Génial ! Enfin une remarque sensée.

Alex adressa un regard suffisant à Ray, qui resta silencieux, puis déposa Ellie dans les bras de Jeanie avant de jeter son sac à dos Eastpak sur son épaule, visiblement soulagé.

— On se voit plus tard, ma chérie.

Il embrassa la petite fille sur le nez, s'efforçant de la faire rire, mais Ellie se contenta de le considérer sans dire un mot. Jeanie vit l'ombre d'un doute passer sur le visage de son gendre, mais il était bien trop obsédé par la victoire qu'il venait de remporter sur Ray pour changer d'avis.

Ils le regardèrent descendre la colline.

— Attends, ordonna-t-elle en jetant un regard d'avertissement à Ray qui s'apprêtait à lui parler.

Alex se retourna, l'air incertain, sans pour autant leur faire signe. Elle se tourna vers Ray dès qu'il fut hors de vue.

— C'est bon, allons-y.

— Viens, Dylan.

Ray suivit Jeanie, guidant son petit-fils vers le bas de la colline près de l'entrée est.

— Où on va, papy ?

— À l'hôpital pour s'assurer qu'Ellie ne s'est pas fait trop mal à la tête. (Il se tourna vers Jeanie.) Tu veux que je la porte ?

Jeanie secoua la tête.

— Non, ça va.

Ils étaient à mi-chemin, lorsque Ellie commença à s'endormir sur l'épaule de Jeanie.

— Réveille-toi, ma puce. (Elle la secoua doucement.) Ne t'endors pas... Allez, Ellie. (Elle lui caressa la joue en parlant.) Tu veux qu'on chante ? On va chanter. « As-tu vu la vache... » (Elle regarda Ray.) Il faut qu'elle reste éveillée, on doit l'empêcher de dormir.

— Donne-la-moi, ça devrait la réveiller.

Il prit Ellie, qui ne s'aperçut même pas du changement. La petite fille devint très pâle et se mit soudain à vomir sur la chemise de Ray.

— Oh, mon dieu, Ray ! Je suis désolée. Ce n'est pas bon signe.

Jeanie avait l'impression d'avoir le cœur dans un étau. *Faites qu'elle aille bien, je vous en prie, faites qu'elle aille bien*, supplia-t-elle.

— Vite, il faut qu'on se dépêche.

Jeanie prit Ellie quand ils passèrent la porte des urgences de Whittington. Elle se dirigea vers la réceptionniste pour lui expliquer ce qui s'était passé.

— Elle vient de vomir et elle ne parvient pas à rester éveillée, dit-elle. Je suis infirmière. Pourriez-vous appeler quelqu'un ?

Le temps s'arrêta pour Jeanie. Plus rien n'existait, hormis ce petit visage adoré qu'elle ne quittait pas des yeux, guettant le moindre changement d'expression, de couleur ou de réaction, rien que cette prière qu'elle répétait en boucle, invoquant une puissance supérieure. Quelques secondes plus tard, un jeune docteur sortit d'une salle d'examen pour les emmener dans un box.

— Je vais rester ici avec Dylan pour essayer d'enlever ça, dit Ray en écartant de son torse la chemise couverte de vomi.

Jeanie acquiesça, bien qu'elle eût préféré qu'il l'accompagne. Elle avait l'impression d'être incapable de s'occuper seule de cette enfant malade.

Tout se passa très vite. Le docteur examina Ellie, puis demanda l'avis d'un confrère plus âgé, probablement un titulaire, qui la mit sous perfusion, fixant l'aiguille avec un morceau de scotch. Ellie était étendue, les yeux dans le vague, sa petite main reposant dans celle de Jeanie.

— Elle présente un risque d'œdème cérébral, mais il faudra faire d'autres examens pour vérifier. (Le médecin titulaire, un grand homme roux d'une quarantaine d'années au visage pâle et fatigué, regardait à peine Jeanie en parlant.) Quand est-ce arrivé ?

— Il y a environ quarante minutes, je crois. Je ne suis pas sûre, je n'étais pas là quand ça s'est passé. Vous allez lui faire un scanner ?

— Oui.

Il leva les yeux vers elle, se demandant ce qu'il fallait lui dire.

— J'étais infirmière.

— D'accord. On va lui faire passer un scanner pour voir s'il y a un saignement. Heureusement que vous l'avez amenée aussi vite. On devrait pouvoir intervenir à temps. C'est votre fille ?

— Ma petite-fille.

— D'accord. Quelqu'un va venir vous chercher dans un instant. Je vous verrai plus tard.

Jeanie demanda à l'infirmière d'aller chercher Ray.

— Ils vont la monter pour un scanner. Ne reste pas ici. Ramène Dylan à la maison, je t'appellerai.

— Je vais revenir. (Ce n'était pas une question, et Jeanie n'eut pas la force de discuter.) Il faudrait les prévenir… Alex et ta fille, dit Ray, les yeux rivés sur la petite fille étendue sur le lit, sa chemise encore mouillée.

Elle hocha la tête et s'aperçut que, dans la panique, elle n'y avait même pas songé. Malgré les panneaux d'interdiction, elle composa le numéro de sa fille et tomba sur le répondeur. Elle lui laissa un message, lui demandant de venir le plus rapidement possible. Mais cela ne lui semblait pas suffisant. Elle appela George, dont le portable était également sur répondeur : « George, Ellie a fait une mauvaise chute. Je l'ai emmenée à Whittington pour la faire examiner. Je ne peux pas utiliser mon portable. Est-ce que tu pourrais appeler Alex et Chanty pour les prévenir et leur demander de venir ici ? »

Elle aurait voulu ajouter que sa petite-fille n'avait rien, juste pour les rassurer, mais elle n'avait aucune certitude. Jeanie n'avait que trop bien perçu l'inquiétude du médecin.

— Bonne nouvelle. (Le médecin roux, qui s'appelait Rob, semblait profondément soulagé.) Le scanner indique la présence d'un léger œdème, mais pas de saignement. Elle a fait une sacrée chute.

Le cœur de Jeanie retrouva enfin un rythme normal, pour la première fois depuis qu'ils avaient quitté le parc. Ellie était très pâle, les yeux ouverts mais toujours un peu dans le vague.

— J'aimerais la garder en observation pendant vingt-quatre heures. L'infirmière va s'en occuper, mais je pense que ça va aller… N'est-ce pas ma puce ? (Il caressa le bras de l'enfant avec une tendresse inattendue. Jeanie songea qu'il devait avoir une fille.) On va la laisser sous sédatif léger.

Ellie la regarda.

— Jin… où est maman ?

Jeanie s'aperçut que deux heures s'étaient déjà écoulées depuis l'accident sans que personne ne les rejoigne.

— Elle va arriver, ma puce. Je vais la rappeler.

Refusant de quitter la fillette un seul instant, elle enfreignit à nouveau les règles pour téléphoner à Chanty. Sans succès. Où était-elle ? Où étaient-ils, tous ? Elle vit que George avait essayé de la joindre à quatre reprises, mais n'écouta pas ses messages. Elle l'appela, et, cette fois, il décrocha, paniqué et à bout de souffle.

— Je suis devant l'hôpital. Où es-tu ?

— Toujours aux urgences, mais tout va bien, George. Je t'expliquerai quand tu seras là.

— Papy, marmonna Ellie lorsque son grand-père arriva.

Elle sourit paresseusement à George tandis que Jeanie lui racontait toute l'histoire.

— Tu as réussi à joindre Chanty ou Alex ?

— Oui. Elle ne répondait pas alors j'ai appelé Channel 4 et ces idiots ne savaient pas où elle était. Ils ne savaient pas quoi faire jusqu'à ce que je les menace de venir la chercher moi-même. Elle était complètement affolée quand je l'ai eue au bout du fil. Elle m'a dit qu'elle avait coupé son portable parce qu'elle avait un rendez-vous important à Canary Wharf. Elle est probablement dans le métro. J'ai laissé un message à Alex, mais je suis certain que Chanty l'aura prévenu. (George se dandina d'un pied sur l'autre.) Je n'ai jamais aimé les hôpitaux, dit-il doucement.

— Qui les aime ?

— Toi, tu y as travaillé pendant des années.

Elle sourit.

— Ce n'est pas parce que j'aimais mon travail que j'aime les hôpitaux. Tu n'es pas obligé de rester. Ils lui ont donné un sédatif.

Elle sentait la petite main d'Ellie se détendre doucement dans la sienne tandis que les paupières de l'enfant se fermaient.

— Tu vas rester ?

— Jusqu'à ce que Chanty arrive.

— Tu es sûre que tu ne veux pas que je te tienne compagnie ? demanda-t-il, l'air incertain.

Jeanie secoua la tête.

— Non, vas-y. Je te préviendrai s'il y a le moindre changement.

Il se pencha pour l'embrasser sur le front avant de détaler en lançant :

— Appelle-moi.

Ils installèrent Ellie dans le service de pédiatrie. Elle dormait, son beau visage redevenu serein contrastant avec la blancheur de l'oreiller. Jeanie s'appuya sur le dossier de la chaise qu'ils avaient installée près du lit, fermant les yeux en souhaitant que Chanty arrive enfin.

— Jeanie ? (Ray la regardait, tendu et inquiet, à l'emplacement même où George se tenait quelques minutes plus tôt.) Comment va-t-elle ?

— Oh, Ray. Elle va bien. Le médecin a dit qu'elle avait un œdème mais qu'il n'y a pas de saignement. Ils veulent la garder pour la nuit.

— Merci, mon Dieu ! s'exclama-t-il avec un sourire soulagé. Et toi, ça va ?

— Pas vraiment, mais tant qu'Ellie va bien je m'en fiche.

— Je comprends. Où sont ses parents ?

— En chemin, j'espère.

Il y eut un bruit de pas précipités dans le couloir.

— Maman... Qu'est-ce qui s'est passé, maman ?

Chanty dépassa Ray et Jeanie et abaissa la barrière sur le côté du lit pour caresser les cheveux de sa fille endormie et l'embrasser avec une passion féroce.

— Mon Dieu ! Est-ce qu'elle va bien ? (Elle se tourna vers sa mère, n'accordant pas un regard à Ray.) Dis-moi.

Jeanie la força à s'asseoir.

— Elle s'est cogné la tête en tombant au parc.

— En faisant quoi ? demanda-t-elle d'un ton accusateur.

Jeanie savait que Chanty était trop affolée pour se contrôler.

— Je n'étais pas là. Elle était avec Alex. Ray a tout vu.

Chanty se tourna vers Ray, comprenant soudain de qui il s'agissait.

— C'est vous… le… le type du parc. (Elle bafouilla, le regard hostile. Ray acquiesça.) Où est Alex ? J'ai essayé de l'appeler des dizaines de fois, mais il ne répond pas.

— Il a dit qu'il devait aller en ville pour rencontrer un acheteur important.

Sa fille prit le temps de digérer l'information.

— Il l'a laissée ?

Jeanie lança un regard d'avertissement à Ray.

— Il pensait qu'elle allait bien.

Chanty hocha la tête.

— Et elle a commencé à se sentir mal ?

— On… J'ai pensé qu'il fallait la faire examiner. Les blessures à la tête sont difficiles à détecter. Quand les symptômes finissent par apparaître, il est parfois déjà trop tard.

— Je vais y aller, murmura Ray, et Jeanie acquiesça.

L'attitude de Chanty indiquait clairement qu'il n'était pas le bienvenu.

— Heureusement que tu l'as amenée ici, maman. S'il lui arrivait quelque chose…

Chanty n'était pas très émotive. Elle avait toujours été une petite fille coriace et autonome qui savait ce qu'elle voulait et qui finissait souvent par l'obtenir. Elle pleurait pourtant à chaudes larmes.

— Je sais, mais elle va bien, ma chérie.

— Maman, qu'est-ce que ce type fichait ici ? demanda-t-elle soudain, se frottant les yeux avec colère.

— Ray, il s'appelle Ray. Je te l'ai déjà dit, il était là quand ça s'est passé. Il voulait s'assurer qu'Ellie n'avait rien.

— Donc, c'est ce type qui… Je croyais que tu ne devais plus le revoir.

Jeanie s'efforça de ne pas s'énerver, tiraillée entre un désir puéril de trahir son gendre en racontant à Chanty ce qui s'était vraiment passé et un besoin plus adulte d'aider sa fille dans cette épreuve.

— Je n'étais pas là, ma chérie. Alex m'a demandé de le retrouver au parc pour récupérer Ellie. Il revenait de la crèche. Ray était là. C'était une coïncidence. (Elle s'interrompit.) C'est son droit.

Chanty acquiesça en regardant sa montre.

— Mais où est-il ?

Il était 18 heures lorsqu'Alex fit son apparition. Il eut l'air choqué lorsqu'il aperçut sa fille. Ellie était réveillée mais un peu somnolente. Elle semblait pourtant bien plus alerte qu'elle ne l'avait été depuis sa chute.

— Papa, dit-elle en levant les bras vers son père pour qu'il la prenne.

— Qu'est-ce qui s'est passé ? voulut savoir Alex en se tournant vers Jeanie.

— Elle n'allait pas bien, Alex. Elle avait l'air sonnée. J'ai pensé qu'il valait mieux la faire examiner. Elle s'est mise à vomir sur le chemin.

Elle n'en dit pas plus.

Chanty lui expliqua ce que Jeanie lui avait raconté.

— Donc elle va bien ? Vraiment ?

Jeanie s'aperçut qu'Alex tremblait, le visage soudain très pâle.

— Assieds-toi, tu es en état de choc, dit-elle en approchant une autre chaise.

Il s'écroula et se pencha vers le lit d'Ellie, la tête dans les mains. Jeanie comprit qu'il pleurait.

— J'aurais dû l'écouter... Ce type m'a dit que... mais je ne voulais pas l'écouter.

Jeanie surprit le regard étonné de sa fille.

— Tu veux parler de Ray ? demanda Chanty.

Alex leva la tête, et, pour la première fois depuis qu'elle le connaissait, Jeanie vit de la vulnérabilité dans ses grands yeux bleus. Son habituel masque d'égoïsme, qui le préservait du monde extérieur en ne laissant passer que les commentaires le concernant directement, s'était fissuré.

— Oui, Ray. Il l'a vue tomber. Il m'a prévenu. Il m'a dit qu'il savait, et je lui ai répondu de se mêler de ses affaires.

— Maman, pourquoi tu ne me l'as pas dit ?

Chanty semblait un peu honteuse, se rappelant peut-être sa méfiance et son comportement envers Ray.

Jeanie haussa les épaules.

Chanty observait Alex, qui était toujours dans la même position, et son regard devenait de plus en plus sévère à mesure qu'elle réfléchissait.

— Tu savais qu'elle était tombée, tu savais que c'était peut-être grave, mais tu es parti ?

Elle était à bout de nerfs et parlait d'une voix cassante.

Alex se tourna pour affronter l'orage.

— Je croyais qu'elle n'avait rien, Chanty. Elle n'a même pas crié et elle avait l'air d'aller bien, dit-il sur un ton horriblement suppliant.

— Mais tu es parti avant d'en être sûr.

— J'étais en retard à mon rendez-vous avec Al Dimitri. C'est le seul jour où il est en ville. Il va à Cannes. Mon agent lui a montré mon travail sur Internet…

— Excuse-moi, l'interrompit Chanty, glaciale, mais que tu le croies ou non, je n'en ai absolument rien à foutre de ton travail à la con. Tu es parti alors que ta fille avait visiblement besoin de voir un médecin.

— Je ne savais pas. Je te promets que je ne savais pas. (Il jeta un regard implorant à Jeanie.) Vous étiez là, vous m'avez dit que je pouvais partir.

— Ce n'est pas à ma mère de te dire ce que tu dois faire. Tu ne l'as jamais écoutée avant. Maman, s'il te plaît, raconte-moi exactement ce qui s'est passé.

— Ray a vu Ellie tomber. Il est expert en arts martiaux et il voit des gens tomber tous les jours. Il sait reconnaître une vilaine chute, l'informa Jeanie à contrecœur. Il pensait qu'elle avait pris un mauvais coup. Il l'a expliqué à Alex. Mais, pour être honnête, aucun de nous ne savait si c'était grave. On fait tous des erreurs.

— Et on en meurt ? l'interrompit sèchement Chanty.

— Parfois… Oui, ça arrive.

Alex était de nouveau en état de choc.

— Je sais, je sais que c'est ma faute. (Il posa la main à côté de sa fille, lui caressant doucement le visage avec le pouce.) C'est vraiment la plus belle petite fille du monde, n'est-ce pas ? Et je l'ai abandonnée. Elle aurait pu mourir… Ç'aurait été ma faute.

Jeanie resta de marbre devant cette scène mélodramatique, mais elle s'aperçut que sa fille se laissait attendrir, comme toujours, par les manœuvres d'Alex.

Peut-être était-il vraiment secoué par ce qui venait d'arriver, après tout. Jeanie était prête à lui accorder le bénéfice du doute.

— Elle n'est pas morte, Alex ; elle va s'en sortir, intervint Jeanie d'une voix posée. Je suis sûre que tu aurais fait ce qu'il fallait lorsque tu te serais rendu compte qu'elle n'allait pas bien.

— Ce n'est pas la question, rétorqua froidement Chanty, qui n'avait toujours pas pardonné à son époux. Tu l'as laissée.

— La plupart des gens en auraient fait autant, insista Jeanie, honnête. En règle générale, on évite de crier au loup sauf devant des preuves certaines.

— Donc, on doit remercier Ray…, soupira Chanty, à contrecœur.

Alex commença à s'agiter sur sa chaise et finit par se lever. Il sembla sur le point de parler, lançant des regards anxieux à Jeanie et à Chanty.

— En parlant de Ray…

— Quoi ? demanda Chanty en plissant les yeux.

Alex inspira profondément et redressa les épaules comme s'il s'apprêtait à faire face à un peloton d'exécution.

— Alex ?

— Ce qu'Ellie a raconté sur Ray…, hésita-t-il. Tu te souviens ? Ce n'était pas vrai. Elle n'a jamais dit ça.

Il baissa la tête comme pour éviter des coups invisibles. Pendant un horrible instant, Jeanie crut que Chanty allait vraiment le frapper. Elle se tenait très droite, assise sur la chaise d'hôpital, la tête baissée, et serrait les poings sur ses genoux comme si elle se préparait à charger.

Déjà en mauvaise posture, Alex continua à s'enfoncer.

— Ellie parlait tout le temps de lui. Elle disait qu'il savait marcher sur le rondin suspendu sans tenir les poteaux et que tout le monde l'avait applaudi. Qu'il savait jouer à la balle et à toutes sortes de jeux marrants, qu'il chantait des chansons et lui avait acheté du jus de pomme. Ça m'a énervé. Je ne voulais pas qu'un type fasse ce genre de choses avec ma fille alors que moi je n'y arrive pas.

Jeanie était choquée. Elle avait beau savoir qu'il avait menti, elle éprouvait presque de la pitié pour lui en l'entendant raconter cette histoire pathétique. Elle songea pendant un instant que cela devait vraiment être horrible d'avoir un ego pareil.

Chez Chanty, la colère avait laissé place à l'incrédulité. Elle restait assise, impassible, et son silence avait quelque chose de plus inquiétant que sa colère.

— Chanty, je suis désolé. Je sais que je me suis comporté comme un imbécile.

— Un imbécile ? (Chanty sortit soudain de sa torpeur.) Un imbécile ? Tu as accusé un homme d'avoir agressé sexuellement notre fille parce que tu étais jaloux. Et tu trouves que tu t'es comporté comme un imbécile ?

Elle s'efforçait de ne pas crier, mais son visage, d'ordinaire si beau, était cramoisi.

— Je n'ai pas dit qu'il l'avait agressée, la contredit vivement Alex. J'ai simplement…

— On sait très bien ce que tu as dit et ce que tu sous-entendais, Alex, l'interrompit Chanty.

— Je n'ai jamais voulu dire ce genre de choses. Et, d'ailleurs, je n'ai pas dit ça, en tout cas pas au début. Je voulais simplement que tu saches que ce type jouait avec

Ellie… Et tu es devenue complètement folle quand je te l'ai dit. Et j'ai un peu exagéré. Tu ne m'as pas laissé le temps de t'expliquer avant qu'il ne soit trop tard.

— C'est ma faute, maintenant ? cracha Chanty. (Elle sembla soudain épuisée.) Va-t'en. (Elle lui fit un geste dédaigneux.) Dégage. Je ne peux même pas te regarder.

Alex hésita un instant avant de s'éloigner, embarrassé.

— Je ne veux pas en parler, maman, pas maintenant, murmura Chanty lorsqu'il fut parti.

Elles restèrent silencieuses, les yeux rivés sur la petite fille endormie qui, bien qu'elle soit au centre de la tempête qui faisait rage, n'en était heureusement pas consciente.

— Où est papa ? demanda Chanty d'une voix triste et déçue.

— Il est passé un peu plus tôt, quand on était encore aux urgences. Je lui ai dit de rentrer.

— Oh ?

— Il déteste les hôpitaux. Et d'ailleurs Ellie… Ellie allait mieux. Je vais l'appeler tout à l'heure.

Elle ne pouvait s'empêcher d'être sur la défensive, d'avoir l'air coupable. Elle essayait de se convaincre qu'elle ne s'était pas débarrassée de George pour rester avec Ray.

Sa fille l'observa un moment, et Jeanie s'aperçut avec horreur que Chanty avait compris.

— Alors, comment ça va, par ici ? (L'infirmière avait sûrement assisté à la dispute, car elle leur parlait d'une voix gentiment désapprobatrice.) Elle a besoin de calme pour se reposer. (Elle se tourna vers Chanty.) Vous pouvez passer la nuit ici, si vous voulez.

— Tu veux que je revienne ce soir ? Pour te remplacer ? demanda doucement Jeanie à sa fille, tandis qu'elles s'écartaient pour que la jeune infirmière puisse s'approcher d'Ellie et vérifier que tout allait bien.

Chanty hésita.

— Non, maman, tu peux y aller. Je vais dormir ici. Ça ira. Combien de temps vont-ils la garder ?

— Elle est toujours un peu sonnée. Ils veulent la garder au calme jusqu'à ce que l'œdème ait disparu. Le médecin des urgences a parlé de vingt-quatre heures. On verra demain matin, ma chérie.

Chanty soupira, les larmes aux yeux.

— Oh, maman, si tu n'avais pas été là… (Jeanie passa un bras autour de ses épaules.) Je sais que tu crois que je ne t'apprécie pas à ta juste valeur, mais c'est faux. Je suis désolée d'avoir douté de toi.

— Je comprends pourquoi tu l'as fait.

Elle eut envie d'ajouter quelque chose, mais Chanty n'avait pas besoin qu'on lui rappelle les défauts de son mari. De plus, cela n'aiderait sûrement pas Ellie de voir ses parents se disputer. Elle se demanda pourtant comment Chanty pouvait supporter l'égocentrisme d'Alex. Il était impossible de compter sur un homme pour lequel seul importait son propre intérêt. Elle pensait à George, qui avait toujours été si solide, et s'aperçut soudain qu'elle s'attendait à ce qu'il en soit toujours ainsi.

George avait préparé le dîner. Il ne savait cuisiner qu'un seul plat, les spaghettis à la bolognaise, mais il se débrouillait plutôt bien. Comme on pouvait s'y attendre, il était méticuleux tant dans l'élaboration du repas que dans sa présentation : tout était mesuré et aligné, la table dressée, la bouteille de vin débouchée ; la salade n'attendait plus que la vinaigrette. Ce soir-là, Jeanie lui en était reconnaissante.

— Quelle journée ! dit George en remuant prudemment la sauce. Heureusement que tu étais là.

Jeanie se demanda si Chanty ou Alex mentionneraient le nom de Ray lorsqu'ils parleraient de ce qui s'était passé. Elle n'avait jamais dit à George qu'elle voyait Ray quand elle allait au parc avec Ellie, même pas au début.

— Sers-toi un verre de vin, dit-il en désignant la bouteille, et assieds-toi. Tu dois être épuisée.

— J'ai cru que j'allais mourir de peur, George. J'ai prié pour qu'elle aille bien.

Lorsqu'elle finit par s'asseoir, elle eut soudain l'impression qu'elle n'aurait plus jamais la force de se relever. Elle attrapa la bouteille de vin et remplit à moitié leurs deux verres – George affirmait toujours qu'il fallait laisser le vin rouge respirer. Quand le breuvage riche et fruité coula dans sa gorge, elle en soupira presque de soulagement.

— Prier un Dieu auquel tu ne crois pas ? demanda-t-il en levant les yeux.

— Hé, ne te moque pas ! C'était une réaction instinctive, et je suis sûre que tu aurais eu la même.

— Oui, mais moi, Il m'aurait écouté, je vais à l'Église, rétorqua-t-il avec un sourire suffisant.

Ils éclatèrent de rire.

— Pas souvent ! pouffa Jeanie.

Leurs rires redoublèrent, et, bientôt, Jeanie sentit les larmes ruisseler sur ses joues tandis qu'elle luttait pour reprendre son souffle, se couvrant la bouche avec la serviette que George avait soigneusement posée près des couverts. Cette folle hilarité finit par avoir raison du stress accumulé pendant la journée.

Cette nuit-là, couchée dans son lit, Jeanie revoyait le regard désorienté de sa petite-fille, ses immenses yeux bruns qui lui mangeaient le visage tandis qu'elle était étendue dans sa chambre d'hôpital. Rien n'était plus important que la sécurité et le bonheur d'Ellie.

Chapitre 15

Ray lui téléphona le lendemain matin tandis qu'elle descendait la colline pour se rendre à l'hôpital.

— Comment va-t-elle ?

— J'ai parlé à Chanty il y a une heure et on dirait qu'elle va bien. Je suis en route pour aller la remplacer. Apparemment, Ellie a peu d'appétit et dort beaucoup, mais c'est normal après un traumatisme crânien. Chanty avait l'air plus détendue.

— Dieu merci… Au fait, j'adore t'imaginer en train de jouer les infirmières, déclara-t-il avec un petit rire coquin.

— C'est à cause des bas noirs ? Parce qu'on portait vraiment des bas, à l'époque, le taquina-t-elle.

— Ooooh, ne m'en parle pas ! Je parie que tu rendais tes patients complètement fous.

— Merci du compliment, mais la plupart d'entre eux avaient moins de dix ans. Tu te rappelles, je t'ai dit que je travaillais à l'hôpital pour enfants de Great Ormond Street.

— L'âge n'a rien à voir là-dedans…

— Ray, l'interrompit Jeanie en reprenant son sérieux, je crois que Chanty sait… Je crois qu'elle se doute de quelque chose…

— Pourquoi ? Qu'est-ce qu'elle a dit ?

— Rien, mais Alex a avoué qu'il avait tout inventé et que tu n'avais pas molesté Ellie. D'après lui,

Chanty aurait mal compris. Il a révélé ça après avoir dit que tu l'avais prévenu à propos d'Ellie et qu'il avait refusé de t'écouter. Tu aurais dû voir ça…

Elle entendit Ray souffler.

— Nom de Dieu ! Comment ta fille a-t-elle pris ça ?

— Devine.

— Au moins, il a fini par dire la vérité.

— Quoi qu'il en soit, tout le monde parlait de toi, et elle m'a regardée, et…

— Tu es peut-être parano. C'était une dure journée pour tout le monde. (Il soupira.) Jeanie, si elle te pose des questions, contente-toi d'en dire le moins possible. Ni excuses ni explications. Ce dicton fonctionne, crois-moi. Ils n'ont aucune preuve. Et on n'a jamais fait…

— Je ne peux pas mentir à ma fille, Ray, s'entêta Jeanie, faisant comme si elle n'avait pas entendu la fin de la phrase.

— Tu lui as déjà menti… plus ou moins.

Même si c'était vrai, la brutalité de cette déclaration choqua Jeanie.

— Mais si elle me le demande ?

— Avec tout ce qui se passe, ça m'étonnerait qu'elle se préoccupe de savoir que… qu'on s'est vus plusieurs fois.

Elle comprit parfaitement l'hésitation de Ray. Il n'y avait pas de mot pour décrire les moments qu'ils avaient partagés. Les termes « liaison », « infidélité », « tromper » ou « amoureux » semblaient déplacés, inconvenants… Sans oublier « amour ». Ils étaient tout à la fois exacts et inexacts.

— Comment ça s'est terminé avec Alex ? ajouta précipitamment Ray.

— Elle lui a demandé de partir. C'était tellement idiot de sa part de parler de toi ! Chanty lui avait presque pardonné d'avoir abandonné Ellie. Je crois qu'il se sent horriblement coupable. (Elle s'interrompit tandis qu'un bus passait dans la rue.) Enfin, elle finira de toute façon par lui pardonner. C'est toujours le cas, malgré tout ce qu'il lui fait subir.

— Et à toi, elle te pardonnerait facilement ?

— Je ne suis pas aussi douée qu'Alex pour embobiner ma fille, dit-elle après un instant.

Elle comprenait et partageait sa crainte que, si quelqu'un découvrait la vérité, leur histoire serait finie.

— Ce ne sont pas ses affaires. Malheureusement, elle ne sera sans doute pas de cet avis.

— Tiens-moi au courant.

— C'est promis.

Ils restèrent un instant silencieux, refusant de raccrocher.

— Jeanie ?

Il ne dit rien de plus, c'était inutile.

— Au revoir, Ray.

Sa fille était épuisée. Elle avait moins bonne mine qu'Ellie, qui semblait avoir retrouvé son état normal, mis à part une vive rougeur sur ses joues qui, selon Jeanie, s'expliquait par l'atmosphère étouffante de la chambre et non par le traumatisme crânien.

— Tu as dormi ?

Chanty secoua la tête d'un air las.

— Non. Mais j'en aurais été incapable même dans le meilleur hôtel du monde.

— Je t'ai apporté un cappuccino.

Chanty se jeta sur le café comme si sa vie en dépendait.

— Oh, merci, maman ! Tu ne t'imagines même pas à quel point c'est bon.

— Pourquoi tu ne rentrerais pas prendre une douche et dormir un peu ? Je resterai avec elle. (Jeanie se pencha pour embrasser sa petite-fille.) Bonjour, ma puce. Qu'ont dit les médecins ?

— L'infirmière m'a dit qu'ils passeraient sans doute vers 11 heures. Je devrais peut-être les attendre.

Elle adressa un regard à la fois attendri et apeuré à sa fille. Jeanie savait que Chanty venait de vivre le pire cauchemar de tout parent.

— Tu nous as fait peur, tu sais, dit doucement Chanty en écartant les mèches du front d'Ellie.

Celle-ci s'écarta, ne leur accordant même pas un regard pour continuer à construire une tour en Lego.

— Tu crois que ça la gênerait que je parte ?

— Tu peux revenir plus tard.

Ce fut une longue journée. À la demande d'Ellie, Jeanie lut quatre fois la même histoire, s'efforçant d'apporter quelques changements afin de ne pas devenir folle. « Chhhhh, fit la queue de l'alligator tandis qu'il passait la porte, clac, firent ses dents… »

— Encore, exigea Ellie en poussant le livre vers le visage de Jeanie.

— Tu n'as qu'à me raconter l'histoire cette fois, proposa Jeanie avec espoir.

Ellie réfléchit.

— Non… Trop dur. Toi, Jin, t'aimes bien.

— J'aime bien ? D'accord, une dernière fois.

— Merci, Jin.

Ellie sourit, consciente que sa grand-mère aurait normalement refusé mais peu soucieuse de découvrir pourquoi, ce matin-là, c'était différent.

Durant la matinée, elle avait été autorisée à rentrer à la maison à la fin de la journée, à condition qu'elle se repose. Il était presque 17 heures, et elles attendaient toujours que le médecin signe les documents pour sa sortie.

— Prêtes ? lança George en entrant dans la chambre, jouant avec ses clés en agitant la main pour saluer sa petite-fille. La voiture est dehors. Je me suis garé sur une place de parking réservée aux livraisons ou un truc du genre, donc on ferait bien d'y aller.

— On ne peut pas, ils n'ont pas encore signé les papiers.

Chanty fronça les sourcils en regardant l'horloge pour la énième fois.

— Où est-il ?

— Je ferais bien de déplacer la voiture. (George se dirigea vers la porte.) Appelle-moi. Je vais me garer dans une rue transversale. Il va bientôt arriver, n'est-ce pas ?

— Je crois que le pédiatre est une femme, dit distraitement Jeanie.

Ni Chanty ni George ne semblait l'avoir entendue, et elle se demanda durant l'espace d'un instant si elle avait parlé à haute voix, son esprit obsédé par la crainte que son secret ne soit révélé. Sa fille parlerait-elle de Ray devant George pour la tester ?

Ce soir-là, debout devant le miroir, Jeanie s'aperçut qu'elle avait le visage fatigué, les traits tirés par l'anxiété et de larges cernes sous les yeux. Elle avait l'impression que sa vie lui échappait. Après avoir raccompagné Chanty et Ellie, George s'était insurgé contre le comportement de Chanty envers son époux.

— Je sais qu'elle est stressée, mais elle n'avait pas besoin d'être aussi désagréable avec ce pauvre Alex. Lui aussi s'est fait du souci.

Chanty s'était énervée contre son mari lorsqu'il lui avait ouvert la porte et avait essayé de lui prendre Ellie.

— Elle était furieuse qu'il soit allé en ville alors qu'Ellie était tombée.

George lui jeta un coup d'œil alors qu'il cherchait une place pour se garer.

— Je croyais que tu étais avec elle quand c'est arrivé.

— Non, je suis arrivée juste après, mais quelqu'un lui avait dit qu'il fallait la faire examiner parce qu'elle s'était cogné la tête. Alex a refusé de l'écouter et il est parti à son rendez-vous.

George acquiesça avec sagesse.

— Je comprends pourquoi elle était en colère. Quand ce pauvre garçon apprendra-t-il à se conduire en adulte ?

Jeanie s'emporta soudain contre George qui pardonnait tout à Alex.

— Ce n'est pas un pauvre garçon, il a quarante-deux ans !

— D'accord, d'accord, pas la peine de s'énerver. Tout est bien qui finit bien.

Le téléphone de Jeanie sonna tandis que George faisait prudemment marche arrière pour se garer. Elle n'arrivait pas à lire le numéro sans ses lunettes, mais elle était certaine que c'était Ray.

George coupa le moteur et la regarda.

— C'est peut-être Chanty, dit-il lorsqu'il comprit qu'elle ne comptait pas décrocher.

— Ce n'est pas elle. Je ne connais pas ce numéro et je n'ai pas envie de parler à un étranger.

— Tu veux que je réponde à ta place et que je dise que tu es occupée ? demanda George, se penchant pour prendre le portable.

Jeanie le remit dans son sac d'un geste vif.

— Non ! Merci.

George haussa les épaules, mais, en sortant de la voiture, Jeanie comprit, non sans désespoir, qu'elle devrait peser ses mots chaque fois qu'elle s'adresserait à un membre de sa famille afin d'éviter de parler de Ray.

Jeanie se passa de la crème sur le visage et le cou, puis en appliqua une autre autour de ses yeux avant d'observer longuement son corps d'un œil critique et de soupirer, se détournant soudain de ce reflet qui lui rappelait combien elle avait vieilli. Elle était folle de croire qu'un homme aussi attirant que Ray pourrait la trouver sexy, une vieille peau comme elle. *Je vous en prie, faites qu'il ne me propose jamais qu'on soit amis*, demanda-t-elle aux ténèbres.

Rita, parfaitement à l'aise dans son minuscule bikini rouge, arborait un magnifique bronzage après deux semaines passées sur une plage antiguaise. Tout le contraire de Jeanie, qui exposait son corps à la vue de tous pour la première fois de l'année. Vêtue de son maillot noir Speedo, Jeanie était horriblement embarrassée par la blancheur maladive de sa peau ridée et sa cellulite bien visible. Chaque été, Rita arrivait à la convaincre de l'accompagner à Hampstead Ponds aussi souvent que la météo le permettait. Selon elle, l'étang réservé aux femmes, entouré par la végétation sauvage du parc, était le coin le plus agréable, les canards se mêlant joyeusement aux nageuses dans cet écrin de nature oublié. L'entrée était quasiment gratuite, mais Jeanie n'en avait pas moins l'impression d'appartenir à un club privé réservé aux femmes sveltes et élancées qui avaient le sens des responsabilités.

Il faisait à nouveau très chaud. Jeanie savait pourtant que l'eau serait glacée et qu'il lui faudrait quelques minutes avant de s'y habituer. Il serait très rafraîchissant de se baigner dans un lac qui n'empestait pas le chlore.

Rita l'avait précédée.

— Dépêche-toi, espèce de chochotte, cria-t-elle tandis que Jeanie hésitait, les pieds sur le premier barreau de l'échelle en bois branlante, agrippant les poignées de métal glacées. Les autres nageuses se tournèrent pour l'observer, ne lui laissant d'autre choix que de plonger.

— Nom de Dieu ! souffla-t-elle en nageant un rapide crawl pour relancer sa circulation sanguine.

Après quelques minutes, Rita et Jeanie se mirent à nager côte à côte et firent quelques tours d'étang, accompagnées par un couple de colverts.

— Ma pauvre. (Jeanie venait de lui parler de l'accident d'Ellie.) Ça devait être horrible.

Jeanie lui raconta le reste de l'histoire, et elles décidèrent de sortir de l'eau.

— Je ne peux pas te laisser seule une minute. Je m'absente deux petites semaines, et ta vie est sens dessus dessous, se plaignit Rita, après qu'elles se furent séchées pour aller manger une glace.

Le café à proximité du Lido était comme toujours rempli d'enfants et de chiens.

— Je préférerais qu'on mange nos glaces en marchant, dit Jeanie. Je m'en charge, une ou deux boules ?

— Deux, bien sûr. Au diable l'avarice !

Tandis qu'elle slalomait entre les tables, Jeanie aperçut un homme qui lui tournait le dos dans la file et sut immédiatement que c'était Ray, accompagné de Dylan et d'un autre enfant. Appuyés contre un présentoir, les deux petits garçons trompaient leur ennui en se balançant, jusqu'à ce que le copain de Dylan renverse un plateau qui ne contenait heureusement qu'un sandwich bien emballé.

— Ça suffit, dehors… Sortez et attendez-moi. Ne vous éloignez pas, restez près des tables.

Ray leur indiqua la porte, et ils sortirent. En se retournant pour les regarder s'éloigner, il remarqua Jeanie et se dirigea vers elle.

— Je suis avec mon amie… Rita, dit-elle en jetant des coups d'œil nerveux autour d'elle.

— Tu ne veux pas me la présenter ? s'enquit-il, son sourire s'évanouissant soudain.

— Non, enfin si, j'adorerais te la présenter, mais…

— Tu as dit qu'elle savait à propos de nous, ajouta-t-il, l'air blessé.

— Oui, mais… ce serait bizarre.

Jeanie ignorait pourquoi elle ne voulait pas que Rita rencontre Ray.

— C'est toi qui vois. (Il se passa la main dans les cheveux.) Il vaut mieux que je leur apporte à boire, sinon ça va être l'enfer.

Il lui adressa un bref sourire forcé.

— C'est simplement que…

Simplement que quoi ? se demanda-t-elle.

Mais Ray était déjà parti, sans prendre la peine de commander à boire, entraînant rapidement les deux enfants loin du café. Dylan n'était visiblement pas enchanté de la décision de son grand-père.

— Où sont les glaces ? Tu en as mis du temps, dit Rita en la rejoignant.

— C'était Ray.

— Où ça ? Par où est-il parti ? (Rita regardait autour d'elle avec fébrilité.) Pourquoi ne me l'as-tu pas présenté, ma chérie ?

— Je ne sais pas… Je… Attends-moi ici.

Et elle courut dans la direction prise par Ray. Elle l'aperçut enfin, qui se dirigeait vers le Lido.

— Ray ! Ray ! Dylan !

Tous trois se tournèrent. Dylan avait un grand sourire aux lèvres, mais pas Ray.

— Bonjour.

Elle était essoufflée par sa course et par la peur.

— Bonjour, Jin, dit Dylan, adoptant le surnom qu'Ellie lui avait donné.

— Voici Ben. (Ray montra le garçon blond.) L'ami de Dylan.

— Bonjour, Ben. Ray… je peux te parler une minute ?

Ils restèrent à s'observer pendant si longtemps que les enfants commencèrent à s'ennuyer et continuèrent à avancer.

— S'il te plaît, poursuivit-elle, reviens que je te présente Rita.

— Tu n'avais pas l'air très enthousiaste, rétorqua-t-il avec un regard réservé.

— Je ne voulais pas que Rita te harcèle, dit-elle doucement.

— Ni qu'elle me désapprouve ?

Jeanie baissa les yeux.

— Non, je ne pense pas qu'elle porterait de jugement. Et, même si c'était le cas, tu es l'homme le plus merveilleux au monde. Comment peux-tu croire une seconde que je puisse avoir honte de toi ?

Ces mots flottaient entre eux, et elle s'aperçut soudain de ce qu'elle venait de dire.

— Jeanie… (Ray ne fit aucun mouvement, mais elle mourait d'envie de lui prendre la main.) Si tu es gênée de me présenter à tes amis, ce n'est pas grave.

Elle croisa son regard.

— Ce que nous avons est spécial. Je ne voulais pas partager ce qu'il y a entre nous avec quelqu'un qui appartient à mon ancienne vie. Je ne voulais pas te partager, toi. (Il acquiesça, mais elle savait qu'il ne comprenait pas.) Rita est ma meilleure amie, mais elle n'est jamais qu'un être humain, assez lubrique, d'ailleurs.

Ray sourit.

— Tu n'es pas très claire.

Elle lui adressa un sourire hésitant.

— Tu comprends ? Elle te verrait comme mon amant et te poserait mille questions pour tout savoir sur toi. Je ne veux pas que ça se passe comme ça.

— Ça va, je t'assure. Ce n'est vraiment pas grave. (Il regarda autour de lui à la recherche de son petit-fils.)

Je ferais mieux d'y aller : ils sont en train de se sauver. (Il l'observa longuement.) Je t'avais bien dit qu'il n'y avait pas de solution miracle. (Il caressa un instant son bras nu avant de se retourner.) Au revoir.

Elle attendit qu'il soit hors de vue avant de se traîner jusqu'au café, où Rita l'attendait, cognant ses talons contre le muret sur lequel elle était assise. Elle resta silencieuse, se contentant de hausser les sourcils.

— Je viens de tout foutre en l'air. Il croit que j'ai honte de lui.

— Et c'est le cas ?

— Bien sûr que non !

Rita lui jeta un coup d'œil offensé.

— Donc en fait tu as honte de moi ! Je ne suis pas assez cool pour toi ?

— C'est ça, dit Jeanie, épuisée.

— Quoi qu'il en soit, je vous ai vus discuter. Il est mignon.

— Mignon ?

Jeanie était à des années-lumière de là, avec Ray.

— Oui, c'est un terme moderne pour désigner le sex-appeal d'une personne du sexe opposé, généralement utilisé par une de ces imbéciles de jeunes pour parler d'un de leurs imbéciles de copains, déclara Rita.

— C'est bon, c'est bon. (Jeanie se passa la main sur le visage.) Oh, Rita, c'est foutu ! Je l'ai blessé. Qu'est-ce que je peux faire ? Tu crois que je devrais l'appeler ?

Rita se leva pour prendre le bras de Jeanie et l'entraîner.

— Je n'en ai aucune idée, ma chérie. Vous vous comportez comme des ados. Vous allez devoir vous en sortir sans moi.

Cela faisait une semaine qu'Ellie avait quitté l'hôpital, et la petite fille était en pleine forme ; seule une petite ecchymose jaune persistait sur sa tempe. Jeanie était venue la voir à de nombreuses reprises, croisant souvent Chanty et Alex. Comme le voulait la tradition dans la famille Lawson, tout le monde prenait soin de prétendre que tout allait bien. Alex semblait pourtant abattu, et Jeanie s'inquiétait de voir sa fille entretenir la conversation avec un sourire crispé, comme si elle redoutait les moments de silence. Chanty avait beaucoup de soucis, et Jeanie savait que quelque chose la tracassait. Le coup de fil qu'elle redoutait depuis leur conversation à l'hôpital vint alors qu'elle préparait du thé dans la cuisine du magasin.

— Ça te dirait qu'on sorte dîner, ce soir ? (Chanty s'interrompit.) Sans papa. Alex a proposé de garder Ellie.

— J'aimerais beaucoup. (Jeanie respira plus rapidement.) Qu'est-ce que je vais dire à ton père ? Il voudra venir.

— Dis-lui que c'est une soirée entre filles. Il comprendra, ajouta-t-elle d'un ton tendu mais pas hostile.

Jeanie entendit quelqu'un parler à Chanty, qui reprit un ton plus professionnel.

— Il faut que j'y aille, maman. Rendez-vous à 20 heures au café français sur la colline ?

— Je suis impatiente d'y être, dit Jeanie, ce qui était loin d'être vrai.

Elle savait que Chanty se trouvait dans une situation difficile. Elle avait parfaitement conscience qu'elle risquait de la blesser davantage par son comportement, mais ce n'était pas suffisant pour l'empêcher de voir Ray.

L'incident avec Rita devant le café du parc allait à l'encontre de l'accord tacite qui existait entre Ray et elle. Elle savait que ce n'était qu'une conséquence de leur situation actuelle, mais elle avait été frappée par l'expression peinée de Ray devant son refus de lui présenter Rita. Jeanie ne comprenait vraiment pas pourquoi elle en avait fait toute une histoire. Rita s'était énervée, et Jeanie avait dû attendre des heures avant d'être enfin seule pour appeler Ray.

Son amie et elle s'étaient séparées au pied de la colline, et Jeanie s'était précipitée chez elle pour s'enfermer dans la salle de bains. Elle avait alors éclaté en sanglots telle une adolescente, exactement comme l'avait dit Rita. Lorsqu'elle avait enfin composé le numéro de Ray, elle s'était mise à parler d'une voix vibrante de regrets.

— Tout va bien, Jeanie, lui avait assuré Ray, mais il semblait triste. On savait que ce ne serait pas facile.

— Je veux que tu saches que je ne ferais jamais rien pour te blesser.

— Mon ego en a pris un coup. Ça m'apprendra, avait-il plaisanté.

— Ce n'est pas parce que j'avais honte de toi, crois-moi.

— Oui, avait-il dit d'une voix ferme, je sais bien.

— Ça m'a anéantie de te voir en colère, avait-elle murmuré, s'efforçant en vain de retenir ses larmes.

— Oh, Jeanie… Je t'en prie, ne pleure pas.

— Regarde-nous. On en a déjà parlé. (Elle avait souri.) Même Rita nous a traités d'ados.

— Et comme n'importe quelle passion adolescente qui se respecte, c'est compliqué mais intense, avait-il ajouté doucement, et je ne pourrais plus m'en passer.

— Moi non plus.

Le restaurant français était désert, pourtant on entendait des voix et des tintements de verres et de couverts en provenance du jardin à l'arrière. Le temps était à l'orage, mais il faisait toujours chaud, et des moucherons voletaient au-dessus des bougies. Chanty, installée à une table dans un coin, l'attendait, penchée sur son BlackBerry, répondant à ses innombrables et incessants messages professionnels. Elle sourit à sa mère qui approchait et rangea son portable.

— Sauvée par le gong, dit-elle, visiblement soulagée d'avoir une excuse pour faire une pause.

Jeanie aperçut une bouteille de vin blanc déjà entamée dans un seau à glace à côté de la table. Le verre de Chanty était vide. Sa fille prit la bouteille et leur servit du vin.

— C'est agréable, dit Jeanie.

Elle était presque surprise d'éprouver une telle impression de bien-être, assise là avec sa fille adorée dans la lumière déclinante.

Chanty éprouvait peut-être la même chose, car elles restèrent silencieuses, savourant cet instant.

— Comment va Ellie ?

— Maman, tu l'as vue hier, la taquina Chanty, sachant pertinemment que sa mère pouvait parler d'Ellie pendant des heures sans jamais épuiser le sujet.

— Je demande, c'est tout. Comment vas-tu, ma chérie ? Tu n'as pas eu une semaine facile.

Elle ne donna aucune précision quant à la nature des problèmes de sa fille.

— Je ne vais pas bien, répondit Chanty avec sa franchise habituelle. Je n'arrive pas à pardonner à Alex ce qu'il a fait. (Jeanie attendit.) Je sais que tu as toujours pensé que c'était un salaud. Tu me l'as bien fait comprendre, et je n'ai pas envie que tu me fasses une liste de ses défauts, la prévint-elle avant d'ajouter :

— Je ne suis pas idiote, maman. Je sais bien qu'il peut parfois être égoïste.

Jeanie songea que c'était un sacré euphémisme, mais ne dit rien, comme sa fille le lui avait demandé.

— Mais, cette fois, ça aurait pu affecter la vie de Ray de façon irrévocable. Tu connais l'expression : « il n'y a pas de fumée sans feu » ? Et je ne peux pas m'empêcher de me demander quand Alex aurait fini par avouer la vérité si Ellie n'avait pas eu cet accident.

— Je suis certaine qu'il ne t'aurait jamais laissée prévenir les autorités.

— Tu es sûre ? demanda Chanty en soutenant le regard de sa mère.

— Oui... Oui, j'en suis sûre. Il est égoïste mais pas méchant, bien que l'égoïsme puisse être une forme de méchanceté. Il a fait une bêtise parce qu'il se sentait menacé par un autre homme. Son ego en a pris un sacré coup, mais il en serait resté là.

Chanty lui adressa un sourire sardonique.

— Tu le soutiens tout en l'accablant. C'est très malin, maman.

— Je ne cherche pas à être maligne. Ma chérie, ce n'est pas parce qu'il était altruiste et généreux que tu es tombée amoureuse d'Alex et que tu l'as épousé.

— Non, j'ai toujours su quel genre d'homme il était. C'est pour ça que j'arrive toujours à lui pardonner : je sais exactement à quoi m'en tenir.

Jeanie trouvait cela triste. Pourquoi sa fille avait-elle choisi un type pareil ? Il n'avait presque rien en commun avec George.

Chanty vit le regard de sa mère.

— C'est terrible, n'est-ce pas ? (Jeanie acquiesça.) Alex est loin d'être parfait, mais je l'aime, maman. Je le comprends. Il porte ses propres blessures. Il a eu une enfance horrible. Son père est parti quand il avait quatre ans, et il ne l'a revu que lorsqu'il en avait seize. Ils sont allés prendre un café sur une aire d'autoroute. Son père avait déménagé sur l'île de Guernesey et il dirigeait une compagnie de taxis qui marchait plutôt bien. Il avait tellement peur de son ex-femme qu'il a demandé à Alex de lui promettre de ne jamais parler de lui. Alex l'aimait bien et voulait qu'ils restent en contact, mais son père ne l'a jamais rappelé. (Chanty prit une profonde inspiration.) Sa mère était un monstre. Elle était complètement névrosée et maniaque. Alex m'a raconté qu'elle le surveillait en permanence et qu'elle ne pouvait pas s'empêcher de l'embrasser ou de lui caresser le visage, lui passant le moindre de ses caprices. C'était toujours sa faute si elle était triste ou en colère. Il devait l'aider à s'habiller le matin et lui faire des compliments. C'était malsain. Elle lui a même fait croire qu'il avait une maladie cardiaque pour le forcer à rester à la maison avec elle et l'empêcher de faire du sport.

— Ça explique beaucoup de choses. Ce n'est pas étonnant qu'il soit si méfiant envers moi, je dois lui rappeler sa mère. Pourquoi ne m'as-tu rien dit ? Je me serais montrée plus compréhensive.

— Il ne me l'avait jamais dit avant que je le force à voir un thérapeute après la naissance d'Ellie. C'était une de mes conditions s'il voulait revenir. Le plus triste, c'est qu'il trouvait ça presque normal. Il savait qu'elle était exigeante et possessive – elle me déteste, comme tu peux l'imaginer – mais il y était habitué. Tu ne croirais même pas ce qu'il a pu me raconter récemment.

Pendant un instant, Jeanie se demanda si son gendre avait dit la vérité, mais, comme à son habitude, Chanty avait anticipé ses doutes.

— Non, maman, il n'a pas tout inventé. J'ai parlé à sa tante. Elle devait le garder quand sa mère était malade. Il avait quatorze ans quand elle a compris ce qui se passait. Le médecin a examiné son cœur, et ils ont découvert la supercherie, mais c'était trop tard. Le mal était fait.

— Il la voit toujours. Si je me souviens bien, vous lui avez rendu visite à Noël, l'année dernière.

— C'est le seul jour de l'année où il va la voir. Pendant une heure, la veille de Noël. Et, durant une semaine avant, il déprime complètement. Il devient vraiment désagréable avec moi, agressif et nerveux. Elle s'est mise à boire, alors on essaie de passer assez tôt. Elle se contente de le culpabiliser en disant des trucs du style « j'étais une mère modèle », et ça tourne au cauchemar. Elle n'arrive même pas à se rappeler le nom d'Ellie. Je crois que je te l'ai déjà dit, mais, l'année dernière, elle a dit à Alex que son père était gay.

Jeanie acquiesça en riant.

— Je m'en souviens. Je suppose que tu n'as jamais découvert si elle mentait.

— Jamais. Alex ne l'a pas crue. Elle a toujours essayé de le monter contre son père.

— Et la thérapie ?

Chanty secoua la tête.

— Il y est allé deux fois, puis il a refusé d'y retourner. Il a dit que son travail risquait d'en souffrir.

— Belle excuse. Quoique… il a peut-être raison. Un artiste doit combiner technique et émotions. (Elle caressa la main de sa fille.) Tu n'aurais pas pu épouser un neurochirurgien, ma chérie ?

— Tu trouves ça normal, toi ? Un type qui aime faire des trous dans le crâne des autres et farfouiller dans le cerveau ? Qui aurait envie de faire ça ?

— D'accord, pas de neurochirurgien. Mais pourquoi pas un paysagiste ? Ou un charpentier ? Ce sont des gens de confiance, non ?

Le serveur attendait patiemment, son carnet à la main, tandis qu'elles s'efforçaient d'arrêter de rire. Chanty commanda du poulet, et Jeanie, le saumon aux lentilles.

— Sérieusement… Vous aurez probablement besoin d'un professionnel pour régler ça.

— Tu veux dire un conseiller conjugal ? (Elle secoua la tête.) Aucune chance.

— Non. Il faut qu'il retourne chez son thérapeute. Tu as raison, ce qu'il a fait était grave. C'était un caprice. Il a besoin d'aide.

Jeanie lut de la lassitude dans le regard de sa fille.

— C'est vrai. (Chanty soupira.) J'espère toujours que je peux le rendre meilleur. Que si je l'aime assez fort, je pourrai le guérir.

Elle leva les yeux vers sa mère, attendant que celle-ci approuve.

— L'amour, c'est bien, mais ça ne le changera pas, Chanty. Jamais. Alex est le seul qui peut décider de changer.

— Tu crois qu'il en est capable ?

— Il risque de tout perdre s'il refuse.

Chanty attendit qu'on leur serve le thé à la menthe. Elle posa les mains bien à plat sur la nappe blanche en un geste grave qu'elle avait hérité de son père. Elles étaient toutes les deux un peu soûles, et Jeanie ne s'inquiétait pas le moins du monde de ce que sa fille s'apprêtait à lui dire.

— J'ai passé une bonne soirée, maman. Merci de m'avoir écoutée… Je voudrais juste te demander…

Jeanie croisa le regard de sa fille.

— Oui ?

— Dis-moi que tu n'as pas de liaison avec Ray.

En y repensant, Jeanie comprit qu'elle aurait pu mentir à Chanty. Après tout, que voulait-elle dire par « liaison » ? Elle n'avait pas couché avec Ray. Sa fille était tellement préoccupée par sa propre vie qu'elle n'attendait pas vraiment de réponse à sa question, posée de façon presque distraite. Pourtant, Jeanie ne put s'empêcher de rougir. Ses sentiments pour Ray étaient tellement forts, tellement présents, qu'elle avait l'impression qu'il était à ses côtés. L'espace d'un instant, elle eut une brève hésitation qui lui fut fatale. Elle discerna une expression choquée sur le visage de Chanty et comprit qu'il était trop tard pour mentir.

— Maman ? demanda-t-elle vivement. (Jeanie ne savait pas quoi dire.) Mon Dieu, c'est vrai ! Tu as une liaison.

— Je n'ai pas de liaison, finit-elle par dire, peu convaincante.

— Je ne te crois pas, déclara Chanty d'une voix blanche.

— Je n'irais pas jusqu'à dire que je ne ressens rien pour lui…

C'était horriblement difficile. Elle avait pourtant imaginé ce scénario dans sa tête des millions de fois.

— Maman, c'est très simple. Est-ce que tu couches avec Ray ? s'enquit Chanty en se penchant en avant, écarquillant ses yeux bleus perçants.

— Je n'ai pas eu de relation sexuelle avec lui, si c'est ce que tu veux savoir.

Cette déclaration sembla calmer Chanty.

— Dieu merci ! (Puis elle réfléchit.) Ce n'est pas ce que je t'ai demandé.

Jeanie savait que Chanty avait raison, mais elle n'était pas prête, même si elle voulait être honnête, à parler de cette précieuse intimité qu'elle partageait avec Ray.

— Non… Ce n'est pas une question de sexe… Enfin, pas uniquement… Je n'arrive pas à t'expliquer.

Elle n'avait jamais imaginé que ce serait si difficile. Comment pouvait-elle faire comprendre à Chanty que la joie de se retrouver avec Ray, de bavarder avec lui, était aussi importante qu'un seul de ses baisers ?

— Tu ne comptes pas quitter papa ? Maman, tu ne peux pas faire ça.

— Je ne sais pas ce que je vais faire, dit-elle en toute franchise.

Chanty la regarda, et Jeanie songea que sa fille était vraiment une femme magnifique, avec ses pommettes hautes et ses beaux yeux éclairés par la lueur des bougies. Si forte et honnête, au milieu de ces pitoyables menteurs. Même George, le roi de l'honnêteté, avait ses vilains petits secrets.

Sa fille secoua la tête, désespérée.

— Qu'est-ce que tu veux dire : « je ne sais pas ce que je vais faire » ?

— Exactement ce que ça veut dire. Chanty, c'est compliqué. Il y a quelque chose de fort entre Ray et moi. On…

— Ça suffit, maman. Je n'ai pas envie d'en entendre davantage. Il faut que ça cesse, tout de suite.

Elle attendit que sa mère approuve, mais comme Jeanie restait silencieuse, elle ajouta sur un ton suppliant :

— Maman, je t'en prie, écoute-moi. Papa ne mérite pas ça. C'est le mari dont toute femme rêverait. Vous vous aimez. Penses-y. Tu ne connais même pas ce type.

— Je le connais.

— Vraiment ? Tu le connais depuis quoi, quelques mois ? Et tu viens de dire que vous n'avez même pas couché ensemble ? Ça ne signifie rien du tout. Tu es mariée avec papa depuis plus de trente ans.

— Ce n'est pas la question.

— Alors, c'est quoi la question ? Je n'arrive pas à y croire. Tu n'as plus seize ans, maman, tu en as soixante ! Tu ne songes quand même pas à détruire ton merveilleux mariage pour… pour quoi, d'ailleurs ? Pour du… Appelle-ça comme tu veux… Mais ça doit être pour le sexe. (Elle cracha le dernier mot comme s'il était coincé dans sa gorge.) C'est dégoûtant.

Jeanie vit quc Chanty tremblait de rage. Les autres clients étaient partis. Seuls quatre hommes d'une cinquantaine d'années, probablement italiens, étaient toujours assis à une table à l'autre extrémité du jardin, leurs visages rougis brillant à la lueur des bougies. Leurs éclats de rire éraillés devaient couvrir la conversation animée de Jeanie et de Chanty, heureusement.

— Est-ce que papa est au courant ?

— Bien sûr que non.

— Et tu trouves ça bien ?

— Bien sûr que non.

Jeanie était fatiguée et sentait une étrange apathie la gagner. Elle ne pouvait pas vraiment attendre de Chanty qu'elle comprenne et accepte les actes de sa mère. Elle ne comptait pas non plus trahir davantage son époux en racontant la vérité pour tenter de convaincre Chanty.

— Maman…

Chanty tentait une autre approche, et Jeanie voyait presque les muscles de sa mâchoire se détendre tandis qu'elle s'efforçait de se montrer raisonnable.

— Je ne plaisante pas, tu es vieille. Tu es magnifique, mais les gens de ton âge sont vulnérables. Ce type ne cherche qu'une seule chose. Que se passera-t-il si tu décides de laisser tomber papa et ton mariage ? Tu passeras le restant de tes jours seule et abandonnée. C'est terrible.

— Tu as raison, c'est terrible, railla-t-elle.

Elle envisagea pendant un instant de préciser que, si Ray ne s'intéressait à elle que pour le sexe, il y avait des centaines, voire des milliers, de femmes bien plus jeunes qui seraient ravies de prendre sa place.

— Ce n'est pas drôle, maman.

Jeanie retrouva son sérieux.

— Je suis désolée, ma chérie. Je suis désolée de te causer de la peine, vraiment. Ça me rend malade, tu peux me croire. Je n'ai jamais voulu que ça arrive. (Chanty soupira d'un air cynique.) Je sais que ça fait cliché de dire ça. Je suis désolée que tu aies tout découvert.

— Tu es désolée que j'aie tout découvert, mais tu n'es pas désolée de ce qui s'est passé ?

— Non, dit-elle d'une voix ferme.

— Non ? Maman ! Comment peux-tu être aussi insensible ? Ça ne te ressemble pas. Tu as toujours été honnête et intègre. Tu sais que je t'admire, mais... (Elle poussa un long soupir triste.) As-tu la moindre idée de ce qui arriverait à papa s'il l'apprenait ? Pas étonnant que tu ne veuilles pas déménager à la campagne.

— Ça n'a rien à voir avec le déménagement. Ton père avait déjà pris sa décision.

Comme Jeanie n'ajoutait rien, Chanty poursuivit :

— Tu sais qu'il faut que ça cesse tout de suite, n'est-ce pas, maman ? Arrête tout, et papa n'aura même pas besoin de le savoir. Je ne le dirai à personne, même pas à Alex... Surtout pas à Alex.

Sa fille parlait comme si elle lui offrait une échappatoire.

— Je ne peux pas, dit-elle simplement.

Chanty se détourna, les mâchoires serrées. Sa colère était justifiée. Elle était très proche de son père, et Jeanie savait que sa fille aurait réagi de la même manière si les rôles avaient été inversés.

— Qu'est-ce que tu comptes faire, alors ?

Jeanie baissa la tête, se sentant soudain comme une écolière prise en faute.

— Chanty, je t'ai dit que je ne savais pas ce que j'allais faire. Je sais ce que je devrais faire, mais ce n'est pas si simple.

— C'est parfaitement simple. Laisse-moi t'expliquer, maman. Tu laisses tomber Ray et tu vas vivre à la campagne avec papa. Point à la ligne. (En colère, elle se pencha pour récupérer son sac, mettant ainsi un terme à la discussion.) Et si je découvre que ce n'est pas fini entre vous, je le dirai à papa. Je sais qu'il en sera malade, mais je ne supporterai pas que tu lui mentes. Comment veux-tu que je puisse le regarder en face tout en connaissant la vérité ?

Jeanie savait que sa fille était sérieuse et elle comprenait sa réaction. La plupart des enfants feraient n'importe quoi pour que leurs parents restent ensemble, mais Jeanie savait que Chanty avait une autre raison. Elle était convaincue que sa mère se faisait avoir.

— Je lui dirai moi-même, dit posément Jeanie.

Chanty la regarda d'un air inquiet.

— Maman, tu n'as pas besoin d'en parler à papa si tu comptes mettre un terme à cette histoire une fois pour toutes. Ne revois plus jamais cet homme, ne lui adresse plus jamais la parole, c'est tout. Ce serait cruel et inutile de tout avouer à papa.

Chanty l'observa, attendant que Jeanie lui fasse une promesse qu'elle ne pourrait pas tenir. Comment pourrait-elle lui assurer qu'elle n'adresserait plus jamais la parole à Ray en regardant sa fille dans les yeux ?

— N'essaie pas de me forcer la main, ma chérie. Ça ne marchera pas.

Et sa fille n'aurait qu'à se satisfaire de cette réponse.

Chapitre 16

Jeanie s'assit sur le banc au milieu de Pond Square, à moins de cent mètres de chez elle. Il était minuit et demie, et tout était calme. Certains restaurants alentour étaient déjà fermés, d'autres allaient bientôt l'être : on sortait les poubelles, on rentrait les panneaux affichant le menu. Quelques couples discutaient à voix basse en rentrant chez eux, et, au coin de la rue principale, un homme téléphonait en faisant les cent pas devant l'arrêt de bus, visiblement en désaccord avec son interlocuteur. Le temps s'était rafraîchi, mais l'orage s'était éloigné. Le cœur de Jeanie semblait avoir doublé de volume dans sa poitrine, battant la chamade, tandis qu'elle s'efforçait de reprendre son souffle.

— C'est moi, murmura-t-elle dans son portable.

— Où es-tu ?

— Sur un banc, à Pond Square.

— Tu veux passer ?

— Je ne peux pas. Ray…, j'ai dîné avec Chanty. Elle sait. Elle m'a menacé de tout dire à George si je refusais de ne plus te revoir et de ne plus te parler.

Elle l'entendit inspirer doucement.

— Qu'est-ce que… qu'est-ce que tu vas faire ?

— Je n'ai pas vraiment le choix. Je vais tout avouer à George. Il faut que ce soit moi qui le lui dise.

— Qui lui dise quoi, Jeanie ?

— Que je suis tombée amoureuse de toi.

Elle ne se préoccupait plus d'analyser ce qu'ils partageaient, ne s'inquiétait plus de savoir si Ray éprouvait la même chose, ou de la façon dont il allait réagir. Rien d'autre n'importait plus en cet instant que la vérité. Il fallait que Ray connaisse la vérité, quoi qu'il se passe ensuite. Son cœur commença enfin à se calmer.

— Jeanie... tu es sûre que c'est une bonne idée ?

— D'être tombée amoureuse de toi ? Probablement pas, mais c'est arrivé, répondit-elle avec un petit rire de défi.

— Ce n'est pas ce que je voulais dire, dit Ray en riant. Tu es sûre que c'est une bonne idée d'en parler à ton mari ?

Elle voulait qu'il réagisse à ce qu'elle venait de lui dire. Elle lui avait dit la vérité, mais, à présent, elle voulait davantage.

— Est-ce que j'ai le choix ? demanda-t-elle.

— Chanty le ferait vraiment ?

— Oh oui, tu ne connais pas ma fille ! Elle ne ment jamais, c'est pathologique.

— À ton avis, comment va-t-il réagir ?

— Pas bien... Ça me semble évident.

Bien qu'elle eût affirmé le contraire devant Chanty, elle ne parvenait pas à s'imaginer tout raconter à George.

— Réfléchis bien, Jeanie. Qu'est-ce que tu espères obtenir en lui parlant ?

Elle chassa son époux de son esprit.

— Ce que j'espère obtenir ?

— Oui. Qu'est-ce qui va se passer après, selon toi ? Tu dois y penser.

Il n'y avait pas d'« après ».

— Je suis certain que tu pourrais convaincre ta fille de garder le secret.

— Et puis quoi ?

Elle l'entendit soupirer.

— Je ne peux pas te dire ce qu'il faut faire, Jeanie.

— J'aimerais tant que quelqu'un le fasse.

— Pour ce que ça vaut, murmura-t-il, moi aussi, je t'aime.

— Pourriez-vous ouvrir un peu plus la bouche ?

Jeanie s'efforça d'obéir et ressentit soudain une douleur dans la joue.

— Je ne peux pas aller plus loin, dit-elle aussi distinctement qu'elle le pouvait en gardant la bouche ouverte, avec un bout de coton logé le long de la gencive.

L'odeur familière du produit anesthésique lui parvint.

— Une petite piqûre. Ne bougez plus, murmura le dentiste avant d'enfoncer l'aiguille à l'arrière de sa bouche.

Elle ressentit à peine la douleur. Cela faisait douze heures que Ray lui avait dit qu'il l'aimait, et le dentiste aurait pu lui arracher toutes les dents – y compris ses implants – qu'elle n'aurait même pas sourcillé.

Elle n'avait rien avoué à George. Elle savourait les mots de Ray, les gardant bien à l'abri, loin du scandale qui ne manquerait pas d'éclater lorsqu'elle dirait la vérité. Elle s'était accordé une journée.

— Mordez… Parfait… Encore une fois. (Le dentiste claqua des dents pour qu'elle l'imite.) Comment ça va ?

— Très bien, je ne sens rien du tout.

Le dentiste la regardait d'un air patient.

— Quand vous mordez, vous n'avez pas l'impression que cette dent est plus haute ? Réessayez.

Jeanie s'exécuta.

— Non, ça va.

— Veillez à ne pas boire de boisson chaude dans les heures qui viennent… pour ne pas risquer de vous brûler, ajouta-t-il lorsqu'il vit le regard surpris de Jeanie.

Elle quitta le cabinet du dentiste pour se rendre au magasin, où Jola l'accueillit avec compassion.

— On m'a soigné une dent en Pologne. Ça faisait mal. Je peux me débrouiller seule si vous préférez partir.

Elle ne voulait pas rentrer. George serait dans son bureau à démonter ses horloges, inconscient de la menace qui planait au-dessus de lui. La culpabilité rongeait le cœur de Jeanie chaque fois qu'elle le voyait ou qu'il l'appelait « ma vieille ».

— Ça va. Ce n'est qu'un plombage, la rassura Jeanie en se passant doucement le doigt sur la joue pour voir si elle était toujours engourdie.

— Un homme est venu pour vous voir.

— Qui ça ?

— Il est venu avec un petit garçon qui était très beau. Je lui ai dit que vous n'étiez pas là.

— Dylan…, dit Jeanie d'une voix absente.

— J'ai dit que vous reveniez bientôt, mais il n'a pas voulu attendre. Il a demandé que vous l'appeliez.

— J'arrive à peine à parler.

— Viens quand même, dit Ray.

Jeanie le retrouva au café du parc après la fermeture de la boutique. Elle ne s'inquiétait même plus qu'on les voie ensemble.

— C'est comme au bon vieux temps, dit-il en trempant le sachet de thé dans sa tasse.

— On peut s'enfuir ? On irait à Rio, ou dans un pays qui n'a pas d'accord d'extradition avec le Royaume-Uni. Je pourrais ouvrir un petit café sur la plage. Il paraît qu'elles sont magnifiques, les plages. Je servirais des saucisses anglaises avec des frites au vinaigre. Toi, tu pourrais continuer à enseigner l'aïkido. On boirait du rhum ou n'importe quel cocktail local, et on serait heureux.

— Une caïpirinha. Ça te met KO en un rien de temps, mais, au moins, tu es heureux. (Ray éclata de rire.) D'accord, on y va. (Ils restèrent un instant silencieux.) Non, ne dis rien.

Il posa les doigts sur les lèvres de Jeanie. Elle prit sa main dans les siennes.

— J'avais envie de te revoir une dernière fois avant que… (Il hésita.) Avant que le scandale n'éclate.

— À t'entendre, c'est la fin du monde.

— George ?

Jeanie se tenait au bas de l'escalier. Pas de réponse. Elle monta à l'étage et toqua à la porte de l'atelier de George.

— Entre.

Comme d'habitude, il était assis devant son établi, la surface en bois parsemée d'étranges et minuscules pièces d'horloge. Il travaillait actuellement sur un magnifique modèle Art déco et son présentoir en marbre gris.

— Bonjour, ma chérie. Qu'est-ce que je peux faire pour toi ?

Il ôta ses lunettes grossissantes, les remplaçant par sa paire habituelle, et se tourna vers elle pour la saluer.

— Est-ce que ça va ? Tu as l'air préoccupée.

— George, tu as une minute ? Il faut qu'on parle.

Elle l'observa tandis qu'il se levait, s'étirait et bâillait. Il jeta un coup d'œil à l'une des innombrables horloges de la pièce.

— Il est déjà si tard ? J'avais prévu de m'occuper des magnolias cet après-midi. (Il tourna gentiment Jeanie vers la porte et l'entraîna à sa suite.) Allons nous asseoir dehors avec un verre de vin. C'est une belle soirée.

La main de Jeanie tremblait lorsqu'elle prit le verre de vin blanc frais qu'il lui tendait.

— Vas-y, dis-moi ce qui se passe.

Il prit tranquillement une gorgée avant de s'appuyer contre le dossier du siège de jardin, avec un plaisir manifeste. Tout le contraire de Jeanie, assise bien droite, qui tenait son verre de vin loin d'elle comme si elle ne voulait pas se laisser distraire.

— J'espère que tu ne vas pas recommencer avec la campagne, ajouta-t-il, ses yeux tellement semblables à ceux d'Ellie, brillants de malice.

Ce qu'elle s'apprêtait à dire dépassait de loin tout ce qu'elle avait jamais imaginé, et elle manqua d'éclater de rire en songeant à l'incongruité de la situation.

— George… je ne sais pas comment te dire ça, mais… je suis tombée amoureuse de quelqu'un d'autre.

Voilà, c'était dit.

L'espace d'un instant, elle crut qu'il ne l'avait pas entendue. À moins qu'elle n'ait rien dit du tout, en fait. Le ciel ne leur était pas tombé sur la tête, et George était toujours assis là comme s'il ne s'était rien passé. Il fronça les sourcils et leva les yeux vers elle.

— Qu'est-ce que tu viens de dire ?

Elle posa son verre de vin, craignant de le laisser tomber par terre. Pour une étrange raison, elle était convaincue qu'il fallait absolument éviter cela.

— J'ai rencontré cet homme il y a quelques mois… On… on est devenus très proches…

Elle parlait d'une voix hésitante, sachant pertinemment qu'elle lui servait des banalités tout droit sorties d'un roman à l'eau de rose.

George se redressa.

— Jeanie, ne sois pas ridicule. Tu ne peux pas être tombée amoureuse de quelqu'un d'autre… C'est… c'est complètement ridicule. (Elle croisa son regard.) C'est une blague, c'est ça ? demanda-t-il avec colère.

— J'aimerais tellement que ce ne soit qu'une blague, George.

Il se leva, reposant violemment son verre sur la table pour la regarder.

— Ça suffit, arrête ça tout de suite. (Elle baissa les yeux.) Qui est-ce ?

— Il s'appelle Ray Allan. Je l'ai rencontré au parc quand je me promenais avec Ellie.

— Je ne te crois pas, ajouta-t-il sur un ton obstiné et définitif.

Il se détourna pour regagner la cuisine par les portes-fenêtres.

— George, reviens. (Jeanie s'élança après lui.) Où vas-tu ?

Son mari continua à marcher dans le couloir.

— Je ne vais pas rester ici à écouter ces bêtises, l'entendit-elle marmonner.

— George !

Elle le rattrapa et le saisit par le bras, le forçant à lui faire face. Il tenta de se dégager, mais, en cet instant, elle était plus forte que lui.

— Il faut qu'on discute.

Il la regarda droit dans les yeux, et elle comprit qu'elle l'avait blessé.

— Je refuse.

Cela faisait dix ans que Jeanie acceptait le déni de son mari, mais, cette fois, elle ne comptait pas se laisser faire.

— Non. Non, George. On va en parler ! Il le faut.

Elle le tira vers la cuisine et le força à s'installer sur une chaise. Assise de l'autre côté de la table, elle l'observait froncer les sourcils, le regard vide.

— Il n'y a rien à dire.

Refusant obstinément de lever les yeux vers elle, il commença à feuilleter rapidement un magazine dédié aux montres. On n'entendait que le bruit du pouce de George effleurant chaque feuille et le tic-tac des horloges dans la cuisine silencieuse. Elle lui arracha le magazine des mains pour le jeter à l'autre bout de la table.

— Tu comptes faire comme s'il ne s'était rien passé ?

— Qu'est-ce que tu attends de moi ? Que je me tire une balle dans la tête ? Que je lui tire dessus ? (Il s'interrompit, levant les yeux vers elle.) Ou que je m'en prenne à toi ?

— Je t'en prie.

Il se leva et resta immobile à l'observer.

— Jeanie, je ne sais pas ce qui s'est passé et je n'ai pas envie de le savoir. Je te fais confiance pour y mettre un terme. Je ne vois pas l'intérêt d'en discuter.

Il tourna les talons.

Il s'arrêta avant d'atteindre la porte comme s'il voulait ajouter quelque chose, mais il en fut incapable.

Il hocha sèchement la tête avant de quitter la pièce.

Assommée, elle s'assit à la table de la cuisine dans la lumière déclinante du soir. Une fois de plus, il avait refusé de la croire, ignorant ses sentiments pour l'enfermer dans le mensonge. Il l'avait entendue, elle le savait, elle avait lu la douleur dans ses yeux. Pourtant, c'était comme si rien n'avait changé.

La sonnerie de son portable la fit sursauter.

— Maman, c'est moi. Tu es toute seule ?

— Oui, ton père est à l'étage.

— À propos d'hier soir, tu n'as rien dit à papa, n'est-ce pas ?

Elle poursuivit avant que Jeanie ait eu le temps de répondre :

— Tu ne devrais pas lui dire, ça lui ferait trop de mal. Je me suis montrée égoïste. Tu m'as choquée, et je voulais te le faire payer. Je voulais te forcer à rompre avec Ray. Mais ce n'est pas juste pour papa, tu ne crois pas ? J'étais soûle et en colère. Ne lui dis pas, maman. Je ne veux pas vous juger, Ray et toi. Si c'est une passade, fais ce que tu as à faire mais ne détruis pas ce qu'il y a entre papa et toi.

Chanty était essoufflée comme si elle montait les escaliers. Jeanie entendit une sonnerie d'ascenseur, et sa fille souhaita « bonne soirée » à quelqu'un.

— Je lui ai dit, ma chérie.

— Oh, non… Mon Dieu, tout est ma faute. Qu'est-ce qu'il a dit ?

— Il n'a pas voulu me croire et il refuse d'en parler. Comme d'habitude. Il m'a dit qu'il était certain que je mettrais un terme à tout ça. Chanty, ce n'est absolument pas ta faute. Rien de ce qui s'est passé n'est ta faute.

— Donc, papa n'est pas vraiment fâché ?

— Il est très en colère, c'est normal. Mais il refuse de l'admettre. Il se ment.

— Ne lui dis pas que je savais. Il ne le supporterait pas.

— D'accord.

— Tu n'as pas l'air d'aller bien.

— Je ne vais pas bien, mais c'est uniquement ma faute. J'aimerais qu'il accepte de me parler. Même si c'est pour me dire qu'il me déteste.

— J'espère qu'il ne te déteste pas. Il faut que je raccroche, je dois prendre le métro. Je t'appelle plus tard. Au revoir, maman. Dis à papa que je l'aime.

Jeanie attendit, espérant parler à George. Soudain, elle comprit qu'il avait raison : il n'y avait rien à ajouter. Que voulait-elle qu'il fasse ? Ce n'était pas dans le style de George de poser des questions gênantes sur le pourquoi du comment. Aussi, bien qu'il ne soit que 22 heures, Jeanie monta dans sa chambre et s'efforça de lire un roman prêté par Rita, un récit épique qui se déroulait en Inde. L'histoire était trop compliquée pour son esprit fatigué : incapable de se souvenir de tous les personnages, elle devait sans cesse retourner au début. Elle finit par abandonner, éteignant la lumière pour plonger dans un sommeil sans rêves.

Elle fut réveillée par un drôle de bruit : une sorte de miaulement étouffé qui semblait provenir de l'autre côté du lit. Jeanie se figea tandis que son esprit passait différents scénarios en revue. Elle glissa lentement sa main gauche hors de la couette et tâtonna pour trouver l'interrupteur de la lampe de chevet. Lorsqu'elle alluma, la lumière inonda la chambre, révélant la silhouette de son mari, recroquevillé en position fœtale au pied du lit.

— George ?

Horrifiée, Jeanie tendit la main dans sa direction pour le toucher. Il était tombé dans un état catatonique : tous les muscles de son corps étaient tendus tandis qu'il produisait des sons incompréhensibles. Il avait la peau glacée, le visage blême, les yeux fermés, et tenait ses mains contre son torse. Le cœur battant, Jeanie réagit automatiquement, sans paniquer, comme elle avait appris à le faire lorsqu'elle était infirmière, et enveloppa rapidement George dans le duvet pour ramener son grand corps, seulement vêtu d'un pyjama, au milieu du lit.

— George, mon chéri… (Elle le tenait contre elle, l'enlaçant et le berçant avec douceur comme un enfant.) Tout va bien, allez, réveille-toi. Réveille-toi, George.

Elle écarta prudemment les mèches de cheveux de son front moite, comme elle le faisait souvent avec Ellie, lui caressant le visage et le corps avec des gestes fermes, parlant plus fort pour obtenir une réaction. Elle le sentit enfin remuer entre ses bras, et les gémissements cessèrent, mais il commença à trembler dès qu'il s'efforça de reprendre une position normale, son corps toujours recroquevillé comme un petit animal blessé.

Lorsqu'il s'éveilla enfin, il avait le regard hagard et confus.

— Jeanie ? Aide-moi… J'ai si froid… Qu'est-ce qui m'arrive ?

— Ça va aller, tu as eu une attaque. (Elle le tourna pour qu'il puisse poser la tête sur son oreiller, l'emmitouflant davantage.) Tu as mal quelque part ?

— Non, je n'ai pas mal… Pourquoi est-ce que je tremble ? Je n'arrive pas à me contrôler… J'ai peur, Jeanie. (Les tremblements finirent par s'apaiser, et son visage reprit quelques couleurs.) Comment suis-je arrivé ici ? demanda-t-il faiblement.

— Je n'en sais rien. Je me suis réveillée en entendant du bruit, et c'était toi. Tu semblais inconscient, tu devais être en état de choc.

— En état de choc ? (Il la regarda, perplexe.) Pourquoi est-ce que je serais en état de choc ?

Le cœur de Jeanie se serra. *S'il vous plaît*, demanda-t-elle, *faites que je ne doive pas tout lui dire une seconde fois*. Elle ne répondit pas, se contentant de le tenir contre elle. Il s'assoupit, le menton contre la poitrine. Il semblait soudain si vieux et vulnérable, nu sans ses lunettes.

Jeanie attendit qu'il se réveille, le cœur rongé par la culpabilité. Durant des mois, ses sentiments pour Ray lui avaient donné l'impression que les actes et les paroles de George manquaient de substance, comme s'ils appartenaient à une autre réalité.

Mais, tandis qu'elle le tenait dans ses bras, il semblait soudain bien présent. Le visage de son époux lui était aussi familier que le sien.

Jeanie laissa son mari dans son lit et descendit pour préparer le thé. Il s'était éveillé une demi-heure plus tôt, à peu près en forme malgré son visage blême et fatigué. Elle était allée lui chercher ses lunettes, toujours à leur place près de son lit défait, s'interrogeant sur la mystérieuse raison qui l'avait poussé à se coucher à ses côtés en gémissant durant la nuit. Elle n'avait jamais vu George pleurer, pas une fois, et elle le connaissait pourtant depuis trente-cinq ans.

— Jeanie, il faut qu'on parle, avait-il dit en se réveillant comme s'il s'était assoupi au milieu d'une conversation qu'il tenait à poursuivre.

Elle avait bien conscience que le thé n'était qu'une excuse pour retarder l'inévitable, mais elle n'avait presque pas dormi et craignait déjà ce qu'il s'apprêtait à lui dire.

Elle s'assit un instant à la table de la cuisine, rassemblant son courage. Il était 6 h 30. En d'autres circonstances, elle aurait probablement apprécié cette matinée d'été ensoleillée.

— Merci. (George accepta le thé qu'elle venait de lui monter avec un certain formalisme.) Assieds-toi, Jeanie. Il faut que je te dise quelque chose.

— George, je suis désolée. Je me sens responsable de ce qui s'est passé la nuit dernière. Tu étais dans un tel état… Je sais que c'est ma faute. Pourquoi ne pas attendre que tu ailles mieux pour en reparler ?

Il secoua la tête avec obstination.

— Ça ne peut pas attendre. Ça n'a rien à voir avec toi. Je t'en prie, laisse-moi parler ou je risque de ne plus en avoir le courage. (Jeanie l'observa d'un air interrogateur, mais il attendit, le visage fermé, qu'elle s'assoie sur le lit.) Ce n'est pas ta faute. Je n'ai pas été à la hauteur parce que je ne suis qu'un lâche.

Il passa les bras autour de ses jambes dans un geste étonnamment puéril, le regard fatigué et sérieux derrière ses lunettes. Jeanie s'aperçut que George n'avait jamais eu l'air jeune, même à vingt ans. Mesuré et responsable dans tout ce qu'il faisait, il semblait souvent se tenir à l'écart de Jeanie et du reste du monde. Il arborait à présent un air déterminé, comme si la peur l'avait déserté.

— Jeanie. (Il croisa le regard perplexe de son épouse.) Je ne sais pas comment te dire ça… pour que ce soit plus facile à entendre… (Il soupira.) Plus facile pour toi et pour moi. (Il inspira profondément, et le cœur de Jeanie s'emballa comme si elle redoutait elle aussi cette mystérieuse menace.) Quand j'étais enfant, Stephen Acland, un ami de mon père, a abusé de moi. Je passais les vacances chez lui quand je ne rejoignais pas mon père où il travaillait comme diplomate.

Il prononça rapidement ces mots qu'il avait dû répéter des dizaines de fois.

Jeanie l'observa.

— Abusé sexuellement ?

George acquiesça.

— Mais… tu y es allé pendant des années.

— Et il a abusé de moi durant toutes ces années. J'avais dix ans quand ça a commencé, et ça a duré jusqu'à mes quatorze ans, précisa-t-il, le visage tordu par une rage trop longtemps réprimée.

— Mon Dieu ! Pourquoi tu ne m'as rien dit, George ? Tu as gardé cet horrible secret pendant toutes ces années sans pouvoir me le dire ? (Elle resta songeuse un instant.) Mais tu m'as dit qu'il était génial avec toi… qu'il était intelligent, cultivé, drôle…

George hocha de nouveau la tête.

— Oh, mais il l'était ! Il m'a appris tant de choses. Jeanie, c'était ma faute. Je l'ai laissé faire. J'allais dans son bureau après le dîner quand il me le demandait… Il m'apprenait à jouer aux échecs…

Jeanie poussa un grognement de colère en secouant la tête.

— Quoi ? C'est comme ça qu'il appelait ça ? Le salaud ! Quel salopard ! (Elle leva les yeux vers son époux.) Il n'y a aucune excuse quand on parle d'abus, George. Il n'y a qu'un seul coupable, et c'est lui ! Nom de Dieu, c'est horrible ! Ce qui s'est passé est horrible, mais c'est encore pire que tu aies pu croire que tu ne pouvais pas me le dire. Tu croyais que j'allais dire quoi ?

George haussa les épaules.

— J'avais honte. Je ne voulais pas que tu croies que j'étais gay. Je ne suis pas gay.

— Je n'ai jamais dit que tu l'étais.

— Et je pensais que ça te dégoûterait. J'ai toujours cru que c'était ma faute et je m'imaginais que c'est ce que tu penserais, toi aussi. Je n'aurais jamais pu en parler à mes parents. Mon père aurait refusé de me croire, de toute façon. Stephen a servi avec lui en Birmanie et pendant le siège de Malte. Stephen était un héros de guerre : il a reçu la médaille de l'Ordre du Service distingué pour avoir sauvé trois hommes d'un tank qui a explosé en Afrique du Nord. Mon père voulait qu'il devienne mon modèle.

— Et sa femme ?

— Caroline ne se doutait de rien. J'en suis sûr et certain. C'était une autre époque, Jeanie. De nos jours, on en parle. Tu ne peux presque plus adresser la parole à un enfant sans risquer d'être accusé de quelque chose, mais, dans les années 1950, c'était différent. Une femme comme Caroline ne savait probablement même pas que ça existait. Comment aurait-elle pu imaginer que son mari adoré me tripotait dans son bureau après le dîner ? C'était une grande maison, et elle ne le dérangeait jamais quand il était dans cette pièce. Je suis sûr qu'elle se tartinait le visage de crème avant d'aller se coucher avec un roman de Jane Austen.

— Ah, Jane Austen ! dit Jeanie en souriant. (Elle secoua la tête.) Pardon... Depuis tout ce temps... Ça fait quoi, cinquante ans ? Et tu as gardé ça pour toi. George, je ne sais pas quoi dire... J'aurais aimé que tu m'en parles. (Ils restèrent tous les deux silencieux.) Qu'est-ce qui s'est passé ? Quand est-ce que ça s'est arrêté ? Tu l'as revu depuis ?

George tendit les jambes en clignant plusieurs fois des yeux.

— Ça s'est arrêté à la mort de papa. J'avais quatorze ans et j'allais à l'école à Sherborne. Maman est revenue vivre dans notre maison du Dorset.

— Et tu ne l'as jamais revu ? Il était pourtant proche de ton père.

— Ils ont déménagé en Afrique du Sud. Je suppose que maman a dû les voir quand ils revenaient au pays, mais les gens ne prenaient pas souvent l'avion à l'époque. Et tu sais bien que maman n'était pas quelqu'un de sociable. C'est plutôt ironique qu'elle ait choisi d'épouser un ambassadeur.

Jeanie avait toujours apprécié Imogen, sa belle-mère. C'était une femme charmante, discrète, douce et rêveuse, qui n'était jamais aussi heureuse que lorsqu'elle pouvait rester seule dans son magnifique jardin. Elle était morte près de quinze ans auparavant des suites d'une chute. George avait été dévasté par sa mort.

— Tu ne lui as jamais dit ?

George esquissa un sourire triste.

— À quoi bon ? Même en supposant qu'elle m'ait cru, ça n'aurait servi qu'à la blesser.

— Peut-être... Mais tu aurais pu me le dire, à moi. Tu ne me faisais pas confiance ?

George lui prit la main.

— Ça n'avait rien à voir avec la confiance. J'avais peur de te perdre.

— De me perdre ? Tu pensais vraiment que j'arrêterais de t'aimer parce qu'on avait abusé de toi quand tu étais enfant ? C'est ridicule.

— Pour toi, peut-être... À vrai dire, ça me semble ridicule à moi aussi, maintenant. Mais c'était en moi. J'y pensais en permanence, tous les jours, et je pensais que tu ne supporterais pas de nous imaginer, lui et moi... Mais c'est surtout que j'avais honte. J'ai toujours honte.

Jeanie sentit soudain monter en elle une vague de colère qui lui donna envie de tout casser. Elle se leva pour marcher un peu, incapable de gérer ses émotions.

— Tu étais si jeune. À peine dix ans. Comment as-tu supporté ça tout seul ? Tu ne devais probablement pas comprendre ce qui se passait.

— Il en faisait un jeu.

— Cette espèce de malade, cet obsédé… Quel salaud !

Elle ne supportait pas d'imaginer ce petit garçon sans défense qui ignorait comment demander de l'aide ou refuser d'obéir à cet homme qui en profitait.

— Tu vois ? (George la regardait.) Tu aurais préféré ne rien savoir, je le savais.

Jeanie se pencha pour l'enlacer avec force.

— Ce n'est pas la question.

Chapitre 17

Étendue dans la baignoire, Jeanie regardait les gouttes d'eau chaude glisser entre ses seins. Elle n'arrivait pas à oublier la photographie de George dans son uniforme scolaire : un garçon timide et dégingandé arborant un veston taillé dans un tissu « qui dure ». Il avait dû vivre avec ce secret, sans jamais le partager. Elle avait envie de pleurer sur lui, sur son enfance volée et aussi sur sa vie à elle, parce que leur mariage avait lui aussi été contaminé par l'ignoble crime de Stephen Acland. George lui avait enfin expliqué ce qui s'était passé ce jour-là, plus de dix ans auparavant, lorsqu'il l'avait rejetée, lui préférant la solitude de la chambre d'amis.

— Je déjeunais avec Simon à Primrose Hill. (Jeanie avait compris que, même s'il lui en coûtait, George avait désespérément besoin de se confier.) Soudain, j'ai entendu cette voix venant d'une autre table. Je l'ai immédiatement reconnue. Il avait une façon très particulière de s'exprimer. Il parlait vite, d'une voix forte et confiante, comme s'il était convaincu qu'il disait quelque chose d'important. Il avait passé son enfance en Afrique du Sud et avait gardé un accent particulier quand il prononçait certaines voyelles. Je suis probablement devenu tout pâle parce Simon m'a demandé si je me sentais bien. Je suis allé aux toilettes en prétextant un mal de ventre. Aclan m'a suivi.

Il devait avoir soixante-dix ans bien tassés, mais j'avais l'impression qu'il n'avait pas changé. Il m'a coincé à la sortie et il a commencé à me parler comme s'il ne s'était rien passé. Il m'a demandé comment j'allais, a ajouté que c'était merveilleux de me revoir après tout ce temps. Il m'a dit que Caroline était morte un an plus tôt et qu'elle lui manquait. Je n'ai rien dit, je ne pouvais pas. Simon, qui s'inquiétait pour moi, est arrivé, et Acland a eu l'audace de lui dire qu'on passait du bon temps tous les deux quand j'étais enfant, qu'il adorait que je vienne lui rendre visite. Il a même été jusqu'à me dire : « Toi et moi, on était des amis spéciaux, n'est-ce pas, George ? » Ce sont les mots qu'il a employés, Jeanie, « amis spéciaux ». Tu imagines ? Tu te rends compte de l'audace de ce type, de son culot ? Il m'a regardé... J'étais blanc comme un linge, je tremblais... Il savait que je n'avais jamais rien dit et que je ne dirais jamais rien.

Jeanie enlaça son époux, toujours vêtu de son pyjama bleu marine après ce qui lui semblait être la plus longue nuit de sa vie, sachant pertinemment qu'elle ne pourrait jamais effacer ses souvenirs, quoi qu'elle dise.

— Tu pensais à lui... à ce qu'il t'a fait... quand on faisait l'amour ? C'était ça, le problème ? ne put-elle s'empêcher de demander.

George la regarda avec angoisse.

— Oui et non. J'aimerais te dire que ça n'est jamais arrivé, mais c'est faux. Je sais que c'est terrible. J'ai réussi à l'enfermer quelque part à l'intérieur de moi... Parfois j'y pensais et j'avais l'impression d'avoir de nouveau dix ou onze ans. Mais j'ai appris à vivre avec. Je n'ai pas supporté de le revoir, ce jour-là. Je ne pouvais plus prétendre qu'il ne s'était rien passé. Et, cette nuit-là, j'ai eu l'impression qu'il était avec nous dans le lit et qu'il souriait d'un air suffisant. J'ai paniqué et je me suis enfui. J'aurais dû te le dire quand c'est arrivé, Jeanie. Ça aurait mieux valu pour nous deux, mais je ne pouvais pas.

— Tu devrais consulter un avocat pour envoyer ce salaud en prison… ou le forcer à suivre une thérapie.

George secoua la tête.

— Non, je t'en prie, ne dis pas ça. Je ne pourrais jamais en parler à quelqu'un d'autre. S'il te plaît, Jeanie, n'en parle pas à Chanty. Je ne le supporterais pas, ajouta-t-il d'une voix suppliante. C'est horrible, qu'est-ce qu'elle penserait de moi ?

Jeanie grimaça en songeant à Chanty. Elle savait que sa fille éprouverait de la compassion, mais aucun enfant ne devrait apprendre ce genre de choses sur son père.

— Il est évident que c'est à toi de décider à qui tu veux en parler. Mais je t'en prie, il faut que tu ailles voir un thérapeute. Ce n'est pas en parlant avec moi que tu vas aller mieux. Tu dois consulter un professionnel qui sait gérer ce genre de choses. Il le faut, sinon ce salaud risque de te hanter jusqu'à la fin de tes jours. Je t'en prie, George… plus de secrets.

— Tu es certaine qu'il n'a pas inventé tout ça pour t'empêcher de le quitter ?

Rita glissa sa raquette dans la housse avant de refermer celle-ci. Jeanie s'était défoulée ce jour-là, frappant la balle comme une furie pour l'envoyer sur la ligne de fond, libérant la rage qui l'embrasait lorsqu'elle songeait à ce qu'Acland avait fait à son époux.

Jeanie leva les yeux vers son amie.

— Tu n'es pas sérieuse.

— Eh bien…, commença Rita. Il ne serait pas le premier à se rappeler quelque chose au bon moment.

— Il ne s'en est pas souvenu « au bon moment », il n'a jamais pu l'oublier, Rita. Il m'a dit qu'il y pensait en permanence.

— Je ne faisais que vérifier, ma chérie. Je ne dis pas que ce qui s'est passé, si ça s'est vraiment passé, n'est pas horrible… Si tu veux mon avis, les pédophiles devraient souffrir mille morts. Mais George n'est pas bête. Même s'il prétend le contraire, il devait savoir que tu pensais à le quitter quand tu lui as parlé de Ray.

— Je ne peux pas le quitter maintenant.

— Donc ça a marché.

— Rita, je t'en prie, ne sois pas aussi cynique. Tu n'étais pas là. Il n'était vraiment pas bien. Je sais qu'il n'a pas tout inventé.

— Tu ne peux pas rester parce que tu as de la compassion pour lui, Jeanie.

Elle ne savait pas quoi répondre. Son amie la prit soudain par les poignets pour la forcer à lui faire face.

— Jean Lawson, c'est ta vie, bon sang !

— Ce qui veut dire ?

— Tu le sais très bien. (Elle lâcha Jeanie en secouant la tête, perplexe.) Tu es en train de me dire que tu vas laisser tomber le type du parc ?

— Peut-être que lui et moi, c'est une erreur. Chanty m'a dit que j'étais vieille et que je finirais seule et abandonnée si je divorce.

Rita soupira en récupérant ses affaires, entraînant Jeanie loin du court.

— C'est normal qu'elle dise ça. C'est ta fille. Elle ne veut pas vous voir souffrir, George et toi. Mais ça ne veut pas dire qu'elle a raison, ma chérie.

— Je sais, mais tu n'as pas vu George. Il était pitoyable, si vulnérable. Si je lui annonçais que je le quittais maintenant, je ne sais pas s'il s'en remettrait.

L'image de son mari recroquevillé en position fœtale, incapable d'arrêter de trembler, s'imposa à son esprit.

— Il finirait par s'en remettre, dit Rita d'une voix ferme. Tout le monde en est capable, George aussi.

— Pourquoi tiens-tu absolument à ce que je le quitte ? voulut savoir Jeanie.

— Je ne tiens pas à ce que tu fasses quoi que ce soit. Je t'ai vue quand tu étais avec Ray. On dirait que tu revis. Je ne supporte pas le gâchis et j'ai l'impression que tu gâches ta vie avec George. Il n'est pas foncièrement mauvais, mais on dirait qu'il se contente de survivre et non de vivre. Ça doit être exténuant de toujours le pousser en avant.

Jeanie était épuisée, horriblement lasse. En y réfléchissant bien, elle s'aperçut qu'elle voulait quitter George. Le sentiment de perte avait disparu. Leur séparation lui apparaissait comme une chance d'être libre, de s'éveiller d'un long sommeil pour découvrir le soleil radieux qui brillait au dehors. Quelque chose avait changé. Le poids du secret l'avait enchaînée à lui et, étrangement, à présent qu'il avait vraiment besoin d'elle, elle avait enfin recouvré sa liberté. C'était une impression fugace, son sens des responsabilités la ramenant obstinément à la réalité.

— Je comprends ce que tu veux dire, Rita. Je comprends tout à fait.

— Mais tu ne vas pas le faire ?

— Comment le pourrais-je ? Je ne peux pas le quitter maintenant qu'il vient d'avouer son horrible secret. Il penserait qu'il me dégoûte, comme il le craignait. Je n'arrive même pas à songer à Ray.

Rita, l'air triste, renonça à la harceler davantage.

— Quand vas-tu le dire à Ray ?

Jeanie secoua la tête.

— Je n'en sais rien. Je ne lui ai plus parlé depuis que je lui ai annoncé que j'allais tout dire à George. Je suis sûre qu'il se doute de quelque chose.

— Pauvre homme, il n'a plus aucune chance.

— Tu es toujours convaincue que George me mène en bateau, n'est-ce pas ? demanda-t-elle d'un air sévère.

— Il est doué pour ça, Jeanie. N'oublie pas qu'il ne s'est pas gêné pour chambouler votre mariage il y a dix ans. Et ne me dis pas qu'il ne savait pas que tu étais malheureuse. Non, il a simplement gardé son petit secret jusqu'à ce que tu envisages de le quitter. Si ce n'est pas de l'égoïsme...

— Je ne suis pas sûre qu'on puisse contrôler ce genre de choses. Il me l'a dit parce qu'il était prêt.

Rita leva les yeux au ciel.

— C'est ça... Ma chérie, fais ce que tu as à faire. Je te soutiendrai quelle que soit ta décision. Mais, s'il te plaît, s'il te plaît, réfléchis à deux fois avant de retomber dans tes mauvaises habitudes.

— Je rentrerai tard ce soir, dit Jeanie. J'ai rendez-vous avec Rita.

George l'observa attentivement.

— Tu l'as vue hier.

—Elle a des billets pour la dernière pièce de Tom Stoppard.

C'était vrai, mais Jeanie ne l'accompagnait pas.

—Je vous souhaite bien du plaisir, marmonna-t-il, retournant à ses mots croisés, un toast à la main.

—J'irai directement après la fermeture du magasin. Je rentrerai probablement assez tard, Rita voudra sûrement aller dîner après le théâtre.

Elle aurait dû lui dire qu'elle allait retrouver Ray, mais, depuis l'autre nuit, elle voyait George différemment, comme une petite chose délicate dont il fallait s'occuper en permanence. Il était trop fragile pour supporter la vérité.

—Amuse-toi bien, dit-il sans la regarder. (Elle l'entendit appeler alors qu'elle atteignait la porte d'entrée.) Au fait, deux personnes viennent voir la maison, aujourd'hui. L'agent m'a confié qu'il y avait beaucoup d'acheteurs potentiels.

Comme Jeanie restait silencieuse, il ajouta :

—C'est tellement excitant, Jeanie. On pourra prendre un nouveau départ. Je sais qu'on peut y arriver, toi et moi. On est arrivés jusqu'ici et on s'est plutôt bien débrouillés.

Il lui adressa un sourire optimiste, que Jeanie s'efforça de lui rendre.

—Je n'ai jamais dit le contraire, rétorqua-t-elle.

C'était comme si George n'avait jamais eu d'attaque deux nuits auparavant, comme si elle avait imaginé la douleur dans le regard de son époux. Il n'en avait plus reparlé, et elle ne parvenait pas à croire qu'une personne normale, George compris, soit capable d'enterrer un secret aussi grave une seconde fois.

— Tu trembles, dit doucement Ray.

Elle ignorait comment elle avait réussi à rejoindre son appartement, descendant la colline dans un brouillard de douleur. Elle se répétait qu'elle faisait ce qu'il fallait, même si elle avait l'impression que c'était tout le contraire. Lorsqu'elle l'avait appelé pour lui parler du viol, Ray n'avait presque rien dit. Il savait peut-être ce que cela signifiait pour Jeanie.

— Ray…

Elle aurait aimé lui parler d'une voix assurée, lui raconter la vérité en gardant le contrôle de ses sentiments. Mais, lorsqu'il la prit dans ses bras, la tristesse de ces dernières semaines s'évanouit, et elle ne put s'empêcher de savourer son parfum, la chaleur de sa joue contre la sienne, le plaisir de cette étreinte.

— Ne dis rien, l'arrêta-t-il lorsqu'elle s'écarta pour lui expliquer. Je sais ce que tu vas dire, mais, je t'en prie, ne prononce pas ces mots. Je ne veux pas me souvenir de ces mots. (Jeanie ne souhaitait rien tant que lui obéir.) Profitons de cette soirée, murmura-t-il.

Une bouteille de vin et deux verres attendaient sur la table du salon tandis que la complainte mélancolique de Chet Baker emplissait la pièce. Ray prit la main de Jeanie, l'entraînant délibérément vers la chambre.

La pièce était éclairée pour la douce lumière du soir. Jeanie s'assit sur le lit tandis que Ray s'agenouillait devant elle. Il l'embrassa doucement, la déshabillant avec lenteur. De sa main, il effleura sa peau nue en une caresse tendre et sensuelle qui lui coupa le souffle.

— Tu es sûre que c'est ce que tu veux, Jeanie ? demanda-t-il en la regardant, les yeux brillants de désir.

Elle acquiesça, tremblante. Il lui donna un baiser intense, brûlant d'une passion aussi violente que la sienne. Ils roulèrent sur le lit, échangeant les caresses et les baisers dont Jeanie avait tant rêvé. Et, lorsqu'ils firent l'amour, Jeanie éprouva des sensations inconnues qui l'emmenèrent plus loin que tout ce qu'elle aurait pu imaginer.

La musique s'était arrêtée depuis longtemps lorsque l'un d'eux se décida à parler.

— Quelle heure est-il ? demanda-t-elle.

— Il est tard, répondit-il après avoir jeté un coup d'œil au réveil posé sur la table de nuit.

— Je devrais y aller.

Ces mots semblaient avoir été prononcés par quelqu'un d'autre. Elle entendit Ray soupirer. Une vague de plaisir aussi intense qu'inattendue l'avait dévastée, la laissant incapable de reprendre pied dans la réalité.

— On fait une bonne équipe, dit-il en souriant, lui déposant un baiser léger sur le front. Tu vas me larguer maintenant que tu as eu ce que tu voulais.

Il se leva, et Jeanie le regarda se déplacer jusqu'au salon pour choisir *Kind of Blue* de Miles Davis sur l'étagère. Son corps était musclé et ferme, pourtant il se déplaçait avec la grâce et la légèreté d'un danseur.

— Je connais Miles Davis, dit-elle lorsqu'il s'allongea, l'embrassant sur le front en la taquinant sur son manque de culture musicale.

Ce morceau de jazz lyrique plus léger reflétait le bonheur de Ray d'avoir fait l'amour avec elle.

— Et tu n'as encore rien entendu... Ça c'est du jazz *light*. Attends de découvrir ma collection *hardcore*.

Soudain elle se rappela pourquoi elle était venue, et les larmes lui piquèrent les yeux. Elle s'assit, s'enveloppant dans la couette.

— Je ne peux pas… je ne peux pas le quitter, Ray. Je t'en prie, il faut que tu comprennes. Ça n'a rien à voir avec toi ou avec mes sentiments pour toi… Cette soirée était magique, je ne l'oublierai jamais. (Elle leva les yeux vers lui, essuyant ses larmes en tenant sa main dans la sienne.) S'il ne m'avait pas dit pour le viol… Si seulement…

— Chuuut, Jeanie ! S'il te plaît, ne dis rien.

— Mais il faut que j'y aille, il est plus de 23 heures.

Malgré l'heure tardive, ni Jeanie ni Ray n'avait envie de bouger.

Pendant une demi-heure, ils restèrent là, enlacés, somnolant bien au chaud dans les bras l'un de l'autre jusqu'à ce que Jeanie se force à se lever.

Elle sortit du lit en soupirant pour rassembler ses vêtements.

— Je te raccompagne.

Ils marchèrent en silence, se tenant par la main. Le temps était froid et nuageux. Lorsqu'ils furent arrivés au sommet de la colline, Ray se pencha pour l'embrasser tendrement, en murmurant :

— « Mon amour, ton souvenir
Est la douleur qui m'accompagne
L'ombre qui plane sur le monde qui m'entoure.
J'ai peur de te perdre
J'ai peur de cette peur. »
Tu sais où me trouver si tu changes d'avis, ajouta-t-il.

Bien qu'il se soit efforcé de parler d'une voix égale, elle savait que les yeux de Ray exprimaient la même douleur que les siens, la douleur de la perdre.

Seuls les tic-tac insistants des innombrables horloges troublaient le silence de la maison. La pendule du couloir sonna 00 h 45 tandis que Jeanie montait l'escalier pour regagner sa chambre. Elle n'avait plus envie de pleurer, elle voulait simplement s'endormir pour ne plus jamais se réveiller. Elle n'alluma pas la lumière et se déshabilla en se dirigeant vers le lit pour se coucher entre les draps frais et se glisser sous la couette. Elle laissa échapper un cri lorsqu'elle se retourna. George dormait à ses côtés.

— Bonsoir, Jeanie, murmura-t-il d'une voix ensommeillée.

Son cri avait dû le réveiller.

— Qu'est-ce que tu fais là ? demanda-t-elle avec colère.

Elle ne songeait plus à dormir.

George se redressa dans la pénombre, une faible lumière entrant par les rideaux mal fermés.

— Désolé de t'avoir fait peur. J'ai pensé qu'il était temps de repartir de zéro et d'arrêter ces bêtises. On ne peut pas continuer à faire chambre à part.

— Sans me demander mon avis ? s'enquit-elle, médusée.

— Tu es ma femme, Jeanie. Je n'ai pas besoin de te demander la permission de dormir dans notre lit, répondit-il sèchement.

— Non ? Tu n'avais qu'à pas le quitter, rétorqua-t-elle. Je suis fatiguée, George. S'il te plaît, retourne dans ta chambre, on discutera de tout ça demain.

Avait-il deviné ce qu'elle avait fait ? Pouvait-il le sentir ?

— D'accord, d'accord, puisque tu insistes. Je pensais te faire une belle surprise.

— Ça, c'était une surprise, murmura-t-elle.

— Il est très tard, fit-il remarquer en se levant pour remonter son pantalon de pyjama.

Il l'observa.

— Je t'ai dit que je rentrerais tard. Rita déteste dîner avant d'aller au théâtre.

— Mais il est presque 1 heure, protesta-t-il, sans la quitter des yeux.

— Va te coucher, George.

Jeanie lui tourna le dos. Elle avait failli lui dire la vérité.

Une fois la porte fermée, Jeanie se pelotonna sous sa couette, en colère contre George qui l'avait si brutalement arrachée à Ray. Elle avait l'impression qu'il venait de violer son intimité et se fichait royalement de s'être montrée injuste envers lui.

Le matin suivant, Chanty passa à l'improviste au magasin.

— Bonjour, ma chérie. Quelle bonne surprise ! Où est Ellie ?

— Elle va bien, elle est à la crèche. On est mercredi.

— Déjà ?

— Tu vas bien ? Tu as l'air fatiguée.

— Oui, je suis sortie avec Rita, et on est rentrées tard.

— Vous avez fait les quatre cents coups ? sourit Chanty. J'espère que tu t'es amusée. (Elle vérifia que Jola ne pouvait pas les entendre et baissa la voix même après s'être assurée qu'elles étaient seules dans la boutique.) Comment ça va avec papa ?

— Ça va, mentit Jeanie.

Le secret de George pesait lourd sur son cœur, mais ce n'était pas à elle d'en parler. Jeanie s'aperçut avec horreur qu'elle vivait dans un monde de mensonges. Heureusement, Chanty sembla se satisfaire de sa réponse.

— Bien, tant mieux. Maman, Alex et moi, on se demandait si vous ne vouliez pas venir dîner ce soir. Ça fait longtemps qu'on ne vous a pas vus tous les deux ensemble.

— Ce serait merveilleux, ma chérie. Pourquoi n'es-tu pas au travail ?

Sa fille semblait étonnamment heureuse.

— J'y vais, justement. J'avais plusieurs choses à faire ce matin.

Elle eut l'air d'hésiter avant de se pencher au-dessus du comptoir pour embrasser sa mère sur la joue.

— On se voit ce soir, alors ? Viens vers 19 heures, comme ça tu pourras voir Ellie avant qu'elle aille au lit. S'il fait beau, on fera un barbecue.

Après le départ de Chanty, Jeanie s'installa sur une chaise derrière la caisse. Elle n'avait pas encore eu vraiment l'occasion d'y repenser, mais le plaisir insoupçonné de cette nuit magique faisait toujours vibrer son corps fatigué tandis qu'elle travaillait, comme si un voile de délicieuses sensations la séparait du monde extérieur. Chaque fibre de son être semblait revivre grâce à Ray. Elle refusait de penser qu'ils ne feraient plus jamais l'amour. Ce matin-là, George, fidèle à lui-même, lui avait présenté quelques vagues excuses pour ce qui s'était passé, avant de lui poser mille questions sur sa soirée. Elle était partie travailler, épuisée par les mensonges qu'elle avait racontés à son époux.

Ce soir-là, Ellie se jeta sur elle dans le hall d'entrée, attendant que Jeanie la soulève pour passer ses petits bras autour du cou de sa grand-mère. Elle venait de sortir du bain, ses cheveux humides encadrant son petit visage rose tout propre. Ellie montra fièrement son pyjama.

— Jin… Regarde, Jin. Y a écrit que je suis un ange. (Elle éclata de rire en se blottissant dans ses bras.) Mmmm… Tu m'as manqué.

— C'est vrai, tu es un ange.

Elle enfouit son visage dans les cheveux d'Ellie, savourant son parfum léger.

— Elle mourait d'envie de te voir, dit Chanty en souriant, tout en les entraînant vers le jardin. Papa est déjà là. Alex prépare le barbecue.

Jeanie sortit avec Ellie pour s'installer dans un des fauteuils de la terrasse en bois. George se tenait debout, un verre de vin à la main, l'air particulièrement agité.

— Ils ont fait une offre.

— Elle est intéressante ?

— Fantastique ! Ils sont prêts à payer le prix plein. Ce n'est que le cinquième couple à visiter la maison, mais l'agent m'a dit qu'ils ont paniqué parce qu'il y avait encore deux acheteurs potentiels qui devaient passer après eux.

— C'est génial, mais je ne suis pas surpris. La maison est magnifique, dit Alex en évitant de croiser le regard de Jeanie.

S'adressant à George, il ajouta :

— Vous avez accepté ?

George acquiesça mollement. Il n'était pas aussi heureux que l'aurait pensé Jeanie.

— Tu n'as pas l'air très content, remarqua Jeanic.

Il la regarda d'un air absent.

— Si, si, je suis très content. Je pensais que tu en ferais toute une histoire. Je t'ai appelée pour te le dire, mais ton téléphone était éteint.

Jeanie observa Alex qui retournait les morceaux de poulet en un geste parfaitement inutile. Il ne s'était visiblement pas rendu compte que le charbon de bois n'était pas assez chaud. Une drôle d'ambiance flottait : ils semblaient tous distraits, y compris Chanty. Jeanie s'installa à table pour faire l'un des puzzles préférés d'Ellie, qui mit rapidement les pièces à leur place. Chanty attendit que sa fille soit couchée pour sortir de la cuisine, une bouteille de champagne à la main. Jeanie la vit esquisser un sourire en direction de son mari.

— On fête la vente de la maison ? demanda George.

Chanty et Alex attendirent que le champagne soit servi pour répondre.

— On a quelque chose à annoncer, dit-elle, en s'efforçant de contenir son excitation.

Alex s'était éloigné du barbecue pour se placer à ses côtés, affichant cet air penaud qui ne le quittait jamais lors des réunions familiales.

— Je suis enceinte.

La fatigue de Jeanie s'évanouit sur-le-champ.

— C'est merveilleux ! C'est extraordinaire, ma chérie. C'est pour quand ?

— Je suis enceinte de dix semaines, donc ce sera juste après Noël.

Jeanie embrassa sa fille, donnant une tape amicale dans le dos de son gendre.

— Dix semaines ? Et tu ne nous as rien dit ?

— Je ne l'ai su que ce matin. J'ai eu pas mal de choses à penser depuis ce qui s'est passé avec Ellie, et ce n'est que quand j'ai commencé à me sentir mal que j'ai compris. (Chanty se pencha pour embrasser son mari sur la joue.) Alex a été génial.

— En revanche, à Noël, ça ne pouvait pas plus mal tomber, se plaignit Jeanie. On sera à des kilomètres d'ici.

— Tu pourras venir passer quelque temps ici. Ça ira, maman. J'aurai besoin que tu m'aides avec Ellie.

— Elle est déjà au courant ?

Chanty secoua la tête.

— Dans le livre, ils disent qu'il faut attendre avant de le lui dire. Ils n'arrivent pas encore à se situer dans le temps à cet âge-là.

— Elle ne va pas apprécier ! déclara Jeanie en souriant.

Elles continuèrent à discuter sans que personne ne remarque que George restait assis en silence, l'air morose, son verre de vin à la main, dans un coin du jardin. George ne réagit pas lorsqu'Alex annonça que le poulet et les saucisses étaient prêts et qu'ils pouvaient passer à table.

— Papa ? Viens, c'est prêt.

George regarda autour de lui sans bouger.

— George ? demanda Jeanie en s'approchant de lui. Ça va ?

— Pas très bien, ma vieille, répondit-il d'une voix pâteuse.

— Tu te sens mal ?

George croisa son regard.

— Je dois dire… me sens pas très bien. (Il leva son verre en direction de sa fille et de son gendre.) Merveilleuse nouvelle… un p'tit fils… cette fois…

— Papa, tu es soûl, dit Chanty, dépitée.

George sourit en acquiesçant.

— J'crois que oui… M'excuse… J'ai eu une semaine difficile.

— George, je vais te ramener à la maison… Allez, debout.

Jeanie fit signe à Alex de l'aider, mais George s'écarta d'elle.

— Je parle… J'leur raconte ma s'maine.

— Ça suffit, George. Tu dis n'importe quoi.

— J'sais ce que je dis… J'dois leur raconter ma s'maine… Ma femme couche avec un autre… Et j'lui ai dit… j'lui ai dit pour Acland. Elle sait… On a tous eu une s'maine difficile.

Il y eut un silence choqué.

— Qui est Acland ? demanda Chanty, adressant un regard accusateur à sa mère tandis que George refusait de nouveau de parler, tenant négligemment ses lunettes à la main.

— C'est une longue histoire. Je te raconterai tout une autre fois, ma chérie, murmura Jeanie en faisant un signe à Alex pour qu'il prenne George par l'autre bras.

— Acland… Stephen Acland, esquire… Connard de première, jouait avec moi… aux échecs. (Il montra Jeanie.) Elle sait… S'maine difficile… très difficile… Pardon.

Il se mit à pleurer en poussant d'horribles petits cris.

— Maman, de quoi il parle ? Qu'est-ce qui se passe ?

Jeanie s'efforçait de soutenir George.

— C'est lui qui devrait t'en parler, mais puisqu'il en est incapable…

Le poulet et la salade attendaient toujours sur la table tandis qu'elle leur racontait tout, la colère remplaçant progressivement la surprise et le dégoût sur le visage de sa fille et de son gendre.

— Un héros de guerre, marmonna Alex, les mâchoires serrées.

Chanty était anéantie.

— C'est tellement horrible, maman. Je n'arrive pas à croire qu'il n'en ait jamais parlé. Pauvre papa… Comment peut-on vivre avec ça ?

George se redressa soudain en titubant.

— Quelqu'un a parlé de nourriture ?

Il leur adressa un regard distrait et vacilla un instant avant de glisser doucement sur le sol de la terrasse en renversant son vin et en laissant tomber ses lunettes. Chanty éclata en sanglots.

— Je ne l'ai jamais vu comme ça. C'est terrible. Ce qui lui est arrivé est horrible. Aide-le, Alex. Ramène-le à l'intérieur.

Alex les raccompagna et aida Jeanie à déshabiller George pour le mettre au lit. Son époux était à peine conscient et s'éveillait parfois pour marmonner une série de syllabes incompréhensibles.

— Ça va aller ? (Alex remonta la couette sur son beau-père avec une tendresse inattendue. Il regarda Jeanie.) On ne devrait pas le faire marcher ou lui donner un café bien fort ? (Il esquissa un sourire d'excuse.)

Je suis désolé, je ne sais pas vraiment ce qu'il faut faire dans ces cas-là.

— Je crois qu'il vaut mieux le laisser dormir. Je ne pense pas qu'il ait bu tant que ça. C'est surtout le choc. Il n'arrive pas à gérer cette histoire de viol. J'ai essayé de le convaincre de consulter un thérapeute, mais il a refusé.

— Ça doit être horrible de se retrouver face à son passé comme ça. Il va avoir une sacrée gueule de bois.

Ils sortirent de la chambre et descendirent l'escalier.

— Merci pour ton aide, Alex.

— Et vous, ça va ? Ça ne doit pas être facile pour vous non plus.

Pour la première fois depuis qu'elle le connaissait, elle se surprit à éprouver une certaine affection pour lui.

— J'ai connu des jours meilleurs. (Elle posa la main sur son bras.) Occupe-toi de Chanty… Au fait, Alex, pour le bébé, c'est merveilleux.

Son visage s'éclaira.

— N'est-ce pas ? Je n'aurais jamais pensé que j'aurais un enfant, et maintenant en voilà un deuxième… Mais je suis impatient.

Chapitre 18

Ray lui manquait. Elle avait besoin de lui plus que tout au monde mais n'avait d'autre choix que d'obéir aux contingences de sa vie. Ray était avec elle en permanence, et elle se refusait obstinément à croire qu'il ne la toucherait plus jamais, qu'il ne lui ferait plus l'amour avec cette tendresse passionnée. Elle se surprenait parfois à composer son numéro avant de raccrocher. Qu'avait-elle à lui offrir ? Rien que des responsabilités auxquelles elle se devait de faire face.

En vérité, George avait besoin d'elle car il souffrait d'une profonde dépression. Depuis la soirée chez Chanty, il semblait perdu dans ses pensées, errant dans la maison comme un vieillard sénile. C'était Jeanie qui veillait à ce qu'il se change et se rase. Il s'enfermait toute la journée dans son atelier, mais, la seule fois où Jeanie était allée le voir, elle l'avait découvert assis à son établi devant la même horloge que le jour où elle lui avait avoué la vérité au sujet de Ray.

— Il faut que tu ailles voir Andrew. Tu ne vas pas bien, lui répétait-elle tous les jours.

— Je n'ai pas besoin de voir un médecin. Je suis un peu déprimé, c'est tout. Ça ira mieux quand on sera dans le Somerset. Je suis fatigué, lui rétorquait-il invariablement.

La nouvelle maison semblait être la réponse à tous ses maux. Jeanie décida d'aller voir le médecin elle-même.

Fiable et honnête, Andrew Hall s'occupait d'eux depuis plus de vingt ans. Ancien pilier de rugby, il était doté d'une impressionnante paire d'oreilles en chou-fleur.

— Je ne peux rien faire s'il refuse mon aide, Jeanie. Vous le savez bien, dit-il.

— Mais c'est le propre de la dépression, n'est-ce pas ? Il ne se rend pas compte qu'il est malade.

— Est-ce que vous en connaissez la cause ?

— Il faudra qu'il vous l'explique en personne, mais oui, je la connais.

— Très bien, je comprends. Amenez-le à mon cabinet, et je verrai ce que je peux faire. Mais il faut que vous compreniez qu'à moins qu'il ne représente un danger pour lui-même ou pour les autres je ne peux rien faire sans son accord. Vous pensez qu'il est suicidaire ?

Jeanie prit le temps de réfléchir.

— Non, non je ne crois pas. Mais comment en être sûre ? Qu'est-ce que je dois faire ? Je ne sais plus quoi faire, répondit-elle en ravalant ses larmes.

Le médecin, qui la connaissait bien, ajouta :

— Vous voulez que je passe le voir ? Vous pensez qu'il se confiera à moi si je discute avec lui ?

George accueillit Andrew avec un sourire fatigué.

— Qu'est-ce que vous faites ici ? La vieille est passée vous voir, n'est-ce pas ? devina-t-il en regardant sa femme.

Andrew éclata d'un rire forcé.

— Bien sûr, c'est son boulot de prendre soin de vous. Et, si vous voulez mon avis, elle a eu raison, vous avez mauvaise mine.

George leva les bras, énervé.

— Je sais que Jeanie s'inquiète, mais je vais bien. Je vous assure que c'est vrai. Je suis simplement un peu fatigué. C'est toujours un plaisir de vous voir, Andrew, mais je vous en prie, allez vous occuper de quelqu'un qui en a vraiment besoin.

Andrew fit comprendre à Jeanie qu'il voulait rester seul avec George. Lorsqu'ils eurent fini de discuter, il vint trouver Jeanie, l'air particulièrement grave.

— Vous aviez raison. Il ne va pas bien du tout mais a refusé de se confier à moi. Il m'a parlé de son handicap au golf et du Somerset et s'est mis en colère quand je lui ai dit qu'il avait mauvaise mine. Je suis désolé, Jean. Surveillez-le et appelez-moi si ça s'aggrave ou s'il risque de se faire du mal. En règle générale, ce genre de choses s'arrange tout seul mais ça risque de prendre un peu de temps. Ne baissez pas les bras.

Jeanie se résigna à attendre. Elle n'aimait pas laisser son époux seul, même si l'état de George ne semblait pas s'aggraver. Elle se décida donc à engager une nouvelle vendeuse pour aider Jola, plus tôt que prévu. Elle aurait préféré attendre qu'ils se soient installés dans le Somerset : George avait accepté qu'elle vienne travailler trois jours par semaine jusqu'à ce que le magasin soit vendu. Mais c'était avant qu'il n'ait son attaque.

Le mois d'août approchait. Il faisait inhabituellement chaud pour la saison – ils n'avaient jamais connu ça ! – et les journées de Jeanie s'écoulaient dans un tourbillon de gommettes rondes de différentes couleurs. Des rouges pour le Somerset, des bleues pour le garde-meuble – l'ancien presbytère était plus petit que leur maison actuelle et n'avait pas de grenier pouvant accueillir les nombreux meubles victoriens de l'oncle Raymond que George refusait de vendre –, et des jaunes pour l'Armée du salut. Une équipe de bénévoles enthousiastes emporta tout ce qui n'entrait pas dans les autres catégories à l'aide d'un van. Le désespoir de Jeanie augmentait au fur et à mesure qu'elle découvrait ce qu'il fallait encore trier. Cela faisait plus de quatre-vingts ans que la maison n'avait pas été vidée – depuis qu'oncle Raymond s'y était installé, en fait. Jeanie savait que George aurait été dans son élément, se réjouissant probablement de laisser libre cours à son obsession maladive du moindre détail. Mais elle ne pouvait pas compter sur lui. Elle ressentait parfois une envie féroce de tout jeter dans une énorme benne à ordures.

— Comment va papa ? chuchota Chanty en parcourant la cuisine des yeux à la recherche de son père.

Jeanie avait l'impression que sa fille murmurait en permanence depuis quelque temps.

— Ne t'inquiète pas, il est dans sa chambre. Il ne peut pas nous entendre, répondit-elle en remplissant la bouilloire. Quand bien même il serait assis à cette table, il ne réagirait probablement pas.

Chanty la regarda, horrifiée.

— Qu'est-ce que tu comptes faire, maman ?

— Je ne peux rien faire, soupira Jeanie. J'ai parlé au docteur Hall, et il m'a dit qu'à moins que ton père ne représente un danger pour lui-même ou pour les autres il ne pouvait rien faire sans son accord.

— À l'entendre, on dirait qu'il parle d'un fou. Qu'est-ce que ça veut dire ?

— Il veut parler de suicide, Chanty. Les gens dépressifs sont fragiles. Mais ton père n'est pas suicidaire, ajouta-t-elle rapidement devant l'expression de sa fille. Je t'assure qu'il n'est pas suicidaire, ma chérie.

Elle ne mentait pas, elle en était persuadée.

— Mais comment peux-tu en être sûre ? demanda Chanty, paniquée, d'une voix aiguë.

Jeanie lui tendit une tasse de thé en poussant le carton de lait dans sa direction. Elle ne devait pas oublier que sa fille était plus émotive que d'habitude puisqu'elle était enceinte.

— Je ne peux pas, mais il est impatient qu'on s'installe à la campagne. Il en parle tout le temps. Il est persuadé que tout s'arrangera quand on aura déménagé. Je croise les doigts pour que ce soit le cas.

Chanty, qui était une battante, ne comprenait pas la résignation de sa mère.

— Et si ça ne s'arrange pas, maman ? C'est maintenant qu'il faut agir. Tu ne peux pas te contenter d'espérer que tout ira mieux. Et si jamais il décidait de se…

Incapable de finir sa phrase, elle se leva et commença à tourner en rond dans la cuisine.

— Qu'est-ce qu'il fait chaud ! Si seulement on pouvait avoir un peu de pluie. (Elle se tourna vers sa mère.) Tu devrais peut-être arrêter de t'occuper du magasin et d'Ellie pour rester avec lui, maman, la supplia-t-elle, désespérée. Tu vas bientôt vendre le fonds de commerce, de toute façon. Je sais que c'est difficile pour toi, mais c'est vraiment important.

— Ma chérie, je t'en prie, calme-toi. C'est parfaitement normal que ton père soit déprimé, compte tenu des circonstances.

Avant d'ajouter devant le regard accusateur de sa fille :

— Tu peux me faire des reproches si tu veux, mais il faut qu'on arrive à gérer ce qui se passe. Vas-y, va lui parler. Je reste avec lui aussi souvent que je peux, mais il ne veut pas que je le surveille en permanence. Il me demande de partir.

Chanty jeta un coup d'œil vers la porte avant de regarder sa montre, et Jeanie comprit qu'elle hésitait.

— Vas-y, il ne va pas te mordre. Tu seras rassurée, dit-elle en adressant un sourire compréhensif à Chanty, qui l'imita.

— Pardon de m'énerver contre toi, maman. J'ai toujours cru que papa était quelqu'un de solide, d'invincible. Rien ne semblait pouvoir l'atteindre. Je déteste le voir comme ça.

— Moi aussi, mais j'ai besoin de croire que les choses vont s'arranger. Avec le temps.

Chanty hésita avant de se diriger vers la porte.

— Ce type, Ray, tu le vois encore ?

Jeanie secoua la tête, et sa fille lui répondit par un petit signe approbateur qui la rendit furieuse. Elle avait envie de la traîner dans la cuisine pour lui parler de ses sentiments. Pour lui expliquer à quel point elle souffrait de faire passer sa famille avant son bonheur à elle. *C'est mon choix*, se répéta-t-elle fermement en récupérant la tasse vide de sa fille. Le révérend Dickenson avait toujours répété à ses enfants qu'il était inutile d'accomplir son devoir si on n'y mettait pas tout son cœur. Jeanie savait qu'il avait raison. Elle s'inquiétait de s'être mise dans une situation impossible : elle se retrouvait contrainte de s'occuper de George sans pouvoir envisager de le quitter.

— Tu me donnes une banane, Jin ?

Ellie avait aperçu la banane que Jeanie avait glissée dans la poche de la poussette.

— Quand on sera au parc.

Il faisait presque trop chaud pour sortir, mais Jeanie avait décidé d'emmener Ellie au petit bain du Lido. Ces derniers temps, elle ne cessait de chercher Ray du regard, où qu'elle aille, mais surtout au parc. Elle espérait l'apercevoir au moins autant qu'elle craignait de se retrouver face à lui. Rien n'avait changé, pourtant la douleur de le rencontrer était infiniment préférable à ce manque qui l'emplissait.

— Non… Maintenant. Je veux la banane maintenant.

Ellie commença à pleurnicher, et Jeanie lui tendit un morceau de fruit. Elle chérissait ces instants passés avec Ellie. Jeanie avait l'impression ridicule que l'enfant avait joué un rôle dans sa relation avec Ray, qu'elle leur avait en quelque sorte donné sa bénédiction. Elle ne supporterait pas de renoncer à voir sa petite-fille pour se terrer avec George, qui se fichait complètement de sa femme et ne semblait même pas remarquer sa présence. Pourtant, elle ressentait toujours de la culpabilité à le quitter, éprouvant même une certaine appréhension lorsqu'elle rentrait chez elle.

Elle se pencha pour remettre le chapeau rouge sur la tête de sa petite-fille.

— Non… Je veux pas, dit Ellie en l'enlevant pour le jeter sur le trottoir.

— Tu dois le mettre, ma chérie. Il y a beaucoup de soleil, tu risques d'être malade.

— Non, nooooooooooooon… Je veux pas… Nooooon.

Ellie se débattait tandis que Jeanie tentait de nouer les cordons sous le menton de sa petite-fille qui poussait des hurlements de colère. Jeanie l'emporta, mais Ellie refusait de se calmer : elle se tortillait en criant, le visage rouge de sueur, ses grands yeux bruns étincelants de rage.

— Si on allait plutôt dans la maison de Jin ? proposa Jeanie, trop fatiguée pour se battre avec Ellie.

Au moins, elle n'aurait plus à s'inquiéter du soleil. Elle reposa la question jusqu'à ce qu'Ellie l'entende malgré ses cris.

— La maison de Jin… Oui, on va dans la maison de Jin voir papy.

Aussitôt calmée, Ellie se contenta de pousser de profonds soupirs sous son chapeau, dont elle avait complètement oublié l'existence.

Jeanie lui donna un verre d'eau et le reste de la banane lorsqu'elles atteignirent la maison.

— Si on faisait du bricolage ?

— Oui… J'adore le bicolage.

Ellie applaudit avec force en allant chercher sa boîte dans l'armoire. George avait rassemblé tout un tas de trésors : du rouleau de papier hygiénique en passant par du papier aluminium, des allumettes brûlées ou encore des fleurs fanées. « Garde ça », ordonnait-il souvent à Jeanie lorsqu'elle était sur le point de jeter quelque chose à la poubelle.

— Où est papy ?

Jeanie appela George, qui ne répondit pas. Elle installa sa petite-fille à table avec un pot de colle et du papier avant de monter dans l'atelier de son époux. La tête penchée d'un côté, George était endormi dans son fauteuil, une main posée sur le ventre.

— George… George, Ellie est là. (Il sursauta et la regarda sans comprendre.) Descends, elle te demande.

Il se leva doucement.

— J'ai dû m'assoupir.

Ellie descendit de sa chaise.

— Papy… Papy, viens faire du bicolage avec moi. Regarde, j'ai une plume.

George prit la petite fille dans ses bras pour la soulever et l'enlacer un instant avant de s'asseoir avec elle, farfouillant dans la boîte pour lui tendre un morceau de papier. *Ellie guérit toutes nos blessures*, songea Jeanie en observant son mari écouter avec attention les innombrables questions d'Ellie. La fillette avait rallumé une étincelle de vie dans son regard vide et morne.

Jeanie tapa la lettre adressée à l'étudiant qui louait l'étage au-dessus du magasin. Il achevait son dernier semestre à la Byam Shaw School of Art et devait normalement déménager dans plusieurs semaines. Jeanie voulait s'assurer qu'il le ferait ; elle prévoyait en effet de repeindre l'appartement et d'y passer la nuit lorsqu'elle reviendrait s'occuper de la boutique. Avant de tomber malade, George l'avait harcelée jour et nuit pour qu'elle contacte un agent immobilier. Elle n'avait pourtant entamé aucune démarche bien qu'elle y ait souvent pensé. À présent, elle tirait honteusement avantage de l'état de santé de son époux pour remettre la vente à plus tard. Elle s'efforçait de se convaincre qu'elle avait bien trop à faire pour s'en occuper, mais la vérité était tout autre : seul le magasin l'empêchait de devenir folle. Ce serait également sa seule excuse pour revenir à Londres chaque semaine dès qu'ils auraient emménagé dans le Somerset.

— Je peux prendre ma pause ? demanda Jola en passant la tête par la porte du bureau.

— Oui, bien sûr. (Jeanie s'étira.) Il est déjà si tard ?

— Vous voulez que j'attende que vous alliez voir M. Lawson ?

Jeanie secoua la tête.

— Non, je suis sûre qu'il va bien. Je passerai quand tu seras revenue.

Jola s'était montrée très philosophe lorsque Jeanie lui avait parlé de la dépression de George.

— Il va aller mieux. Ça ne dure jamais longtemps. Ma maman a déjà fait trois dépressions. Elle prend des médicaments maintenant et elle est très heureuse.

— Mais George refuse de voir un médecin, avait rétorqué Jeanie.

Jola avait secoué la tête en ajoutant :

— Ce n'est pas bien, vous devez le lui dire. Il doit voir un docteur et prendre des médicaments. Vous devez l'y amener, c'est idiot.

Jeanie prit place derrière la caisse, à la fois énervée et distraite. Le déménagement lui semblait de plus en plus irréel à mesure qu'il approchait ; il ne restait plus que dix jours. George avait pris le relais, c'était lui qui gérait la distribution des gommettes colorées. Jeanie rentrait chez elle pour découvrir de longues listes qu'il avait rédigées de sa plus belle écriture, indiquant l'emplacement de chaque chaise, lampe, horloge ou autre, dans leur nouvelle demeure.

Le visage de George s'était illuminé lorsqu'ils avaient remonté l'allée de gravier de l'ancien presbytère, une semaine plus tôt, pour récupérer les clés. Son époux avait redressé les épaules tandis qu'ils saluaient James, toujours aussi élégant. L'agent leur fit à nouveau visiter la maison, leur expliquant le fonctionnement de la chaudière et de la fosse septique, ainsi que le système de fermeture des fenêtres. George s'attarda longuement dans le jardin, parcourant la pelouse, observant les arbustes et les plantes, s'arrêtant parfois pour en caresser certains comme s'il retrouvait de vieux amis, tandis que Jeanie écoutait distraitement les conseils de l'agent immobilier. Elle finit par lui assurer qu'il pouvait partir, incapable de supporter plus longtemps de le voir jouer avec son stylo à bille pour tromper son impatience. Elle éprouva une étrange sensation lorsqu'il lui remit les clés. Ce n'est que là qu'elle comprit que c'était à présent sa maison. Elle eut soudain envie de poursuivre la voiture de James pour les lui rendre ; elle n'était pas chez elle dans cette demeure inconnue.

Sur le chemin du retour, George n'avait pas dit un mot, retombant dans sa léthargie coutumière, et Jeanie s'était demandé ce que la maison représentait pour son esprit malade. Jeanie craignait que la magie qu'il lui attribuait ne se révèle inefficace. Cela faisait peut-être cinquante ans que George essayait, mais il était impossible de guérir d'un traumatisme psychologique simplement en refusant d'en parler ou en s'efforçant de penser à autre chose.

La sonnette du magasin tira Jean de ses pensées, et elle leva les yeux pour découvrir Natalie et Dylan.

— Bonjour, la salua Natalie en esquissant un sourire contrit comme si elle n'avait aucun droit d'être là.

— Natalie… Dylan, je suis heureuse de vous voir.

— Je vais à la grande école, annonça fièrement Dylan. C'est mon cartable.

Il lui montra son sac à dos bleu orné, sur le devant, du logo blanc de l'établissement scolaire.

— Wouah… C'est magnifique.

— Mon copain Sammy va à la même école que moi, mais il n'a pas encore son sac.

Ses yeux – les yeux de Ray – brillaient de joie, illuminant son visage parfait, et Jeanie eut soudain envie de l'enlacer pour respirer son parfum qui appartenait aussi, en quelque sorte, à son grand-père.

— C'est génial, se contenta-t-elle de dire. C'est chouette d'avoir déjà un copain quand on va dans une nouvelle école.

Natalie sourit.

— Il est tellement enthousiaste.

— Pourvu que ça dure. Comment va votre père ? demanda-t-elle en baissant les yeux, arrangeant inutilement la pile de sacs en papier biodégradable sur le comptoir.

— Oh ! Il est à l'étranger depuis une semaine, à peu près. Il a soudain décidé d'embarquer sur le bateau d'un de ses amis. Ils vont jusqu'à la côte dalmate. Je ne prends jamais le bateau, mais papa adore ça, comme tous les membres de sa famille.

— Moi aussi, même si ça remonte à des années, quand j'étais enfant. J'ai grandi sur la côte du Norfolk. Je passais tout mon temps libre à naviguer avec mon amie Wendy, qui avait un petit voilier. (Elle ignorait pourquoi elle racontait tout cela à Natalie, elle voulait simplement la retenir un peu plus longtemps.) Il paraît que la côte dalmate est magnifique, ajouta-t-elle avec envie.

— Papa va apprendre à naviguer à Dylan quand il sera un peu plus grand. Ça me terrifie, déclara-t-elle, visiblement anxieuse.

Jeanie la regarda avec compassion, se rappelant les crises de panique et les hurlements de colère de sa mère lorsqu'elle lui désobéissait pour aller naviguer avec Wendy.

— Je suis certaine qu'il est très doué, déclara-t-elle avec passion, oubliant toute prudence.

Son esprit lui renvoyait l'image du corps bronzé de Ray, les cheveux décoiffés par la brise piquante, un léger goût de sel s'attardant sur sa peau et ses lèvres, tandis que le soleil caressait doucement son visage en se reflétant sur les eaux de l'Adriatique. Elle avait douloureusement envie de le voir, de lui parler. Elle avait tant besoin de lui. Elle s'aperçut soudain que Natalie l'observait avec attention.

— Désolée, j'étais ailleurs... Ça fait si longtemps que je n'ai pas mis le pied sur un bateau.

— Hum... Je ne faisais que passer. Dylan vous a vue par la fenêtre et voulait vous saluer. (Elle se tourna vers son fils.) Dis au revoir à Jean, Dylan.

— Nous déménageons dans le Somerset la semaine prochaine, déclara soudain Jeanie alors qu'ils partaient.

Natalie eut l'air surprise.

— Oh, papa ne m'a rien dit ! Vous vendez le magasin, je suppose ?

— Non, répondit Jeanie d'une voix ferme, comprenant qu'elle n'avait aucune intention de vendre le magasin avant un certain temps.

— Tant mieux, ce serait vraiment dommage, ajouta Natalie tandis que Dylan l'entraînait obstinément vers le trottoir.

— Hum… (Le regard perçant de Rita s'attarda longuement sur le visage de son amie.) Donc tu comptes revenir chaque semaine ? (Jeanie acquiesça.) Est-ce que ça aurait quelque chose à voir avec le type du parc ? Tu le vois toujours, n'est-ce pas ? Espèce de vieille coquine !

— Si seulement c'était vrai. Il est parti naviguer sur l'Adriatique. Mais, même s'il était ici, je ne le reverrais pas.

— Comment sais-tu qu'il est parti ?

— Sa fille est passée au magasin.

Le visage de Rita se décomposa.

— Tu es vraiment sérieuse, tu comptes aller t'enterrer dans le Dorset ?

Jeanie ne put s'empêcher d'éclater de rire devant l'expression horrifiée de son amie.

— Ce n'est pas tant l'enterrement qui m'inquiète que les jours qui me restent à vivre. Et c'est dans le Somerset.

— On s'en fiche. Son Altesse accepte que tu l'abandonnes chaque semaine pour travailler au magasin ?

— Il n'a pas encore compris, ou alors il s'en fiche. Je lui ai dit, mais il n'a pas réagi. C'est temporaire, Rita.

Jusqu'à ce que je m'habitue à vivre là-bas. Je ne peux pas tout faire en une fois, j'ai besoin de temps.

—Ma chérie, tu n'as pas à te justifier devant moi. Si tu veux mon avis, tu ne devrais rien faire du tout et encore moins t'habituer à cette vie-là. (Elle s'interrompit.) Il faudra qu'on déplace notre partie de tennis à un soir où tu es à Londres.

Jeanie se sentit soudain dépassée. Chanty était venue la voir ce matin-là. Elle s'inquiétait pour son père, pour l'exposition d'Alex qui avait lieu en septembre, et se demandait comment ils allaient se débrouiller avec le bébé.

« J'aimerais que tu restes, maman, » avait-elle admis.

« Moi aussi, » avait-elle rétorqué d'un ton sec, irritée.

Sa fille avait alors éclaté en sanglots avant de déclarer :

« Plus rien ne marche dans cette famille. »

Jeanie leva les yeux vers son amie, de l'autre côté de la table.

—J'ai vraiment tout fichu en l'air, n'est-ce pas ?

Rita la regardait d'un air inquiet.

—C'est vrai, ma chérie, mais je suis certaine que tu finiras par tout arranger.

Oubliant ses larmes, Jeanie éclata de rire devant l'honnêteté brutale de Rita.

—Merci de ta confiance, dit-elle, mais son amie ne l'écoutait pas.

—Au fait, la fille de Ray est au courant, pour vous deux ?

—Non, je suis sûre que non. Elle pense que nous sommes juste amis… On n'est même plus amis, en fait.

— Hum... Tu ne penses pas que tu pourrais prendre du bon temps avec lui quand tu viens à Londres ? Ce serait la solution parfaite, non ?

— Prendre du bon temps ? demanda Jeanie, choquée.

— N'essaie pas de me faire croire que tu n'y as jamais pensé.

Bien sûr qu'elle y avait pensé, elle avait ses faiblesses, mais elle savait pourtant qu'elle ne pourrait jamais se satisfaire de voir Ray dans de telles circonstances.

— Ray n'est pas quelqu'un avec qui on se contente de passer du bon temps. Il n'est pas comme ça.

— Tous les hommes sont comme ça, lui assura joyeusement Rita. Je sais bien que je t'ai poussée à t'enfuir avec Ray, mais ce n'est peut-être pas ta meilleure option à court terme. George n'est pas au meilleur de sa forme pour l'instant, mais tu le connais bien et tu sais qu'il sera toujours là.

— Tu as changé d'avis, on dirait, rétorqua Jeanie d'un ton sec.

— Je te l'ai déjà dit, je ne veux que ton bonheur et j'ai beaucoup réfléchi. Je reste convaincue que l'âge n'a pas d'importance dans une liaison amoureuse, mais je ne suis pas sûre que ça vaille le coup de chambouler toute ta vie... Tu sais que j'ai raison, sinon tu aurais quitté George depuis longtemps.

Jeanie s'aperçut que Rita était dans le vrai. Elle était lâche. Elle ne pouvait pas sauver ce simulacre de mariage, mais s'y accrochait pourtant désespérément, répétant à qui voulait l'entendre qu'elle était prête à se sacrifier pour s'occuper de George, que le bonheur de sa famille passait avant le sien, alors qu'en fait elle avait peur. Et, à présent, il était trop tard : Ray était passé à autre chose. Elle se représenta le bateau, presque contente de sentir la douleur qui lui transperça la poitrine en songeant à ce qu'elle avait perdu. Ray était probablement en train de boire un verre de vin blanc en compagnie d'une magnifique jeune femme.

Chapitre 19

— George ! George !

Il était penché sur des arbustes, tout au bout de la pelouse. Elle ne l'avait pas encore vu de la journée. Patientant à côté d'elle, la plus vieille amie de la mère de George tentait de reprendre son souffle après avoir remonté l'allée. Femme corpulente et grassouillette, Lorna devait avoir entre soixante-dix et quatre-vingt-dix ans. Ses cheveux gris épars étaient rassemblés en un chignon lâche. Elle portait une jupe en laine brune et arborait une paire d'escarpins à talons, visiblement trop étroits pour ses pieds gonflés et violacés. Jeanie était certaine qu'elle avait choisi ces chaussures spécialement pour l'occasion.

— J'habite à moins de trois cents mètres, trois cent cinquante tout au plus, dit-elle en agitant son bras dodu en direction du village. Je n'arrive pas à croire que ce soit le fils d'Imogen qui ait acheté l'ancien presbytère. (Elle rit, produisant un sifflement puissant.) J'ai entendu quelqu'un prononcer le nom de Lawson, mais je ne parvenais pas à y croire. La propriété est restée inhabitée si longtemps : elle devait vous attendre.

— C'est une maison magnifique.

— Oh, elle était encore plus belle avant que cet imbécile de Barkworth ne défigure la façade avec ces horribles fenêtres victoriennes ! (Jeanie la regarda, étonnée.) Des fenêtres victoriennes pour une demeure géorgienne ! Quelle idée, non mais vraiment ! Et lorsque je lui ai dit ce que j'en pensais, il m'a répondu que c'était normal d'ajouter des éléments de styles différents en fonction de l'époque. Sauf que Barkworth ne vivait pas à l'époque victorienne, n'est-ce pas ?

Jeanie supposa que non, mais elle se garda bien de donner son avis sur ces jolies fenêtres qui encadraient la porte d'entrée.

— Ça gâche tout, si vous voulez mon avis. (Lorna soupira longuement.) Mais personne ne m'écoute, pensez-vous. Les gens font ce qu'ils veulent de nos jours.

— Venez prendre un verre à l'intérieur. Je vais essayer d'appeler George.

Elle craignait que sa voisine ne s'évanouisse si elle ne s'asseyait pas rapidement. Elle installa la vieille dame et ressortit chercher son mari.

— George, tu m'entends ? (Elle le tira par la manche.) S'il te plaît, viens saluer Lorna. C'est une vieille amie de ta mère. Tu te souviens d'elle ? Elle m'a dit qu'elle te voyait souvent quand tu étais enfant.

George se tenait en face d'elle, immobile.

— Il fera noir dans une heure, marmonna-t-il, jetant un regard de regret aux arbustes qu'il taillait.

— Écoute, je ne lui ai pas demandé de passer, mais il faut que tu viennes la saluer. C'est impoli de la laisser seule.

Énervée, Jeanie n'était pas vraiment surprise par le comportement de son mari. Ils s'étaient installés dans leur nouvelle maison depuis près de dix semaines, et George avait passé tout son temps dans le jardin. Son obsession pour les horloges semblait avoir disparu : les dizaines de boîtes contenant sa collection étaient toujours entassées contre le mur de son nouveau bureau. Il prenait son petit déjeuner en vitesse avant de disparaître dans le jardin sans se soucier du temps qu'il faisait, ne quittant son sanctuaire qu'en début d'après-midi pour se préparer un sandwich au fromage et vider la cafetière de café froid du matin. Il rentrait le soir, épuisé, et sirotait un grand verre de whisky avant de prendre son dîner en silence et d'aller se coucher. Il se montrait parfaitement courtois avec Jeanie mais semblait avoir du mal à se rappeler qui elle était. Jeanie savait qu'il était toujours dépressif. Il n'avait pourtant pas l'air malheureux, il était simplement enfermé dans sa bulle. Elle se demandait parfois ce qui arriverait s'il venait un jour à manquer de fromage pour son sandwich. Se rendrait-il au magasin pour en acheter ? Il ne quittait jamais la maison. Elle avait tenté de le convaincre de consulter un médecin sur place. Ce serait peut-être plus facile pour lui de parler à un étranger. Mais il avait refusé :

— Je vais bien, je suis juste un peu fatigué.

— Mon cher George, dit Lorna en tentant de s'extirper du canapé.

— Ne vous levez pas, insista Jeanie comme George restait silencieux.

— Ça fait combien de temps ? poursuivit Lorna en se renfonçant dans les coussins. Ta pauvre mère est morte il y a si longtemps… mais je vois que tu as hérité de sa passion pour le jardinage. (Elle se tourna vers Jeanie.) Avez-vous eu l'occasion de voir le jardin d'Imogen ? C'était quelque chose, il était vraiment magnifique. Des gens venaient de loin pour le visiter. (Elle sourit.) Quand Imogen le permettait, bien sûr.

George s'assit, les mains sales et les vêtements boueux, tel un clochard. Il resta silencieux, l'air perdu, accordant parfois un regard à Lorna qui ne semblait même pas s'apercevoir que quelque chose clochait. Elle leur raconta l'histoire de la région et des maisons du village, et ajouta même quelques anecdotes sur l'horrible Barkworth et la sainte Imogen, sirotant son verre de vin blanc jusqu'à ce que George se lève brusquement pour quitter la pièce. Il lui adressa à peine la parole, mais Lorna fit comme si elle n'avait rien remarqué.

— Désolée. (Jeanie en avait assez de s'excuser.) Il ne se sent pas très bien depuis quelque temps.

La vieille femme acquiesça avec sympathie.

— La retraite peut avoir un effet étrange sur les hommes, vous ne trouvez pas ? ajouta-t-elle comme Jeanie ne donnait pas plus de détails sur la maladie de George.

— Ce n'est pas ça. Le docteur dit que ça risque de prendre du temps, dit-elle, grimaçant en racontant ce mensonge pathétique.

Les gens avaient tendance à réagir de façon négative lorsque l'on parlait de maladie mentale, et Jeanie craignait que les habitants du village refusent d'accepter George parce qu'ils éprouvaient de la gêne en sa présence. Elle espérait que Lorna pourrait les convaincre que George ne sortait jamais parce qu'il était malade et non parce qu'il était impoli.

Jeanie ressentit un frisson d'excitation lorsque le train arriva en gare de Waterloo. Elle s'était inquiétée pour George pendant la majeure partie du trajet. C'était la première fois qu'elle le laissait seul pour se rendre à la boutique, et elle devait cette chance à Lorna. Celle-ci était passée pour les prévenir que Sally, une femme du village qui venait faire le ménage chez elle le lundi et le vendredi, cherchait du travail. Sally correspondait parfaitement à ce que Jeanie espérait : c'était une femme chaleureuse d'une cinquantaine d'années, qui souriait beaucoup et qui était très optimiste quant à l'état de santé de George. Elle viendrait s'occuper de lui en l'absence de Jeanie et la préviendrait s'il se passait quelque chose.

Jeanie se surprit à chercher Ray du regard tandis qu'elle remontait Highgate Hill. Elle avait éprouvé une sorte de soulagement lorsqu'elle était dans le Somerset où elle n'avait pratiquement aucune chance de tomber sur Ray. Mais, à présent qu'elle respirait à nouveau l'odeur si familière du nord de Londres, son corps frémissant d'excitation, semblait soudain prendre conscience qu'elle risquait de le rencontrer à tout instant, ce qui accélérait les battements de son cœur. Elle tenta en vain de s'imaginer ce qu'elle dirait s'ils devaient se rencontrer ; elle ne pensait qu'à ce qu'elle éprouverait lorsque leurs regards se croiseraient.

— C'est différent. (Elle inspecta les étagères réarrangées par Jola, qui attendait, anxieuse, que Jeanie donne son avis.) C'est beaucoup mieux, moins encombré. Qu'est-ce que tu as fait des produits au maïs ?

Jola sourit, soulagée.

— Je les ai mis ici, sous les boîtes de conserve. Personne n'aime ça. Je dois souvent les jeter parce qu'ils sont périmés.

— Tu as raison, les pâtes ne sont vraiment pas bonnes. C'est vrai qu'il y a de plus en plus de produits sans gluten, comme la farine d'épeautre. Tu as très bien fait.

— Comment ça se passe à la campagne ?

Jeanie soupira.

— Ça va, mais je préférerais être ici.

— Et M. Lawson ? Il va mieux ?

— Si on veut... Où est Megan ?

Jeanie appréciait la nouvelle vendeuse. Elle correspondait parfaitement à l'image de l'Australienne franche et énergique, et semblait réellement adorer travailler pour Jola.

— Elle est toujours à l'heure et ça ne la dérange pas du tout de travailler pendant le week-end. Elle est très gentille avec les clients, elle ne se met jamais en colère, s'enthousiasma Jola lorsque Megan partit déjeuner.

— C'est merveilleux... Tu n'as plus vraiment besoin de moi alors...

Jeanie avait dit cela pour plaisanter, mais elle faillit pourtant se mettre à pleurer, se sentant soudain vieille et inutile. Elle ne servait plus à rien, sauf à s'assurer que George n'était pas à court de fromage pour ses sandwichs et de whisky pour son dîner. *Graine de grenade* se passait visiblement très bien d'elle. Jola avait protesté, mais Jeanie avait senti une certaine mélancolie la gagner.

— Je vais voir Ellie au déjeuner, dit-elle à Jola.

Malgré leurs belles promesses de se rendre régulièrement dans le Somerset, Chanty et Alex étaient passés un samedi matin alors que le presbytère ressemblait davantage à un entrepôt de meubles qu'à une maison, des boîtes vides et du papier bulle traînant un peu partout. Ils ne s'étaient pas attardés et n'étaient plus revenus depuis : Chanty était trop fatiguée, c'était trop loin, et Alex devait bien sûr préparer son exposition. Ellie lui manquait horriblement, et Jeanie craignait que sa petite-fille l'ait oubliée.

Il pleuvait lorsque Jeanie descendit la colline pour se diriger vers la maison de sa fille. Il avait fait beau jusqu'à la semaine précédente, l'automne tenant davantage de l'été indien, mais, à présent, un vent mauvais annonçait l'approche de l'hiver. Jeanie s'efforça de chasser ses idées noires en songeant à Ellie, mais même sa petite-fille ne réussit pas à la faire sourire. De l'autre côté de la rue, au coin de Hornsey Lane, elle aperçut un couple sous un large parapluie vert et noir qui cachait leurs visages. Lorsque Jeanie arriva à leur hauteur, une bourrasque de vent souleva le parapluie. C'était Ray. Ray et une femme, qu'il tenait dans ses bras et regardait en souriant. Elle était si belle… et si jeune…

Jeanie crut durant un instant qu'elle allait s'écrouler là, sur le trottoir, au milieu des passants. S'écrouler puis mourir. Elle était incapable de bouger, comme si le sang s'était figé dans ses veines. À l'abri de la pluie, le couple commença à descendre lentement la colline. Ray ne l'avait pas vue, mais Jeanie attendait toujours, immobile. Un indicible désespoir, sans commune mesure avec la douleur qu'elle avait ressentie auparavant, s'abattit soudain sur elle. Elle parvint non sans mal à se traîner jusqu'à la maison.

— Jean, entrez. Vous allez bien ? On dirait que vous avez vu un fantôme. (Alex l'entraîna avec sollicitude jusqu'au salon.) Ellie va bientôt se réveiller. Elle est tellement impatiente de vous voir.

Jeanie se força à sourire.

— Pourrais-je avoir un verre d'eau, Alex ?

— Vous ne vous sentez pas bien ? demanda son gendre en l'observant sans bouger.

— Ça va, c'est juste un petit malaise, le rassura-t-elle d'une voix étonnamment faible et fatiguée.

— Quel genre de malaise ? insista Alex, et Jeanie, malgré son état, ne put s'empêcher de se demander s'il se rappelait sa réaction à la chute d'Ellie dans le parc.

— Je t'assure que ça va. J'ai dû oublier de manger aujourd'hui. J'ai pris le train très tôt et j'ai eu pas mal de choses à faire à la boutique, ajouta-t-elle, d'une voix plus ferme à mesure qu'elle parlait.

Alex eut l'air soulagé.

— Ce n'est pas malin, à votre âge. Il ne faut jamais sauter un repas et surtout pas le petit déjeuner. Chanty a fait une émission là-dessus. Les enfants qui prennent leur petit déjeuner travaillent mieux que les autres à l'école, parce que le cerveau a besoin d'énergie pour fonctionner et, comme on ne mange pas la nuit... (Il sourit.) C'est normal, vous allez me dire. Je pensais que vous sauriez ce genre de choses, Jean, puisque vous vous y connaissez en nourriture diététique.

— C'est le cas, mais tu sais comment ça se passe.

Elle esquissa un large sourire qui acheva de convaincre Alex.

— Je vais vous préparer un toast et du thé, puis on ira réveiller Ellie. Vous voulez du miel ou de la marmelade ?

— Comment ça se passe avec l'exposition ? demanda Jeanie en étalant du miel sur son toast.

Elle savait pertinemment que son malaise n'avait rien à voir avec le fait de n'avoir rien mangé durant la journée. Elle aurait voulu réfléchir à ce qu'elle avait vu, retourner le couteau dans la plaie, mais elle s'efforça de se concentrer sur son gendre.

— Tu as l'air plus détendu, dit-elle à Alex.

Il prit une profonde inspiration.

— En fait, je suis à la fois soulagé d'avoir fini mon travail et terrifié à la pensée que tout le monde pense que c'est de la merde.

— Tu vas sans doute être un peu nerveux, jeudi.

— Nerveux ? (Il frissonna.) C'est un euphémisme : je serai terrorisé…

— Ça doit être difficile, dit Jeanie.

— Vous viendrez, n'est-ce pas ? Avec George ? (Il hésita.) Comment va-t-il, au fait ?

— Je ne sais pas s'il pourra, Alex. Il ne va plus nulle part. Je ne sais même pas s'il sera capable de prendre le train.

— Il est si mal que ça ? Chanty semblait pourtant penser qu'il allait mieux.

— Il n'est pas aussi malheureux qu'avant… Il est dans sa bulle, expliqua-t-elle.

Ellie ne l'avait pas oubliée. La petite fille quitta uniquement les genoux de sa grand-mère pour lui montrer sa chambre et ses jouets en poussant de petits cris enthousiastes. Jeanie aurait aimé emmener Ellie en promenade, mais il tombait des cordes, les gouttes d'eau formant des arabesques en s'écrasant sur la terrasse, à la grande joie d'Ellie qui assistait au spectacle depuis la fenêtre.

— Elles dansent, Jin… Les gouttes dansent.

— Ça se passe bien, à la crèche ? Tu aimes y aller ?

— Oui, j'aime bien, déclara Ellie, l'air sérieux. Jack est mon ami. J'ai vu des marionnettes, Jin.

— C'était chouette ?

— C'était très chouette, répondit Ellie tandis que Jeanie souriait.

Sa petite-fille avait fait tant de progrès en si peu de temps.

— Ma poupée s'appelle Becky. Regarde, elle est toute petite et elle a faim. J'ai du lait dans mon sac. (Elle sortit une bouteille en plastique du sac rose qu'elle emportait partout avec elle et commença à nourrir la poupée.) Elle doit faire dodo, maintenant, déclara-t-elle avec autorité, dans une parfaite imitation de Chanty, avant d'installer la poupée dans son couffin rose et de remonter tendrement la couverture.

Alex se tenait dans l'embrasure de la porte.

— Ça ne s'annonce pas trop mal pour le deuxième, plaisanta-t-il.

— Je ne compterais pas trop là-dessus, sourit Jeanie.

Ellie était la seule à lui faire cet effet-là : à lui remonter instantanément le moral. L'image de Ray et de l'autre femme s'imposait pourtant à elle quand elle n'y prenait pas garde, la douleur lui transperçant soudain le cœur.

— Le dîner est servi, Ellie, dit Alex. Saucisses et... ketchup !

— Oooooh ! (Ellie sourit, les yeux brillants.) Saucisses et ketchup. Tu as faim, Jin ? Je veux bien partager avec toi.

— Il faut que j'y aille, ma chérie, répondit Jeanie en se relevant.

— Vous pouvez rester dîner. Chanty sera là dans une petite heure. (Alex lui adressa un sourire contrit.) Je ne tiens pas à ce que vous tombiez dans les pommes en sortant de la maison. Chanty pourrait penser que je n'ai rien appris de mes erreurs.

— Merci, Alex, mais il faut que je retourne au magasin. J'ai une tonne de boulot à rattraper.

— Vous vous plaisez dans le Somerset ?

Il semblait différent, à présent que son travail était terminé – moins agressif. Il était vraiment inquiet pour elle. La gorge de Jeanie se serra. Elle prit soudain conscience qu'elle avait toujours cru qu'elle pourrait revoir Ray, si elle le voulait vraiment. Elle n'avait jamais vraiment eu l'intention de finir ses jours dans le Somerset : c'était temporaire.

— Je ne sais pas vraiment quoi répondre, dit-elle en ravalant ses larmes.

— C'est George ? Ça ne doit pas être facile du tout s'il est aussi déprimé.

— Tu es triste, Jin ? demanda Ellie, inquiète.

La petite fille s'approcha et passa un bras autour des jambes de Jeanie, lui caressant les genoux de son autre main.

Jeanie inspira profondément.

— Je suis un peu triste, ma chérie, mais ça ira. (Elle se pencha pour soulever la fillette et enlacer son petit corps chaud.) Je ferais mieux d'y aller, dit-elle.

Elle réussit à garder le contrôle d'elle-même tandis qu'elle leur disait au revoir et descendait les marches du perron, se retournant pour adresser un petit salut de la main à son gendre et à sa petite-fille. Elle parvint même à parcourir les quelques mètres qui la séparaient du coin de la rue, avant de s'effondrer.

L'appartement au-dessus de la boutique semblait vide et sinistre, comme tout bâtiment abandonné. Personne n'y vivait plus depuis près de deux mois. Jeanie avait fait repeindre les murs en blanc et avait remplacé les meubles bon marché par des pièces venant de leur ancienne maison de Highgate. L'ensemble était prometteur. Le salon avec cuisine ouverte était lumineux, ses fenêtres donnant, à l'avant, sur la rue principale, et, à l'arrière, sur les jardins. Il y avait une chambre spacieuse et une salle de bains au deuxième étage. Elle pourrait décorer cet appartement, songeait-elle en allumant le chauffage et en cherchant le thé. Elle n'avait jamais vraiment aimé leur ancienne maison. Les pièces à haut plafond étaient sombres, presque tristes. Elle trouvait pourtant cela bizarre de se trouver à Highgate, mais pas dans la demeure où elle avait vécu durant trente-cinq ans. Épuisée, elle s'enroula dans le plaid en laine couleur cassis de l'ancienne cuisine et s'allongea sur le canapé, l'esprit confus.

Rita regarda autour d'elle avec attention.

— Hum… Cet appartement ne vaut pas votre ancienne maison, mais tu pourras toujours en faire un joli pied-à-terre. (Elle se renfonça dans le fauteuil.) Alors, comment vas-tu, ma chérie ? Tu as mauvaise mine.

Jeanie avait appelé Rita pour lui parler de Ray, et son amie avait insisté pour passer la voir.

— Je ne suis qu'une idiote.

— Pourquoi dis-tu ça ? Tu n'as rien fait de stupide... À part peut-être laisser tomber l'amour de ta vie. (Jeanie ne réagit pas.) Excuse-moi, ma chérie. Tu n'es visiblement pas d'humeur pour mes plaisanteries.

— Comment ai-je pu être aussi stupide ? Comment ai-je pu croire qu'il voulait être avec moi alors qu'il peut avoir des femmes plus jeunes et plus belles que moi ? Elle était magnifique, Rita, métisse, grande, mince... Elle avait un sourire incroyable. Je ne l'ai aperçue que quelques secondes, mais elle était vraiment belle. Et beaucoup plus jeune que lui, bien sûr, comme son ex-compagne. Il les aime jeunes.

Elle réfléchissait à haute voix, exprimant enfin les pensées qui tournoyaient dans sa tête depuis le déjeuner.

— Comment sais-tu que c'était sa compagne ?

— Ils étaient sous le même parapluie. Il avait passé un bras autour d'elle, et ils riaient, expliqua-t-elle sur un ton monocorde.

— Ils sont peut-être amis. Il l'a rencontrée dans la rue, et ils se sont abrités sous le même parapluie. Il venait peut-être de lui raconter une blague. Est-ce qu'ils se sont embrassés ?

Jeanie lança un regard pitoyable à son amie.

— Non, mais j'ai eu l'impression qu'ils n'allaient pas tarder à le faire.

— Écoute, Jeanie, tu peux me croire quand je te dis qu'il ne faut jamais faire de suppositions. C'est dangereux. (Rita se leva.) Tu as du vin ? Tu as vraiment besoin d'un verre. (Jeanie secoua la tête.) Dans ce cas, on sort. Allez, viens ! Tu ne peux pas rester ici à te lamenter sur ton sort.

— Qu'est-ce qu'il me reste, Rita ?

Rita soupira avant de se rasseoir.

— Tu te souviens de l'état dans lequel tu étais quand tu ne pouvais plus voir Ray ? Tu refusais obstinément de le revoir, tu te souviens ? Tu m'as dit que tu étais décidée à finir tes jours dans le Dorset… Pardon, le Somerset. Je ne vois pas pourquoi ce qui s'est passé aujourd'hui devrait changer quoi que ce soit. Au moins, maintenant, tu sais que tu avais raison. (Elle s'interrompit.) C'est ce que tu voulais, non ? À moins que tu ne m'aies pas tout dit ? demanda-t-elle, curieuse.

— J'espérais de façon assez égoïste qu'il m'attendrait, admit piteusement Jeanie. Tu sais ce qu'il m'a dit la dernière fois qu'on s'est vus ? « Si tu changes d'avis, tu sais où me trouver. » (Elle leva les yeux vers son amie.) De toute évidence, il n'a pas attendu.

— Tu es en train de me dire que tu partirais avec lui s'il était libre ? (Rita leva les yeux au ciel, exaspérée.) Je ne te comprends pas, ma chérie. Tu ne peux pas quitter George, mais tu te mets dans tous tes états sous prétexte que Ray a trouvé quelqu'un d'autre parce qu'il est convaincu, avec raison d'ailleurs, que tu l'as quitté.

— Je ne m'attends pas à ce que tu comprennes. Je ne me comprends pas moi-même, rétorqua Jeanie avec un petit sourire triste. Je te l'ai dit, je suis une idiote.

Chapitre 20

— George, le vernissage de l'exposition d'Alex a lieu ce soir. Tu veux y aller ? On pourrait passer la nuit à l'appartement – tu ne l'as pas encore vu – et repartir demain.

George se tourna vers elle.

— Bien sûr que je viens, je ne peux pas rater le grand jour d'Alex.

— Il faudra qu'on prenne le train à 15 heures.

— Aujourd'hui ?

— Oui.

— Ça risque d'être difficile. (Il regarda par la fenêtre, la bruine rendait le jardin méconnaissable.) Il faut que je m'occupe du potager avant qu'il gèle, sinon la terre sera trop dure, et je ne pourrai plus bêcher. Je devrais…

— Tu n'as pas le choix, George. Le vernissage a lieu ce soir.

George réfléchit pendant un instant.

— Bien sûr que je viens, répéta-t-il d'une voix incertaine.

— Tu n'es pas obligé. Je peux demander à Sally de passer. Je suis sûre qu'Alex comprendra, si tu ne peux pas venir.

— Non, je viens.

Jeanie voulait désespérément que George l'accompagne ou du moins qu'il soit de nouveau en état de l'accompagner. Elle avait envie de retrouver l'ancien George, le mari et le père solide et invincible. Mais elle était également terrifiée à l'idée de l'éloigner de la maison où il était en sécurité. Que ferait-elle s'il buvait plus que de raison et se comportait de la même façon que ce soir-là chez Chanty ?

Le train avait plus d'une heure de retard à cause d'un problème de signalisation à Axminster. Au début, George se contenta d'observer le paysage en silence, l'air morne. Pourtant, petit à petit, Jeanie avait perçu une sorte de curiosité et d'excitation chez son mari. Son regard, auparavant vide et absent, se mit à briller de nouveau, et il commença à parler à Jeanie de choses et d'autres. Malgré son état, il n'avait rien oublié de ce qui s'était passé durant ces derniers mois. Il était infatigable : Lorna, Sally, la maison, la famille et, bien sûr, le jardin, tout y passait. Lorsqu'ils descendirent du train, il semblait toujours fatigué mais bien plus joyeux, moins maussade. Jeanie était stupéfaite. Elle ne chercha pas à comprendre la raison de ce changement, mais se demanda si le comportement de George, la solitude qu'il s'imposait et son refus d'affronter le monde extérieur ne lui faisaient pas plus de mal que de bien, l'emprisonnant dans une profonde dépression. Si George redevenait l'homme qu'elle avait connu, elle pourrait peut-être se concentrer de nouveau sur leur avenir commun et oublier sa douleur.

La galerie était très éclairée, les toiles aux couleurs éclatantes offraient un contraste saisissant avec la blancheur des murs. Jeanie était ravie des progrès de son gendre ; elle avait l'impression qu'il remportait un franc succès auprès des curieux qui discutaient en regardant ses peintures, un verre à la main.

— Maman, papa.

Chanty, très élégante dans une tunique et un legging noirs qui mettaient sa grossesse en valeur, sembla soulagée de les voir. Jeanie vit son regard s'attarder sur son père.

— Le voyage s'est bien passé ? demanda-t-elle, peu intéressée par leur réponse.

Jeanie voyait bien que sa fille était distraite : elle surveillait l'entrée, son mari et les invités, d'un œil attentif, jaugeant leurs réactions devant le travail d'Alex. Comme il fallait s'y attendre, Alex était terrifié. Un sourire plaqué sur le visage, il se tenait légèrement en retrait près d'un groupe, ses yeux bleus écarquillés par la peur.

Petit à petit, une ravissante jeune femme aux cheveux relevés en queue-de-cheval et aux lèvres écarlates, brandissant un bloc-notes avec les détails des toiles, commença à placer des autocollants rouges à côté de certaines œuvres.

— Je crois que c'est un succès ! Croisons les doigts ! Ils ont l'air d'apprécier, murmura Chanty à l'oreille de sa mère.

— C'est du très bon travail, reconnut Jeanie. Surtout celle-ci. (Elle désigna une toile près de l'entrée.) Les couleurs sont incroyables.

— Papa a l'air intéressé.

Elles observèrent George qui était en pleine conversation avec un homme mince au visage sérieux, entièrement habillé de noir et équipé d'une large besace.

— Si ce type n'y prend pas garde, George va lui parler des plantes à racines nues ou des variétés d'agapanthes hybrides disponibles en cette saison. (Chanty était impressionnée.) J'ai lu ça dans un catalogue, admit Jeanie en souriant. Il est complètement obsédé.

— C'est une bonne chose ?

— Probablement pas, mais tu connais ton père. Il n'y en a plus que pour les agapanthes hybrides, il en a oublié ses horloges. C'était assez bizarre, aujourd'hui. Il a eu une sorte de révélation quand on était dans le train. On aurait dit qu'il reprenait contact avec la réalité. Il parlait presque normalement. Regarde-le. C'est la première fois que je le vois vraiment discuter avec quelqu'un depuis des mois.

— Il a peut-être passé un cap, maman. Je l'espère, en tout cas. (Chanty posa la main sur le bras de Jeanie.) Je suis désolée, je n'ai pas vraiment été là pour toi ces derniers temps. Ça a dû être l'enfer. J'aurais tant aimé que tu restes à Londres.

— Tu me manques aussi, ma chérie. Je crois que je ne vais pas tarder à rentrer avec George. Je ne voudrais pas qu'il fasse une rechute. Tu diras à cette fille que j'aimerais acheter cette peinture, s'il te plaît ?

— Maman, tu n'as pas besoin de l'acheter. Alex te l'offrira.

— Pas question. Je veux l'acheter. On peut se le permettre, et je veux absolument l'accrocher dans l'appartement.

— Je suis mort de fatigue mais j'ai passé une bonne soirée, déclara George dans le taxi qui les ramenait.

— Moi aussi, j'ai acheté une toile pour l'appartement.

— Bien. Je ne sais pas trop quoi penser. Tu sais bien que je préfère les paysages, murmura-t-il. On devrait faire ça plus souvent, ma vieille, ajouta-t-il en s'appuyant confortablement contre elle.

C'était la première fois depuis des mois qu'il utilisait ce détestable surnom, mais, étonnamment, ce soir-là, elle ne s'en offusqua pas.

— Tu veux qu'on prenne un verre ? demanda-t-elle tandis qu'ils montaient à l'étage.

Jeanie avait l'étrange impression que son mari était en quelque sorte son invité.

Plus tard, alors qu'ils partageaient le même lit pour la première fois depuis si longtemps, Jeanie s'aperçut que George était inhabituellement tendu.

— Est-ce que ça va ?

— Jeanie ? (George se tourna vers elle et posa presque timidement sa main sur la poitrine de sa femme.) Tu veux bien qu'on… Tu sais…

Elle fit de son mieux pour ne pas se raidir, mais tout son corps se révoltait. Elle ne connaissait plus cet homme. Elle s'efforça de se calmer et de se convaincre qu'elle devait l'encourager. C'était son mari, après tout. N'était-ce pas ce qu'elle voulait ? Que tout redevienne comme avant ? Il s'approcha d'elle pour embrasser son visage et ses lèvres. Il ne sentait pas bon, son haleine empestait le vieux vin. Elle s'interdit pourtant de le repousser. Elle resta étendue, immobile, essayant d'éprouver autre chose que de la répulsion. George ne s'aperçut de rien. Leur union fut rapide, comme si c'était fini avant même d'avoir commencé. Elle l'entendit grogner dans le noir avant de pousser un soupir de soulagement.

— Merci… C'était tellement bon, dit-il, à bout de souffle. Désolé, je sais que j'ai été un peu rapide, mais ça faisait si longtemps. (Il se coucha sur le dos en soupirant.) Tu as pris du plaisir ?

— C'était agréable, dit-elle sans conviction dans le silence qui s'éternisait, manquant de s'étrangler devant l'énormité de ce mensonge.

— Je crois que tout va s'arranger, Jeanie.

— Qu'est-ce qui s'est passé dans le train, George ?

— Je ne sais pas… Je regardais le paysage qui défilait et je me suis dit que c'était magnifique, qu'on vivait dans un monde merveilleux. J'ai vu toutes ces couleurs. J'avais l'impression de les redécouvrir. Je n'arrive pas à l'expliquer… Je n'ai jamais été doué pour ça… La vie me semblait… si triste, ces derniers mois.

George s'endormit et se mit à ronfler doucement. Il se leva, comme d'habitude, à 5 h 30, et Jeanie sombra enfin dans un profond sommeil.

Chapitre 21

L'hiver approchait. Jeanie s'aperçut rapidement qu'elle regrettait la distance qui les séparait quand George était malade. Le nouveau George, celui qui était guéri, commença à exiger plus de sa femme. Un an plus tôt, elle aurait été heureuse de s'exécuter, il ne lui demandait rien de plus que ce qu'un mari était en droit d'attendre de son épouse. Mais Jeanie ne voulait pas avoir de relations sexuelles avec lui et n'avait aucune envie de partager son lit. Elle refusait de vendre son magasin – malgré l'insistance quotidienne de George – et n'avait pas envie de se mêler à la population locale ou de l'accompagner dans toutes les jardineries pour choisir des plantes couvre-sol ou des statues en pierre. Jeanie avait bien conscience de se montrer excessive – après tout, était-ce vraiment si terrible ? – et elle espérait qu'elle finirait par s'y habituer. Elle se contentait de serrer les dents en s'efforçant de se convaincre qu'elle n'avait pas besoin de Ray. Mais elle ne pouvait pas s'empêcher de penser à lui et à cette jeune femme, comme si leur image était imprimée dans un coin de son cerveau.

— Vous voulez que je prépare la chambre de devant pour vos invités ? demanda Sally.

— Je crois qu'ils préféreront celle de derrière, elle est plus grande, intervint George.

— Mais la vue est plus belle à l'avant, contra Jeanie alors qu'elle se moquait éperdument de savoir où Rita et Bill dormiraient.

Elle ne supportait plus rien ; ses journées s'écoulaient avec une lenteur pénible. Elle ne vivait que pour les mercredis matin où elle s'échappait enfin pour rejoindre sa boutique, même si elle ne pouvait plus, à présent, passer qu'une seule nuit à Londres, et non deux. George avait bien insisté là-dessus, et Jeanie, sachant que cette concession lui permettrait de repousser la vente du magasin, avait accepté.

— Peut-être, mais celle de derrière est plus confortable.

Il hocha la tête en direction de Sally pour lui faire comprendre que la discussion était close, et celle-ci se plia à sa décision, sans demander son avis à Jeanie.

Bill et Rita arrivèrent tard dans la soirée du vendredi, au beau milieu d'une averse.

— Nom d'un chien ! Eh bien, ma chérie, on peut dire que c'est vraiment un trou perdu ! glissa Rita en embrassant Jeanie.

Jeanie avait préparé une tourte au poisson ; mais comme le four n'était pas assez chaud, il était plus de 22 heures lorsqu'ils s'installèrent enfin à la table de la cuisine, après avoir vidé quelques bouteilles de rioja.

— Jeanie déteste vivre ici, déclara George d'une voix légère, comme pour plaisanter, mais son épouse y décela pourtant de la colère.

— Je ne déteste pas vivre ici, rétorqua-t-elle.

— Bien sûr que si, intervint avec force Rita, complètement soûle. C'est normal : on est à la campagne, ajouta-t-elle en gloussant tandis que Bill la regardait en secouant la tête.

— Ce n'est malheureusement pas la campagne qu'elle déteste. (George poivra généreusement sa tourte et poursuivit sur le même ton.) C'est moi, dit-il comme s'il espérait que les autres s'exclament : « Elle est bien bonne, Georgc ! »

Mais ils le prirent au sérieux. Il y eut un silence de mort tandis qu'ils se rendaient compte de ce qu'il venait de déclarer.

— Qu'est-ce que tu veux dire ? demanda Jeanie, le cœur battant.

Rita lui jeta un regard tandis que Bill semblait fasciné par les petits pois dans son assiette.

— Ce que je veux dire, ma vieille, c'est que tu ne me supportes plus. (Il leva les yeux vers elle.) Je ne peux pas t'en vouloir, je n'étais pas vraiment moi-même.

Personne ne parla tandis que George mangeait calmement, comme s'ils discutaient du temps qu'il faisait.

— Tu es ivre, murmura Jeanie.

— Peut-être bien, madame, mais demain je serai sobre, et vous me détesterez toujours, rétorqua-t-il, parodiant en partie une célèbre réplique de Churchill.

Personne ne rit.

— Ne sois pas ridicule, George. Je ne te déteste pas.

— Arrête, George. Jeanie a raison. Tu dis ça parce que tu es soûl, intervint Bill, toujours la voix de la raison.

George lui fit face.

— Je ne peux pas lui dire toutes ces choses… C'est trop difficile, ajouta-t-il d'une voix pâteuse.

Jeanie était embarrassée de voir George aussi pathétique et vulnérable.

— Eh bien, on peut discuter du marché fermier qu'on ira voir demain ou aller se coucher en espérant que tout ira mieux après une bonne nuit de sommeil ! dit alors Rita sans cacher sa préférence.

Elle se leva et débarrassa rapidement.

George était toujours assis en silence au bout de la table. Il attendit que Rita et Bill aient quitté la pièce pour déclarer :

— Excuse-moi, j'ai tout gâché.

Jeanie se retourna pour s'appuyer contre l'évier en céramique.

— Tu penses vraiment que je te déteste ? demanda-t-elle doucement en ôtant ses gants jaunes en caoutchouc.

Il leva ses grands yeux de hibou vers elle.

— « Détester » est peut-être un peu fort, Jeanie. Mais on dirait que tu n'apprécies plus notre mariage. (Jeanie ne dit rien.) C'est vrai, n'est-ce pas ? Tu ne veux plus faire l'amour avec moi. Tu t'accroches à la boutique comme si ta vie en dépendait. Je le vois bien sur ton visage le mercredi matin. On dirait que tu es enfin libre. On ne se parle presque plus. J'ai l'impression que tu ne veux plus rester ici avec moi, dit-il d'une voix plus assurée.

— Ce n'est pas facile, je ne dirai pas le contraire, rétorqua-t-elle lentement en choisissant ses mots avec soin. Je n'ai jamais voulu déménager, tu le sais bien, et je ne veux pas vendre le magasin. Tu étais certain que je finirais par m'habituer, mais je n'ai pas encore réussi.

Son mari se leva pour s'approcher d'elle et poser les mains sur ses épaules.

— Mais en ce qui concerne le sexe ? Tu restes étendue là comme si tu étais morte. Tu n'as plus envie de moi ?

— George, c'est un grand changement. Je ne sais plus où j'en suis avec tout ce qui s'est passé. Je suis épuisée, j'en ai plus qu'assez, répondit-elle, angoissée.

— Tu as besoin de temps ? C'est ça que tu essaies de me dire ?

Jeanie acquiesça en silence, souhaitant être, pour une fois, rien qu'une petite fois, capable de retenir ces maudites larmes.

— Ça n'a rien à voir avec cet autre type ? Tu ne vas pas le voir quand tu vas à Londres ?

— C'est ce que tu crois ? Non, bien sûr que non. Je ne l'ai pas vu depuis des mois.

— Donc c'est fini ?

— Complètement fini.

— D'accord, d'accord. (En colère, elle repoussa George qui s'écarta.) C'est juste que tu sembles toujours tellement pressée de partir. J'ai cru qu'il y avait autre chose et pas seulement le magasin.

— Ce n'est pas qu'un magasin, George. C'est mon travail, ma passion.

— Tu ne pourrais pas te passionner pour un magasin de la région ? C'est tellement idiot de t'en aller toutes les semaines alors que tu pourrais faire la même chose à Axminster ou à Honiton. On pourrait chercher ensemble.

Jeanie se prit la tête dans les mains.

— Je t'en prie, je t'en supplie, George, arrête de me harceler à propos du magasin. Je m'en occuperai en temps voulu. Alors, laisse tomber, d'accord ?

George acquiesça.

— Une dernière chose… Pour le sexe… est-ce que… (Jeanie attendit en retenant son souffle.) Si tu ne vois plus ce type… est-ce que tu ne veux plus de moi à cause de ce que j'ai dit ? À cause de l'affaire Acland ?

— Arrête de l'appeler comme ça, George. C'était un viol, dit-elle sèchement. (Elle ne cherchait pas à le blesser, mais ne supportait pas son refus de reconnaître ce qui s'était passé.) Ça n'a rien à voir. Comment peux-tu penser ça ?

— Je ne sais pas. C'est tellement horrible de savoir que c'est arrivé à quelqu'un. J'ai cru que ça t'avait dégoûtée.

Jeanie fit un geste dans sa direction. George vint se blottir dans ses bras, et elle le sentit enfin se détendre contre elle.

— Ça n'a rien à voir avec ça. Je suis désolée. Je n'ai pas été moi-même ces derniers temps, mais il faut dire qu'aucun de nous ne l'a été.

— Tu m'aimes toujours, n'est-ce pas ?

— Oui, répondit-elle comme si elle rassurait un petit enfant. Je t'aime toujours, George.

Tous les soirs se ressemblaient à présent : Jeanie craignait d'aller se coucher parce que George l'attendait. Elle l'avait autorisé à partager son lit lorsqu'ils avaient emménagé parce qu'il était malade et qu'elle s'inquiétait pour lui. Mais, depuis, il lui avait fait clairement comprendre qu'il appréciait de dormir à ses côtés.

— C'est plus agréable, avait-il dit. Je déteste dormir seul.

— Mais tu dors seul depuis dix ans. Ça ne devait pas être aussi terrible que ça, avait-elle rétorqué.

— Nous sommes mariés, Jeanie. C'est ce que les couples mariés font : ils dorment ensemble.

— « Tout le monde le fait » : c'est ça ton argument ?

— C'est parce que je ronfle ?

— En partie, avait-elle menti.

Ses ronflements étaient énervants, mais ils n'avaient rien à voir avec son refus de partager son lit avec lui. George savait se montrer obstiné et il avait refusé de s'installer dans une autre chambre.

Elle était allongée, tendue, craignant qu'il ne prenne leur étreinte dans la cuisine comme un signe d'encouragement. Elle lui tournait le dos quand il se mit au lit.

— Ne t'inquiète pas, l'entendit-elle dire d'une voix glaciale. Je ne vais pas te toucher.

Elle ne répondit pas, mais ce fut une nuit décisive pour Jeanie.

— Je n'en peux plus, dit-elle à Rita tandis qu'elles s'éloignaient du presbytère pour aller acheter les journaux et du pain le lendemain matin.

Jeanie se sentait étrangement lucide malgré une nuit blanche.

— De quoi parles-tu, ma chérie ? Ralentis ! Ces routes sont horribles.

— Je ne peux plus rester avec George, je vais le quitter. (Pour une fois, Rita resta muette.) Je l'aime, bien sûr que je l'aime. Je l'aime comme tu peux aimer quelqu'un que tu as connu presque toute ta vie. Mais je ne l'aime plus comme une femme aime son mari. Et je n'en peux plus de… de jouer cette stupide comédie du mariage parfait.

— Quelle stupide comédie ? Qu'est-ce que tu veux dire ? Gare-toi. On ne peut pas discuter pendant que tu conduis, pas sur ces routes. On risquerait de mourir.

Jeanie éclata d'un rire hystérique. C'était un tel soulagement de savoir enfin qu'elle allait quitter George. Elle se gara devant la barrière d'un champ, les pneus de la voiture crissant sur la couche de boue qui avait gelé durant la nuit. Un pâle soleil d'hiver brillait à travers le pare-brise. Elle coupa le moteur et posa ses mains sur le volant.

— Jeanie, qu'est-ce qui s'est passé ? Ce n'est pas uniquement à cause de cette stupide conversation d'hier soir ? Il était soûl, ma chérie. Ça nous arrive à tous de dire des bêtises quand on a bu.

— Il avait raison, je ne le supporte plus. (Elle jeta un coup d'œil à son amie.) Je ne veux plus rester avec lui.

— Mais tous les couples mariés traversent ce genre de crise ! Ça m'arrive aussi, parfois Bill m'énerve tellement que…

— Ce n'est pas qu'il m'énerve, je ne veux plus faire l'amour avec lui. En fait, ça me donne des frissons rien que d'y penser. George m'ennuie, et j'en ai plus qu'assez qu'il essaie de me contrôler en permanence. Ces derniers temps, il n'y a qu'à Londres que je suis réellement heureuse.

Rita plissa les yeux.

— Ça n'a rien à voir avec Ray, j'espère ?

Jeanie soupira.

— Tu sais très bien que c'est terminé. Rita, ça n'a rien à voir avec lui : c'est moi. Je sais que je parle comme une de ces bonnes femmes égocentriques dans l'émission d'Oprah Winfrey, mais je dois quitter George. Si je ne le fais pas, je risque de m'en prendre à lui, et il ne mérite pas ça.

— Mais pourquoi maintenant ? C'est si soudain. Je croyais que tu commençais à t'habituer à vivre ici ?

— J'ai essayé, j'ai vraiment essayé. Mais, hier soir, une fois que vous êtes allés vous coucher, George a dit qu'il n'était pas dupe et qu'il savait que je n'étais pas heureuse. Alors, j'ai compris que c'était terminé.

— Hum... Je croyais que tu risquais de finir seule et abandonnée de tous si tu le quittais ? Et qu'en est-il de George ? Tu comptes le laisser tout seul dans le Somerset ?

— George est un battant, tu le sais aussi bien que moi. Tu l'as dit toi-même : il obtient toujours ce qu'il veut.

Rita secoua la tête.

— C'est toi qu'il veut, ma chérie, rien que toi. Tu sais que c'est vrai.

— Pas dans l'état d'esprit où je suis maintenant. George n'a rien d'un masochiste.

— Mais... tu vas vraiment le faire ? (Jeanie acquiesça, prenant une profonde inspiration d'air frais.) Je n'arrive pas à y croire, souffla Rita sans la quitter des yeux. Tu sembles si sûre de toi tout à coup.

— Je le suis, rétorqua Jeanie en souriant.

Elle se sentait plus légère, comme si elle venait de se libérer d'un poids qui – elle le comprenait à présent – pesait sur ses épaules depuis longtemps, l'empêchant d'avancer.

— Pauvre George. Quand vas-tu le lui annoncer ?

— Après votre départ, je crois.

Elle ne craignait pas d'en parler à George, elle était simplement très triste.

— Eh ben, dis donc, tu parles d'un week-end ! Et moi qui trouvais la campagne rasoir. Ma chérie, je ne supporterais pas de vous voir jouer la comédie du couple heureux jusqu'à notre départ, je ne peux vraiment pas. Je crois que je vais appeler Bill pour le convaincre d'inventer une excuse… Je ne sais pas, moi, que le chef de la direction a fait une overdose ou un truc du genre.

— Trouillarde, dit Jeanie, esquissant un petit sourire triste.

Elles firent leurs achats au magasin du village et repartirent en silence.

— Tu ne devrais pas attendre que Chanty ait son bébé ? demanda soudain Rita.

L'enthousiasme de Jeanie était quelque peu retombé. Elle songeait à tout ce qu'elle devrait faire et dire avant de retrouver sa liberté. Elle n'avait pas oublié Chanty ; sa fille allait accoucher dans quelques semaines. Jeanie ne se souvenait que trop bien de ce qui s'était passé quand Alex l'avait quittée : Ellie était née beaucoup trop tôt. L'idée de causer de la peine à sa famille répugnait Jeanie. Pourtant, elle était bien décidée à aller jusqu'au bout, même s'il lui fallait trouver le moment et la manière d'annoncer sa décision.

— Tu as raison… Je vais attendre.

— Ma chérie, je t'en prie, il faut que tu réfléchisses sérieusement avant de faire quoi que ce soit.

Jeanie secoua la tête.

— Je sais que ça te semble soudain, Rita, mais ce n'est pas le cas. Ça me travaille depuis des mois, sinon des années.

— Mais tu n'étais pas malheureuse avant de connaître Ray.

— Peut-être que si je ne l'avais jamais rencontré j'aurais pu continuer comme ça. Mais je ne suis plus vraiment heureuse avec George depuis très longtemps.

— Qui est vraiment heureux ? Les mariages qui durent aussi longtemps ne peuvent pas être tout le temps parfaits… Certains ne le sont jamais.

— Je sais bien, mais, Bill et toi, vous avez une vraie relation. Ça se voit. Tu te sens stimulée quand tu es avec lui. Il est à la fois ton ami et ton amant, même s'il te rend dingue quelquefois, et vice versa.

Rita acquiesça.

— Tu as raison, je suppose qu'on a de la chance.

Jeanie remonta l'allée et coupa le moteur. L'espace d'un instant, aucune des deux femmes ne fit un geste pour sortir de la voiture.

— Comment puis-je rester avec un homme avec qui je ne supporte plus de faire l'amour ? demanda Jeanie, presque pour elle-même.

« Les plans les mieux conçus des souris et des hommes souvent ne se réalisent pas » avait toujours été l'une des citations préférées de George, qui se plaisait à la déclamer avec un soupir entendu et un horrible accent écossais. Une nuit, près de deux semaines après le week-end que Rita et Bill étaient venus passer dans le Somerset, Jeanie oublia ses devoirs envers sa fille et avoua toute la vérité à son époux.

Ce jeudi-là, elle rentra de Londres peu après 20 heures. George l'attendait dans la cuisine seulement éclairée par la lampe de la hotte, devant une grille de mots croisés encore vierge et un verre de whisky. Lorsqu'elle entra, il observa son visage comme s'il espérait y trouver la réponse au mystère de l'univers. Chaque semaine, c'était la même chose : il lui posait d'innombrables questions épuisantes sur tout ce qu'elle avait fait durant ces deux jours, sans jamais la quitter des yeux. Jeanie détestait cela.

— Ne me regarde pas comme ça ! le prévint-elle ce soir-là.

— Comme quoi ?

— Comme ça. Tu fais ça tout le temps.

George haussa les épaules, mais n'en continua pas moins son petit manège.

— Tu as fait bon voyage ? demanda-t-il d'une voix sarcastique.

— J'ai eu beaucoup de boulot, mais ça s'est bien passé.

Dès qu'elle parlait de son travail, elle devait choisir ses mots avec soin, car, si elle avait le malheur d'être fatiguée ou de se plaindre d'un problème au magasin, il s'empressait de chercher à la convaincre de vendre la boutique.

— J'ai parlé à Alan aujourd'hui, l'informa-t-il. (Il resta assis tandis qu'elle commençait à préparer le dîner.) Il a dit que tu ne pourrais probablement pas trouver un repreneur pour le magasin dans le contexte économique actuel. C'est l'immobilier qui rapporte.

— Vraiment ?

Alan était le comptable de George. Jeanie n'avait jamais apprécié cet homme coquet et obséquieux.

— Il a dit qu'il valait mieux fermer le magasin et vendre les locaux. Il a ajouté que l'appartement était un sacré plus, on peut le vendre séparément ou avec le reste.

George dessinait des spirales à côté de ses mots croisés, appuyant sur son crayon avec force pour en marquer le centre.

Sans dire un mot, Jeanie versa la soupe de cresson dans une casserole qu'elle déposa sur la cuisinière avant de déballer le cheddar et de le déposer sur une planche à côté du pain complet. George se leva lentement pour sortir des bols et des assiettes du vaisselier.

— Tu veux un verre ? (Il agita le restant d'une bouteille de vin en direction de sa femme qui acquiesça.) Alan a dit qu'il s'en occuperait pour nous.

Au fur et à mesure que Jeanie l'écoutait, elle sentait sa pression sanguine augmenter. Elle n'osait même pas parler. Contrairement à la maison de Highgate, qui avait toujours appartenu à George et à lui seul, le magasin était à son nom. Son mari le lui avait offert des années auparavant parce qu'il avait pensé que ce genre de commerce l'intéressait. Au début, George y avait investi beaucoup d'argent, mais, depuis cinq ans, Jeanie enregistrait de jolis bénéfices.

— Ce n'est pas à toi de décider s'il faut vendre le magasin ou non.

Elle versa la soupe dans les bols avant de déposer brutalement la casserole dans l'évier.

George la regardait, très calme, la bouche tordue en grimace, en tapant l'index de sa main gauche sur la table en bois d'un air menaçant. Il ne pouvait tout simplement pas la contrôler cette fois, et cela le rendait fou.

— Si tu continues à jouer à ce petit jeu, à prétendre que tu as l'intention de vendre alors que c'est tout le contraire, je considérerai ton attitude comme un acte hostile.

Jeanie manqua d'éclater de rire devant son discours pompeux.

— Un acte hostile ? Mais de quoi est-ce que tu parles ?

Le visage de George, habituellement serein, prenait des nuances fuchsia.

— Ne te moque pas de moi, Jeanie. Je ne suis pas aussi stupide que tu le penses.

— Je n'ai jamais pensé que tu étais stupide, George, rétorqua-t-elle calmement.

— On est venus ici pour prendre notre retraite. Tu étais censée vendre le magasin, on allait se construire une nouvelle vie ici.

— Toi peut-être, George. Pourquoi est-ce que tu continues de prétendre qu'on a pris cette décision ensemble ? Tu m'as forcé la main. Je n'ai jamais, jamais voulu m'installer à la campagne. Tu m'entends ? Et je ne vais pas prendre ma retraite. Je ne suis pas vieille, ajouta-t-elle, se retenant à grand-peine de hurler de frustration.

Son mari la regardait avec pitié.

— Tu es ridicule. Arrête de me crier dessus.

— Pourquoi refuses-tu de m'écouter ?

— Qu'est-ce que tu comptes faire ? Tu vas garder ce stupide magasin et t'épuiser à traverser le pays chaque semaine, simplement pour me prouver que tu as raison ? Tu es tellement têtue.

— C'est l'hôpital qui se moque de la charité !

— C'est ce que tu comptes faire ? Tu vas mener cette stupide double vie ? Je t'ai proposé de t'acheter un magasin, ici. Qu'est-ce que Highgate a de si spécial ? À moins, bien sûr, que tu aies une autre raison d'y aller ? s'enquit-il en haletant, plongeant ses yeux dans les siens pour lui assener le coup de grâce.

Jeanie comprit enfin.

— Si tu ne me fais pas confiance – pourquoi le devrais-tu d'ailleurs ? – il n'y a pas grand-chose que je puisse faire.

— Alors, c'est vrai, tu le vois toujours.

Elle secoua la tête.

— Est-ce que j'ai dit ça ?

— C'est inutile. Je le vois bien à ta façon de te comporter avec moi, dit-il d'un air renfrogné.

— Si je réagis comme ça, c'est à cause de nous et de personne d'autre.

— C'est ça. C'est ce qu'elles disent toutes, railla-t-il.

— Qui ça « elles » ? De qui tu parles ?

— Arrête de jouer avec moi, Jeanie. (Sa voix avait changé : il la suppliait à présent.) Je t'en prie, c'est horrible. Je l'admets, je suis jaloux. Tu sembles toujours si enjouée le mercredi matin et si malheureuse quand tu reviens à la maison. (Il s'approcha et posa une main sur la sienne.) Ça me rend malade. Je n'arrive pas à dormir quand tu n'es pas là, je n'arrête pas de me demander ce que tu es en train de faire. C'est l'enfer. (Il avait les larmes aux yeux.) Je t'aime tant, Jeanie. Dis-moi que tu ne... que tu ne le vois plus.

— Je suis désolée, George, dit-elle, les battements de son cœur s'apaisant comme elle s'apprêtait à lui dire la vérité. Je n'en peux plus.

George était tout pâle.

— Non, Jeanie, ne sois pas ridicule, ajouta-t-il d'une voix faible.

Jeanie craignit qu'il ait une nouvelle attaque.

— Je te promets que je ne te trompe pas. Mais je ne veux... je ne veux pas de cette vie. Je ne veux pas...

Elle ignorait comment le lui annoncer, mais elle n'en eut pas besoin.

— Tu ne peux pas me quitter, la supplia-t-il piteusement. Tu ne peux pas, pas après tout ce temps. C'est de la folie. (Elle resta silencieuse.) Tu étais heureuse avec moi, je le sais. Tu étais heureuse avant que ce sale type débarque pour te séduire. On a passé du bon temps ensemble, n'est-ce pas ? J'ai toujours pensé qu'on avait un meilleur mariage que la plupart de nos amis. (Il parlait tout seul, s'efforçant de comprendre ce qui se passait, avant de lever les yeux vers elle.) Si c'est à cause du sexe, on n'est pas obligés de faire l'amour. Je peux m'installer dans une autre chambre. Je sais que tu n'aimes pas ça et je n'ai aucun droit de te le reprocher. C'est moi qui ai tout fichu en l'air.

Jeanie commença à pleurer. Elle ressentait une tristesse immense, comme si elle envisageait réellement de le quitter pour la première fois. Peut-être était-elle stupide de tout détruire comme ça. Ou peut-être pensait-elle toujours à Ray. Était-ce vraiment si important qu'elle n'aime plus assez George ou qu'elle ne l'aime plus comme elle le devait ? Était-elle prête à vivre seule ? Elle hésita un instant.

— Tu ne peux pas me faire ça ! s'écria Georges, avant d'ôter ses lunettes et de se prendre la tête dans les mains en laissant échapper de longs sanglots déchirants.

Cette nuit-là, Jeanie dormit seule ; George ne vint pas la rejoindre dans son lit. Elle demeura allongée, le corps tendu, au bord de la nausée.

George voulait des réponses. Et lorsque celles de Jeanie ne le satisfaisaient pas, il rejetait la faute sur quelqu'un d'autre : « Ce salaud a détruit notre mariage. Tu refuses d'accepter d'être vieille. Tu ne veux pas admettre que cette histoire de viol te dégoûte. Rita t'a poussée à me quitter, elle ne m'a jamais aimé. Tu me punis parce que je voulais déménager à la campagne. Ça t'a épuisée de t'occuper de moi quand j'étais malade. »

— Ça ne sert à rien de chercher un coupable, finit-elle par lui dire. Nous sommes tous les deux responsables de ce mariage.

— Oh, je t'en prie !... Tu parles comme un de ces stupides conseillers conjugaux. Donc, c'est ma faute, c'est ça ? demanda-t-il sèchement.

Le week-end approchait, et la guerre se poursuivait. Chez George, la colère avait remplacé le désespoir, il devenait d'ailleurs de plus en plus agressif.

— Je n'ai jamais dit que c'était ta faute. Je dis simplement que ça ne sert à rien de chercher à tout prix un coupable.

— Eh bien, moi, je me sens responsable – puisque tu sembles préférer ce mot-là – de ce mariage, et il me semble m'être donné du mal pour qu'il soit merveilleux. Je ne comprends pas ce que j'ai fait pour que tu me traites comme ça. C'est toi, toi Jeanie, qui m'as trompé et qui m'as laissé tomber, ajouta-t-il en enfonçant son doigt dans la poitrine de sa femme. Pas étonnant que tu refuses de parler de « coupable ».

Jeanie ne répondit pas tout de suite, car elle s'efforçait de garder son calme. Elle se rendit compte qu'il était inutile de chercher à s'expliquer avec George. Quoi qu'elle dise, cela ne faisait qu'empirer les choses. Elle était tellement énervée qu'elle faillit lui dire qu'il avait largement sa part de responsabilité dans l'échec de leur mariage.

— Tu ne trouves rien à redire à ça, n'est-ce pas ?

Jeanie se leva pour quitter la cuisine qui n'était plus que leur champ de bataille. Lorsqu'elle atteignit la porte, la main de George s'abattit sur son bras pour la retenir. Il lui fit faire volte-face et la regarda, les yeux brûlants de rage.

— Je t'interdis de t'en aller quand je te parle. Je n'arrêterai pas avant que tu ne m'aies donné une explication satisfaisante. Tu me dois bien ça, Jeanie. Après toutes ces années, tu me dois bien ça ! (Il lui serra le bras.) C'est ce salaud. Je sais que c'est à cause de lui. Tu le vois toujours. Tu essaies simplement de m'embobiner avec toutes ces conneries sur les responsabilités partagées. Admets-le, nom de Dieu ! Admets-le ! ordonna-t-il en la secouant.

— Lâche-moi !

— Dis-le.

Sa voix n'était plus qu'un murmure désespéré tandis qu'il la laissait partir pour s'écrouler sur la chaise voisine.

Le mardi soir, Jeanie commença à empaqueter ses vêtements.

— Je vais m'installer dans l'appartement pendant quelque temps, dit-elle à son mari.

— Quelque temps ? répéta-t-il.

Ils étaient tous deux émotionnellement épuisés et s'étaient résignés à s'observer l'un l'autre dans un silence chargé. Lorsque George se décidait à parler, c'était pour mieux la harceler, exigeant qu'elle lui fournisse des explications. Elle en était incapable parce qu'elle ne supportait pas de se montrer aussi cruelle avec lui.

Elle aurait peut-être dû lui avouer toute la vérité : *Avec Ray, j'ai enfin trouvé tout ce que je n'ai jamais eu avec toi. Et, même s'il ne veut plus de moi, je ne peux pas m'empêcher de comparer cette relation avec notre mariage.* Car George savait qu'elle n'était pas tout à fait honnête. Il se retranchait sur ses positions, affirmant qu'il n'avait rien à se reprocher, ce qui rendait les choses encore plus difficiles.

Rien, il n'avait absolument rien fait pour se retrouver coincé dans cette horrible impasse.

— On se détruit l'un l'autre, George.

— Qu'est-ce que je vais faire sans toi ? (Elle décela de la panique dans son regard.) Je ne peux pas vivre ici tout seul. Je vais retomber en dépression, tu sais que c'est vrai. Et Chanty ? Qu'est-ce que tu vas lui dire ? Jeanie, je t'en prie, la supplia George. Tu sais que ça va détruire notre famille.

Malgré les liens solides qui la retenaient à cet homme, Jeanie ne pouvait plus se laisser manipuler de la sorte.

Elle déposa deux grandes valises dans le coffre de sa voiture et quitta le presbytère peu après 6 heures. George aurait dû être levé depuis longtemps, à s'agiter dans la cuisine pour préparer le thé. Ce matin-là pourtant, il ne quitta pas sa chambre et ne vint même pas lui dire au revoir.

Chapitre 22

Jeanie ressentit un profond soulagement dès l'instant où elle s'éloigna du Somerset. Son cœur lui semblait plus léger dans sa poitrine, elle respirait plus facilement. Elle était rongée par la culpabilité, mais elle savait qu'elle devrait apprendre à vivre avec, au moins au début.

Lorsqu'elle arriva à Londres, Jeanie songea immédiatement à Chanty. Elle savait que, dans l'état où il était, George était capable de lui téléphoner pour pleurnicher.

Jeanie voulait annoncer elle-même la nouvelle à sa fille.

— Bonjour maman, il est super tôt, tu es dans le train ?

— Non, j'ai pris la voiture. Je suis à Archway. Tu veux bien me rejoindre avant d'aller travailler, ma chérie ? Disons à 9 heures au magasin ?

Chanty sembla étonnée, mais, comme Ellie criait, elle ne posa aucune question.

— J'ai été arrêtée hier, donc c'est quand tu veux, répondit-elle.

— Sérieusement ? Tu as quitté papa ? Pour de bon ? demanda Chanty, perplexe.

Jeanie acquiesça et commença à lui raconter ce qui s'était passé avec appréhension. Chanty se contenta de soupirer, peut-être trop épuisée par sa grossesse pour s'inquiéter, comme elle l'aurait fait en temps normal.

— Je ne peux pas dire que je suis surprise, maman. J'ai cru que ça allait s'arranger quand papa s'est senti mieux, mais Alex et moi avions remarqué depuis longtemps qu'il y avait une certaine tension entre vous. Alex m'avait prévenue que ça risquait d'arriver, mais je ne l'ai pas cru.

— Je me doute bien que ça ne te fait pas plaisir.

— Je dois avouer que je n'arrive pas vraiment à assimiler tout ça... À vous imaginer séparés, papa et toi. Qu'est-ce qu'il va devenir ?

— Je ne sais pas. Il dit qu'il n'arrivera jamais à le supporter, mais je crois qu'on ne devrait pas le sous-estimer. Il trouvera bien quelqu'un pour l'aider.

— Mais ça a toujours été toi. Il souffre, maman.

Jeanie se maudit de causer de la peine à sa fille, qui avait les larmes aux yeux.

— Je sais, mais je ne peux rien pour lui. Je ne suis même pas certaine d'avoir jamais pu l'aider. Je suis désolée, ma chérie. Je ne sais pas quoi dire.

— Tu vas retourner avec ce type ? demanda Chanty qui refusait toujours d'appeler Ray par son prénom.

— Non. (Chanty étudia son visage, cherchant à découvrir si elle disait la vérité.) Je te le promets, je ne le vois plus. On ne s'est pas vus depuis des mois. George pense aussi que c'est à cause de Ray, et je crois que, dans un certain sens, il a raison. Mais ce n'est pas ce qu'il croit.

— Qu'est-ce que tu veux dire ?

— Une liaison est parfois un test pour un mariage, et le nôtre n'était pas assez fort pour résister.

Jeanie n'allait sûrement pas entrer dans les détails avec Chanty.

— C'était si horrible que ça, avec papa ?

— Bien sûr que non. On ne veut plus les mêmes choses, c'est tout.

— Comme le Somerset ? (Chanty secoua la tête.) Si j'avais su que ça finirait comme ça, je ne l'aurais pas soutenu.

— Je vous l'avais bien dit, rétorqua gentiment Jeanie en regrettant de ne pas pouvoir raconter toute la vérité à Chanty bien qu'elle sache que sa fille ne voulait pas entendre ce qu'elle avait à dire.

Chanty était assise en silence, tenant son gros ventre entre ses mains. Elle semblait si fatiguée.

— Je suis désolée, je ne voulais pas te l'annoncer avant la naissance du bébé.

— Je ne serai pas plus en état de recevoir de mauvaises nouvelles avec un nouveau-né et une gamine boudeuse de deux ans sur les bras. (Elle esquissa un sourire sardonique.) Tu connais le proverbe : « À quelque chose... » Au moins tu habiteras à nouveau près d'ici. On pourrait peut-être convaincre papa de vendre cette maison débile et de revenir s'installer en ville.

— Peut-être... Mais il semble se plaire là-bas.

— On ne sait jamais ce qui peut se passer, maman.

Jeanie comprit que, si elle s'en était sortie aussi facilement, c'était parce qu'Alex et Chanty en avaient discuté et avaient décidé que c'était temporaire, qu'elle traversait une sorte de « crise de la soixantaine ». Ils s'attendaient à ce qu'elle reprenne bientôt ses esprits.

Il était évident que George partageait l'avis de Chanty, car il commença à se comporter comme s'il ne s'était rien passé. La seule différence était qu'il l'appelait sans arrêt. Avant cela, il ne lui téléphonait presque jamais, mais, à présent, il le faisait trois ou quatre fois par jour. Il ne parlait jamais de leur séparation, se contentant de discuter de choses et d'autres et de lui raconter sa journée, demandant parfois des nouvelles du magasin, qui ne l'avait pourtant jamais intéressé auparavant. Il s'occupait de nouveau de ses horloges, réparait même celles de ses voisins. Tout avait commencé avec Lorna qui, après avoir découvert le hobby de George, lui avait demandé de s'occuper de sa pendule datant du XIIe siècle. Il raccrochait toujours en ajoutant « tu me manques » ou « à bientôt », comme si elle allait bientôt rentrer de son voyage d'affaires.

Jeanie était partie depuis près d'un mois, et Noël approchait, telle une épée de Damoclès qui pendait au-dessus de sa tête.

— Je pourrais venir un peu avant Noël et rester jusqu'au 28, déclara George lors de son premier appel de la journée.

— Rester ? Où ça ? demanda Jeanie, surprise.

George n'avait pu manquer d'entendre la panique dans sa voix.

— Chez toi, bien sûr. Chanty n'aimerait sûrement pas avoir des invités juste avant la naissance du bébé, répondit-il d'une voix plus sèche.

Jeanie inspira profondément, s'efforçant de contrôler l'anxiété qui lui coupait le souffle à l'idée que George s'installe dans son appartement. Elle devait faire passer

Chanty avant elle, se sermonna-t-elle. Ce n'était pas le moment de faire des histoires.

Jeanie maudit Noël, une fête qu'elle avait redoutée toute sa vie. Lorsqu'elle était enfant, son père devenait complètement obsédé quelques jours avant Noël, bien décidé à profiter de cette occasion unique d'accueillir d'autres brebis égarées dans son église. Dès le milieu du mois de novembre, toute la famille s'efforçait de l'éviter, et, lorsque le révérend Dickenson montait enfin en chaire pour prononcer son sermon – dont il les avait déjà régalés presque tous les soirs lors du dîner pour écouter leurs remarques éventuelles –, ils tombaient tous dans une sorte de torpeur, se fichant éperdument de ce fameux sermon, sauf pour se réjouir du fait que tout était enfin terminé, du moins jusqu'à l'année suivante.

— Si tu habites ici, il faudra que l'un de nous dorme sur le canapé, dit-elle précipitamment en se maudissant d'être aussi mesquine.

Il y eut un silence blessé à l'autre bout du fil.

— Je suis tellement horrible que tu ne supportes même pas de partager ton lit avec moi pour quelques nuits ? s'étonna-t-il avant de se ressaisir et d'adopter un ton plus léger.

— D'accord, on décidera à pile ou face, plaisanta-t-il. Noël tombe un vendredi, donc je pourrais venir jeudi et rester jusqu'au lundi suivant.

Quatre nuits, calcula Jeanie. Comment allait-elle le supporter ?

— Tu ne te sens pas trop seule, enfermée dans cet appartement toute la journée ?

Rita, toujours vêtue de son manteau, faisait les cent pas pendant que Jeanie se préparait pour l'accompagner voir un film au Swiss Cottage Odeon.

— Pas vraiment, répondit Jeanie après y avoir réfléchi un instant. Je suis triste parfois. Il m'arrive de pleurer, mais je ne crois pas que ce soit parce que je me sens seule. Ce n'est pas comme si je mourais d'envie de voir du monde.

En fait, elle pleurait presque tous les soirs, sur ce qui aurait pu se passer avec Ray, mais aussi sur ce qui aurait pu se passer avec George. Par ailleurs, elle pensait énormément à sa famille, pleurant son frère comme jamais auparavant, regrettant qu'à l'époque comme à présent, sa famille se soit révélée incapable d'affronter ce genre de traumatisme.

Après la mort de Will, Jeanie et ses parents avaient sombré dans leur chagrin. Jeanie avait bien tenté de leur parler, de les aider à faire leur deuil, mais ni sa mère ni son père n'avait jamais versé la moindre larme en sa présence. Sa mère semblait se ratatiner, rétrécir même sous ses yeux, sa névrose disparaissant enfin à présent qu'elle était confrontée à une réalité bien pire que tout ce qu'elle aurait pu imaginer. Cette femme autrefois infatigable et agitée ne parlait presque plus, ne s'inquiétait même pas pour sa fille. Jeanie s'était alors tournée vers son père. Mais celui-ci arborait en permanence une sorte d'étrange sourire béat et serein, car, selon ses dires, le Seigneur avait fait de lui un martyr en lui faisant l'honneur de veiller sur la vie de son précieux fils. « Jean, tu ne dois pas croire que Will était trop jeune pour mourir », avait-il insisté, les yeux brillants d'une ferveur divine. « Son espérance de vie était de quinze ans, quinze parfaites années. Dieu ne pouvait plus se passer de lui. On ne doit pas être tristes, car il est avec Dieu à présent. Il vaut mieux mourir dans la grâce de Dieu que vivre sans elle. Nous avons de la chance. On devrait s'agenouiller pour remercier le Seigneur pour chaque minute que nous avons eu le bonheur de partager avec Will. »

Du haut de ses quatorze ans, Jeanie avait pleuré de rage et s'était révoltée contre ce discours pieux.

« Tu as tort, Dieu a tort. Vous n'êtes que deux idiots, deux stupides menteurs. Il n'aurait pas dû mourir, et tu le sais. Pourquoi est-ce que tu n'es pas triste, papa ? Ça ne te fait rien qu'il ne soit plus là ? Ça ne te fait rien de savoir que tu ne le reverras jamais ? Je l'aimais de tout mon cœur même si toi, tu ne l'aimais pas. Pourquoi est-ce que tu ne pleures pas ? Qu'est-ce qui ne va pas chez toi ? »

Elle avait été élevée dans la foi en un Dieu miséricordieux, un Dieu qui aimait les enfants et bénissait les justes. Et Will, qui était pourtant déjà un adolescent, faisait selon elle partie des justes. Il était gentil, drôle, intelligent et sage. Il n'avait jamais fait de mal à personne. Comment Dieu pouvait-il infliger des souffrances aussi cruelles à un enfant ? La longue agonie de Will avait rendu Jeanie hermétique à ce genre de pseudo-discours philosophique. Elle avait simplement envie de hurler de douleur, incapable de croire que c'était terminé, qu'il ne reviendrait jamais et qu'elle ne le reverrait plus. Si seulement ses parents avaient accepté d'admettre ce qui s'était passé. Mais, avec la mort de son frère, ils semblaient avoir oublié son existence, oublié qu'ils existaient, eux. Ils évoluaient tels trois satellites décrivant des orbites différentes autour du souvenir de leur bien-aimé Will, refusant de reconnaître qu'ils étaient morts avec lui. À présent, elle pleurait pour eux, ne pouvant plus leur reprocher d'avoir réagi de la seule façon qu'ils connaissaient ; elle pleurait sur les non-dits et sur la douleur muette au sein de son mariage.

— Je m'inquiète pour toi, déclara Rita tandis qu'elles descendaient l'escalier étroit.

— Je t'en prie, je vais bien. C'est toujours mieux que le mensonge dans lequel je vivais, de toute façon, ajouta-t-elle.

— Il faut que tu mettes ta veste d'hiver.

Jeanie prit la parka rouge sur la rampe de l'escalier et la tint devant Ellie pour que sa petite-fille l'enfile.

— Je l'aime pas, je veux l'autre, la bleue, déclara Ellie en s'écartant d'un air têtu.

— Il fait très froid dehors, ma chérie. La bleue est trop fine. On va rester dans le froid, à chanter des cantiques près de l'arbre de Noël. Allez, viens. Dépêche-toi, sinon on va tout rater.

Ellie hésita, se demandant si sa grand-mère comptait insister, mais, de toute évidence, la perspective du spectacle de la soirée l'emporta. Elle sourit et s'exécuta sans plus faire d'objection.

— On y va, cria Jeanie à l'intention de sa fille qui se reposait à l'étage. On sera de retour vers 19 heures.

— N'oublie pas les tickets, ils sont à côté de la porte, lança Chanty. Amusez-vous bien.

— Il fait noir, déclara Ellie, les yeux brillants. On va voir le grand arbre de Noël, Jin.

— Et chanter. Peut-être qu'ils chanteront *Il est né le divin enfant.*

Ellie réfléchit pendant une minute.

— Jo de la crèche a mis un foulard sur la tête de Mina et on s'est levés et on a chanté pour papa et maman.

— Je sais, ma chérie, maman me l'a dit. Tu t'es bien amusée ?

— Oui, répondit Ellie avec sérieux.

De nombreux parents et enfants, les yeux brillants d'excitation et le visage rougi par le froid, attendaient devant les grilles de Lauderdale House. Jeanie rangea la poussette avec les autres et prit la main d'Ellie pour l'emmener à l'arrière de la maison.

— Oooh !... C'est joli ! s'exclama Ellie, tandis qu'elles tournaient le coin pour découvrir l'énorme arbre orné d'une multitude de guirlandes lumineuses, une grande étoile scintillant au sommet. Des gobelets de vin chaud et de jus de fruits étaient posés sur des tables le long du mur, et trois jeunes filles présentaient des plateaux de saucisses chaudes et grasses accompagnées de moutarde et de ketchup. Les musiciennes – quatre filles, probablement des étudiantes – patientaient gaiement, emmitouflées dans de grosses écharpes en laine assorties à leurs bonnets tricotés. Deux d'entre elles accordaient leur violon, une autre portait une clarinette, et la dernière était assise devant le piano de la maison, qu'on avait installé devant les fenêtres de la terrasse pour que les cordes ne se brisent pas sous l'effet du froid. Ellie mâchait sa saucisse en silence, le regard brillant d'admiration, tandis que la musique commençait et que la foule attendait, partition à la main, éclairée par les lumières de la maison. Jeanie regrettait que Chanty ne les ait pas accompagnées.

— Din est là, annonça soudain Ellie.

— Dylan ? Où ça, ma chérie ? demanda Jeanie en regardant autour d'elle, le cœur battant la chamade.

— Là-bas.

Ellie montra la foule, et Jeanie aperçut alors le beau visage du petit garçon, éclairé par les guirlandes de l'arbre qu'il observait. Et, derrière lui, une main tendrement posée sur l'épaule de son petit-fils, se tenait Ray.

Jeanie tenta en vain de se calmer. Ils ne l'avaient pas encore remarquée, elle avait encore le temps de fuir. Mais Ellie la tira soudain par la main.

— Viens, Jin… On va voir Din.

Ray sembla aussi surpris qu'elle. Ils s'observèrent, incapables de prononcer le moindre mot.

— Bonjour, Jin, lui sourit Dylan. Tu ne trouves pas qu'il est super, l'arbre ?

— C'est magnifique, parvint à répondre Jeanie, les lèvres transies de froid, mais pas seulement.

Ellie tendit les bras vers elle.

— Câlin, dit-elle, ce qui signifiait qu'elle voulait qu'on la porte.

Jeanie souleva sa petite-fille qui adressa un sourire timide à Ray.

— Bonjour, ma jolie, dit Ray avec un large sourire, effleurant brièvement la main d'Ellie. Ça fait longtemps que je ne t'ai pas vue.

Le son de sa voix ramena Jeanie aux instants qu'ils avaient partagés, comme si les mois qui venaient de s'écouler n'avaient jamais existé.

— Il fait vraiment froid, déclara Ray en tapant des pieds et en frappant ses mains gantées l'une contre l'autre pour faire rire Ellie. (Jeanie n'osait parler.) Dylan, emmène Ellie devant pour qu'elle voie mieux, demanda-t-il à son petit-fils.

À l'abri dans les bras de sa grand-mère, Ellie sembla sur le point de refuser et regarda le petit garçon avec méfiance, mais rares étaient ceux, même de l'âge d'Ellie, qui pouvaient résister au sourire de Dylan. D'un air presque adulte, il prit la main de la fillette dans la sienne et la guida avec douceur à travers la foule pour se placer juste devant le vicaire – un homme charismatique aux cheveux noirs et au visage avenant qui retenait l'attention du public.

Jeanie et Ray restèrent silencieux tandis que des voix s'élevaient autour d'eux, d'abord incertaines, avant de gagner en confiance à la fin du premier couplet de *Minuit chrétien*.

Jeanie ne quittait pas sa petite-fille des yeux, mais son esprit était entièrement tourné vers l'homme qui se tenait à ses côtés.

— Comment vas-tu ? finit par demander Ray sans la regarder.

— Je…, commença-t-elle. Je ne sais pas quoi répondre, ajouta-t-elle d'un ton piteux après un long moment.

Ray eut un petit rire.

— Et ça, c'était la question facile.

Elle ne put s'empêcher de sourire, regrettant de ne pas être aussi détendue que lui : il s'était adressé à elle comme s'ils étaient de vieux amis et semblait épargné par la souffrance qui la torturait.

— Et toi ? demanda-t-elle en jetant un coup d'œil rapide vers son visage magnifique.

— Rien à signaler, répondit-il d'une voix qui semblait indiquer qu'elle n'avait aucun droit de lui poser ce genre de questions.

— Je t'ai vu, l'autre jour, s'entendit-elle déclarer sans pouvoir s'en empêcher, brisant la promesse qu'elle s'était faite de ne jamais aborder le sujet si l'occasion se présentait.

— Où ça ? voulut-il savoir.

— Sur la colline… Il pleuvait.

Il patienta un instant, s'attendant peut-être à ce qu'elle poursuive.

— À Highgate Hill ? Je ne t'ai pas vue. Je pensais qu'on finirait par se croiser, mais… (Il se détourna, ce qui renforça encore les craintes de Jeanie.) Tu aurais dû me dire bonjour, ajouta-t-il un peu tard.

Elle aperçut Ellie qui s'efforçait de les rejoindre. Jeanie se pencha pour prendre sa petite-fille dans ses bras.

— Tu t'amuses ?

La petite-fille avait l'air épuisée mais déterminée.

— Oui… Le monsieur chante très fort, comme Ray, dit-elle en souriant et en regardant le vicaire. Je peux ravoir une saucisse, Jin ? Avec du ketchup ?

Jeanie regarda autour d'elle, mais n'aperçut que des plats vides.

— Je vais lui en chercher, proposa Ray, s'éclipsant avant que Jeanie ait pu l'en empêcher pour revenir avec une petite assiette en papier contenant quatre saucisses et une bonne dose de sauce à la tomate.

— Merci, dit Ellie spontanément, ses yeux brillants rivés sur la nourriture.

Tandis que la petite fille savourait lentement les saucisses, Jeanie attendait désespérément d'être enfin délivrée de la présence étouffante de cet homme qui ne ressentait plus la même chose qu'elle. À son grand déplaisir, elle prit conscience que ses sentiments n'avaient pas changé depuis leur dernière rencontre. Elle l'aimait toujours autant.

Sous la direction du séduisant prêtre, les chanteurs entamèrent une autre hymne d'une voix joyeuse et déterminée. Tout était parfait, comme sur une carte postale : les arbres étincelaient, la musique était entraînante, l'air frais rougissait les visages, l'esprit de Noël était présent. Jeanie, quant à elle, était plongée dans un désespoir insondable qui, tel un gigantesque oiseau noir, lui semblait planer au-dessus de cette joyeuse assemblée. Croyait-elle réellement qu'elle avait encore une chance, après avoir vu la magnifique jeune femme sous le parapluie ?

— On ferait mieux de rentrer, dit-elle à Ellie, espérant que celle-ci ne ferait pas de crise.

Mais l'enfant, trop fatiguée pour se plaindre, s'accrocha à Jeanie, sa petite tête blonde reposant lourdement sur l'épaule de sa grand-mère.

— Au revoir.

Elle jeta un dernier regard à Ray qui l'observait d'un drôle d'air.

— Nat a dit que tu avais déménagé dans le Devon, ajouta-t-il comme elle s'apprêtait à partir.

— Le Somerset. Et ce n'est pas le cas, enfin ça ne l'est plus. George et moi, on s'est séparés. Je vis au-dessus du magasin.

Ray leva les yeux vers elle.

— Ça a dû être difficile… Je suis désolé, souffla-t-il.

Troublée, elle se contenta de secouer la tête.

— C'est mieux comme ça. (Ellie commença à s'agiter.) On doit y aller… Ça m'a fait plaisir de te revoir.

Elle ne put s'empêcher de lui parler d'une voix presque formelle, serrant le petit corps d'Ellie contre elle comme un bouclier.

Ray acquiesça.

— Ça m'a fait plaisir aussi, rétorqua-t-il mais, contrairement à elle, il avait l'air sincère.

Les chants s'étaient interrompus, la foule se pressait vers les portes pour retrouver la chaleur de leur foyer. Jeanie récupéra la poussette et y installa l'enfant endormie, enroulant la couverture autour d'elle. Jeanie avait les pieds gelés, et un vent mordant lui soufflait au visage tandis qu'elle se dirigeait vers la maison de sa fille. Elle pleurerait plus tard, se promit-elle comme si c'était là une agréable perspective. Puis, soudain, elle se rappela que George arrivait le lendemain matin.

George se tenait au milieu du salon, les mains sur les hanches, à regarder autour de lui comme un propriétaire trop curieux. Jeanie dut presque fournir un effort pour se souvenir que l'appartement ne lui appartenait pas.

— Tu as fait du beau boulot, c'est très agréable. Peut-être un peu petit… Non, vraiment, c'est beaucoup plus joli que la dernière fois que je suis venu. (Il leva les yeux vers elle.) Tu as toujours su donner un côté accueillant aux endroits que tu décores.

Elle observa son visage afin de s'assurer qu'il ne cherchait pas à lui faire un reproche, mais il semblait détendu, peu désireux de provoquer une dispute.

— Tu veux du thé ? Assieds-toi.

Elle croyait que ce serait plus étrange de revoir George, mais leurs désaccords actuels ne faisaient pas le poids face à des années de vie commune et de partage.

— Chanty aimerait qu'on passe prendre un verre ce soir, ajouta-t-elle.

George se frotta les mains en souriant à sa femme.

— Ça sera agréable, tu ne crois pas ? Je suis impatient de voir la petite. Je lui ai fabriqué un coffre à jouets et j'y ai collé des tas de trucs. Je te le montrerais bien, mais je l'ai déjà emballé. Ça n'a pas été facile, d'ailleurs. Il est dans la voiture.

— Elle va l'adorer, elle est tellement excitée. Elle ne comprend pas vraiment ce qu'on fête, mais elle sait bien que c'est amusant.

— Et le bébé ? Toujours aucun signe ?

Jeanie lui tendit sa tasse de thé, bien fort, sans lait ni sucre.

— C'est prévu pour aujourd'hui. La pauvre chérie, elle est vraiment énorme. Ellie est née trop tôt, mais pas pour les bonnes raisons. Qui sait combien de temps ça prendra cette fois-ci ?

Ils dégustèrent leur thé en discutant comme s'il n'y avait jamais eu le moindre problème entre eux. Jeanie se demandait s'ils devaient continuer ainsi et si George ne risquait pas de prendre cela comme un signe de réconciliation. Elle avait à peine dormi et était épuisée. La veille, Chanty et Alex avaient insisté pour qu'elle reste dîner quand elle avait ramené Ellie, et, contrairement à ses habitudes, elle avait bu plus que de raison pour ne pas éclater en sanglots. Lorsqu'elle était enfin rentrée chez elle, elle était trop désespérée pour pleurer. Elle s'était assise sur le canapé, complètement sonnée, et avait attendu que le jour se lève, la fraîcheur du matin la forçant alors à regagner son lit. Elle avait l'impression de flotter, comme si cette journée n'était pas réelle et que George n'était pas vraiment là.

— Et si je montais mes affaires, pour ne pas les laisser traîner ? demanda-t-il bien qu'il n'ait apparemment pris que son petit fourre-tout de cuir. Ce n'est pas tout : le reste est dans la voiture, ajouta-t-il quand il s'aperçut que Jeanie regardait le petit sac.

Tout le monde se maîtrisa admirablement bien au cours de la soirée. Ils feignaient tous de se comporter comme si tout allait bien. Ils parlèrent d'Ellie et du bébé à venir, s'efforçant de profiter du bonheur d'être en famille. Alex observa Jeanie à plusieurs reprises, mais celle-ci était bien déterminée à profiter du moment présent et à se réjouir de l'excitation contagieuse de sa petite-fille.

Tandis qu'ils rentraient chez eux, George lui passa un bras autour des épaules, et elle ne fit aucun geste pour le repousser. Ils s'étaient mis d'accord la nuit précédente : George avait insisté pour prendre le canapé sans faire d'histoires – à la grande surprise de Jeanie –, aussi ne s'inquiétait-elle pas qu'il s'imagine quoi que ce soit. Ils étaient tous deux un peu soûls, mais également soulagés que la soirée se soit si bien passée.

— Tu veux un dernier verre ? demanda George lorsqu'ils entrèrent.

Jeanie accepta, se sentant soudain rebelle et insouciante tandis qu'elle attendait que George récupère la bouteille de brandy glissée dans sa valise. *Je contrôle la situation, je suis une femme forte, je peux survivre à tout ça, survivre à ces deux hommes*, se dit-elle en ignorant la bulle d'hystérie qui la narguait sous la surface.

— Alors, comment ça se passe, Jeanie ?

George était complètement soûl : l'alcool adoucissait les traits de son visage, d'habitude revêches et fermés, lui donnant un air vulnérable.

Il lui sourit.

— Alors ? Comment ça se passe ? répéta-t-il comme elle ne répondait pas.

— Ça va, George. C'est un peu bizarre.

— Moi aussi, je trouve ça bizarre. C'est vraiment étrange de ne pas t'avoir avec moi. (Il s'interrompit.) Je n'aime pas ça, tu sais. (Jeanie resta silencieuse.) Et toi ?

Elle entendit la voix de George se durcir presque avant qu'il ne parle, mais elle était vulnérable, elle aussi, et bien trop fatiguée pour tergiverser.

— Non, George, bien sûr que non. Je n'aime pas ça. Personne n'a envie de se séparer de son conjoint après un si long mariage.

Il la regardait, cherchant à comprendre ce qu'elle venait de dire.

— Tu n'as qu'à rentrer avec moi alors, déclara-t-il d'une voix qui n'exprimait aucun soulagement, sans lui demander si elle était sincère.

— Je n'ai jamais dit que je voulais rentrer. J'ai juste dit que c'était difficile.

— Mais tu as dit que tu n'aimais pas qu'on soit séparés. Ça veut dire que tu veux rentrer à la maison avec moi, n'est-ce pas ?

Frustré, il se pencha brutalement en avant, au-dessus de la table basse.

— Je t'en prie, ne commence pas. On a passé une si belle soirée.

Il se leva et la regarda.

— Tu es une vraie garce parfois, déclara-t-il d'une voix sèche, impuissant. Tu ne sais pas ce que tu veux. Tu comptes jouer avec moi jusqu'à ce que tu te décides ? C'est ça, ton plan ?

Jeanie était choquée. Il ne l'avait jamais insultée avant, bien qu'elle le mérite amplement. Pour la première fois, elle se vit à travers les yeux de George : une femme égoïste, capricieuse et cruelle.

— Je suis désolée, s'excusa-t-elle.

— Ça ne veut rien dire. Désolée de quoi ? De ne pas savoir ce que tu veux ? D'avoir détruit un mariage parfaitement heureux ? (Il s'approcha d'elle.) Pourquoi es-tu désolée, Jeanie ? J'aimerais vraiment le savoir.

Elle se leva, prête à l'affronter.

— Je suis désolée pour tout ça, George.

Il inspira profondément.

— Qu'est-ce que ça veut dire, Jeanie ? demanda-t-il d'une voix suppliante en lui prenant la main. Dis-le-moi, j'ai besoin de savoir.

Jeanie observa ce visage qui lui était intensément familier, incapable de parler devant la peine qu'elle lui causait.

— Je suis une garce. Je le sais bien, crois-moi. Et tu as peut-être raison, je ne sais pas ce que je veux. Tout ce que je sais, c'est que je ne peux pas vivre dans le Somerset avec toi, George. Je ne peux pas. On ne veut plus les mêmes choses.

George s'accrochait à sa main, et elle savait qu'il s'efforçait de ne pas pleurer.

— Ça n'a rien à voir avec l'endroit où l'on vit, n'est-ce pas ? s'enquit-il doucement.

— Non, ça n'a rien à voir.

Cette nuit-là, ils partagèrent le lit de Jeanie. Peut-être parce qu'ils puisaient du réconfort dans la présence de l'autre, à présent qu'ils s'apprêtaient à vivre seuls, et peut-être également parce que, inconsciemment, ils savaient que c'était la fin de leur mariage.

Le matin de Noël arriva. Jeanie et George dormirent tard, épuisés et attristés par les révélations de la nuit. Ils parlèrent peu en s'habillant et en préparant le café. Le jour s'étirait devant eux, tel un marathon qu'ils n'avaient d'autre choix que de courir, et Jeanie était découragée d'avance en pensant à la journée qui s'annonçait.

— Ils nous attendent pour 11 heures, annonça-t-elle. Alex a dit qu'on mangerait à 13 heures, sinon ils ont peur qu'Ellie ne tienne pas le coup.

George acquiesça.

— On doit prendre la voiture pour transporter le coffre à jouets.

Ils s'étaient offert des cadeaux, mais aucun d'eux n'avait eu envie de les ouvrir. Les paquets – une petite boîte parfaitement emballée pour Jeanie, quelque chose qui ressemblait à un pull pour George – étaient intacts sur la table basse.

— Tu crois que je devrais leur offrir quelque chose du magasin de notre part à tous les deux ?

— Je ne suis pas sûr qu'ils aimeraient recevoir du jus d'herbe de blé ou une salade aux trois haricots pour Noël, répondit George avec un sourire.

— Je pensais plutôt à de l'huile d'olive biologique ou du fromage, rétorqua Jeanie avant d'éclater de rire. D'accord, tu as peut-être raison.

— Non, c'est une bonne idée, on n'a jamais trop d'huile d'olive.

Jeanie descendit au magasin pendant que George mettait les cadeaux dans un sac.

— Je te rejoins en bas.

C'était une journée magnifique : un soleil étincelant brillait dans un ciel bleu azur. Pour Jeanie, l'air frais avait un goût de liberté après toutes les épreuves qu'elle avait traversées. Elle se sentait beaucoup mieux tandis qu'elle glissait sa clé dans la serrure du magasin. Elle faillit ne pas voir le fin paquet brun contre la marche. Une petite carte était glissée sous le ruban rouge. Elle la retourna, mais elle ne trouva que trois X tracés à l'encre noire au centre de la carte. Elle sut immédiatement de qui provenait ce cadeau, même si elle n'avait jamais vu son écriture, car le paquet contenait un CD, *Chet Baker in Paris*, celui sur lequel Ray et elle avaient fait l'amour.

Rien ne l'avait préparée à cela. Pleurant toujours la fin de son mariage, elle semblait incapable de comprendre la portée de ce geste. Elle ne sut jamais combien de temps elle resta là, immobile, son cadeau à la main, avant que George ne passe la tête par la porte pour lui demander :

— Tu en mets, du temps. Tu as besoin d'aide pour choisir quelque chose ? (Elle s'empressa de cacher le CD derrière le comptoir.) Ça va ? Tu te sens bien ? Tu as mauvaise mine.

Jeanie parvint à sourire.

— Merci, tu sais vraiment parler aux femmes, toi.

— Ce n'est pas ce que je voulais dire, mais tu es toute pâle.

— Je vais bien, je t'assure. (Elle se dirigea vers l'étagère pour prendre une bouteille d'huile d'olive.) Je suis simplement fatiguée.

— Ce n'est pas étonnant, commenta-t-il sèchement.

Comme ils montaient en voiture, il ajouta :

— Ne t'inquiète pas, j'ai décidé de rentrer aujourd'hui après le déjeuner. Je pense que c'est mieux.

Elle faillit lui assurer que ce n'était pas nécessaire, qu'il pouvait rester, mais c'était par habitude. Elle eut soudain de la peine pour lui, pour eux. Elle ne dit rien, prenant conscience qu'elle s'efforçait de tenir le coup jusqu'à son départ. Le trajet s'effectua en silence. Ils n'avaient plus rien à se dire.

— Est-ce que ça va aller ? demanda Chanty en regardant la voiture de son père qui s'éloignait.

Le repas n'avait pas duré longtemps, comme s'ils étaient tous pressés d'échapper aux traditions de Noël. Chanty tenait son ventre entre ses mains comme pour l'empêcher de tomber, l'air complètement épuisée. Alex n'avait presque rien dit.

— Vous vous êtes disputés ? demanda-t-il après avoir mis Ellie au lit pour la sieste.

— Non... Enfin, on a discuté... Je crois qu'il a enfin compris que c'était terminé.

Soudain, Jeanie éclata en sanglots devant sa fille et son gendre, incapable de s'arrêter malgré ses efforts. Mais, contrairement à ce qu'elle craignait, ils ne semblaient ni embarrassés ni horrifiés, comme s'ils s'y attendaient depuis longtemps. Chanty s'approcha pour l'enlacer.

— Je suis désolée, sanglota Jeanie. C'est la dernière chose dont tu as besoin en ce moment. Ça va aller, c'est juste que... c'est si difficile. J'aime ton père, mais je ne peux plus vivre avec lui. C'est ce qui rend tout ça si difficile. Le coffre à jouets est magnifique, Ellie l'adore. Ça n'a rien à voir avec ton père. C'est un homme bien, mais ça ne marche plus. Je suis vraiment désolée, poursuivit-elle, parlant de George, de son mariage et de tout ce qui lui passait par la tête, tandis que Chanty et Alex hochaient la tête avec compassion.

— Vous croyez qu'il va rester là-bas ?

Chanty acquiesça.

— Il m'a dit qu'il s'y plaisait beaucoup. Il apprécie les gens. Sally vient plus souvent. Il a ses deux obsessions : les horloges et le jardinage. Je ne pense pas qu'il soit aussi seul qu'on pourrait le croire.

Les sanglots de Jeanie s'apaisèrent.

— C'est si triste, murmura-t-elle.

— C'est vraiment fini ? Pour toujours ? voulut savoir Chanty. Comment peux-tu en être aussi sûre, maman ? Surtout si tu l'aimes encore...

— J'en suis sûre et certaine, conclut Jeanie.

Chapitre 23

Jeanie, étendue sur le canapé, se passait le CD de Chet Baker en boucle. Elle se laissait emporter par la mélodie, les notes langoureuses la ramenant à ces instants inoubliables qui avaient changé sa vie. Ce soir-là, pour la première fois depuis leur séparation, elle se sentait libre de revivre ces souvenirs, car George avait enfin compris que tout était terminé.

Le geste de Ray était sans équivoque, pourtant Jeanie hésita avant de l'appeler. Elle voulait profiter de cet espoir fugace qui serait bientôt remplacé par le doute et la crainte, comme dans toute relation amoureuse.

Le lendemain de Noël, elle envoya un texto à Ray pour lui proposer un rendez-vous. Il répondit qu'il était d'accord.

Le message de Jeanie disait : « Rendez-vous au parc à 12 heures ? »

Celui de Ray ne contenait que des baisers.

Ce matin-là, elle s'attarda longuement devant le miroir de la salle de bains. Cette fois, l'obscurité ne pourrait pas masquer ses imperfections, songea-t-elle avant de se reprocher sa vanité. Elle s'habilla avec soin, enfilant des vêtements qu'elle n'avait jamais portés, avant de les enlever, paniquée, puis de recommencer l'opération. Les considérations pratiques l'emportèrent :

c'était le milieu de la journée, et il faisait froid : aussi opta-t-elle pour un jean, des bottes et son pull préféré en cachemire couleur crème.

Ray était déjà là lorsqu'elle dépassa le tournant qui menait à l'aire de jeux, assis sur le banc devant l'étang aux canards où il l'avait si souvent attendue. Son cœur manqua de bondir dans sa poitrine lorsqu'elle l'aperçut.

Il se leva en la voyant, et, l'espace d'un instant, ils restèrent tous deux paralysés, comme perdus quelque part entre le passé et le présent.

— Oh, Jeanie ! murmura-t-il en lui ouvrant les bras.

Elle ressentit un bonheur indicible lorsqu'il l'enlaça, la pressant fermement contre son torse.

Ils n'osaient pas parler, comme si les mots risquaient de rompre le charme, et se promenèrent en silence dans le parc, main dans la main, pour descendre la colline et rejoindre le seul café qui serait ouvert un jour férié.

— Si tu savais comme tu m'as manqué, déclara Ray, une fois qu'ils furent assis sur les chaises branlantes de métal dans la douceur du soleil hivernal.

Autour d'eux, de nombreux promeneurs savouraient leur café en s'efforçant de calmer leur chien.

— Je le sais, dit-elle avec chaleur.

Aucun d'eux ne pouvait s'empêcher de sourire.

— Mais tu croyais que ça ne marcherait pas entre nous.

— Non, je pensais que je ne devais pas quitter George.

— Qu'est-ce qui t'a fait changer d'avis ?

— Toi, je crois. (Elle rit.) Et puis, je t'ai vu avec cette magnifique jeune femme et j'ai cru que c'était terminé, que tu étais passé à autre chose.

— Quelle magnifique jeune femme ? demanda-t-il, perplexe.

— Tu peux me dire la vérité. Je vous ai vus sous un parapluie. Vous aviez l'air très proches.

Ray réfléchit un instant avant d'éclater de rire.

— Mica, c'était Mica ! Tu as cru qu'on était ensemble ?

— Tu avais passé un bras autour de ses épaules... Vous aviez l'air très proches, répéta Jeanie, troublée par sa réaction.

— C'est mon assistante. Elle m'aide à diriger le centre. Ce jour-là, elle venait de m'annoncer qu'elle était enceinte ! Oh, Jeanie, je n'arrive pas à croire que tu aies pu être jalouse de Mica ! C'est à mourir de rire.

— Oui, bon, ce n'est pas la peine d'en faire toute une histoire. Ça ne m'a pas fait rire, moi. J'ai cru que j'allais m'écrouler sur le trottoir, admit-elle. M'écrouler et mourir, ajouta-t-elle.

Ray acquiesça.

— Je comprends ce que tu veux dire, crois-moi. Ça m'a torturé pendant des mois de penser que tu étais avec ton mari. J'en étais malade.

— Je lui devais bien ça. Il est toujours convaincu que je le quitte en partie à cause du viol, que je suis dégoûtée par ce qui lui est arrivé. Je le suis, bien sûr, mais pas comme il le pense. Et aussi à cause de toi. Il savait que je pensais à toi, même lorsqu'on ne se voyait plus.

— Tu lui as dit la vérité ? À propos de nous ?

— Non. Est-ce qu'il avait vraiment besoin de savoir ce que je ressentais ?

— Probablement pas, répondit Ray en haussant les épaules.

— Tu crois que j'aurais dû lui dire ?

— Je ne sais pas, Jeanie. Ce n'est pas à moi de te dire ce que tu aurais dû faire ou non. Je pense qu'il vaut toujours mieux être honnête, mais, parfois, la vérité peut rendre fou.

— Moins que l'imagination ?

— Peut-être pas.

— Ne parlons pas de George, déclara Jeanie en lui prenant la main.

— D'accord. (Durant l'espace d'un instant, ils restèrent silencieux, incapables de prendre réellement conscience de leur droit d'être enfin ensemble.) Jeanie, tu crois que ça peut marcher ? Toi et moi ?

Elle inspira profondément.

— On pourrait essayer, répondit-elle en souriant.

Ray secoua la tête.

— C'est ça le truc. Je n'ai pas besoin de faire d'efforts avec toi. Je ne crois pas m'être déjà senti aussi bien avec quelqu'un d'autre. C'est pour ça que j'ai eu le cœur brisé quand tu es partie. Je savais que je ne pourrais jamais retrouver ça.

— Si on marchait ? proposa Jeanie. Il commence à faire froid.

— Peut-être... peut-être qu'on pourrait aller chez moi ? offrit Ray en souriant.

À sa plus grande joie, Jeanie s'aperçut soudain qu'elle n'avait aucune raison de ne pas accepter.

Ils firent l'amour avec sensualité et passion, comme pendant la première nuit. Sauf que, cette fois, leurs gestes n'exprimaient aucun désespoir : juste le bonheur de s'aimer. La douleur de la séparation imminente qui les avait torturés la première fois avait disparu.

Jeanie était blottie contre Ray qui caressait doucement ses bras nus.

— Je suis au paradis, murmura-t-il.

Elle leva la tête pour lui donner un baiser léger qui se fit plus fougueux. Ils furent interrompus par la sonnerie du téléphone. Jeanie soupira et prit son portable. Elle comprit dès qu'elle vit le numéro s'afficher.

— Alex ?

— J'emmène Chanty. Ellie est avec moi. Pourriez-vous passer la prendre à l'hôpital ? (Malgré ses efforts, Jeanie sentait qu'il était inquiet.) On aurait voulu appeler plus tôt, mais les contractions se sont brusquement accélérées. Où êtes-vous ? Je crois qu'il n'y en a plus pour très longtemps.

— Je pars tout de suite. Je serai là dans quinze minutes. (Elle coupa la communication et se leva précipitamment.) Chanty va accoucher. Je dois aller récupérer Ellie.

Ray s'assit.

— Ouah ! Bonne chance, j'espère que tout ira bien.

Elle se pencha pour lui donner un baiser léger avant de descendre la colline en courant pour rejoindre la maternité, le cœur gonflé de joie.

Rebecca Anne pesait 3,5 kg et était tout simplement parfaite. Le temps qu'Alex emmène Chanty à la maternité, il était déjà trop tard pour la péridurale, mais cela n'avait pas été une naissance difficile. « C'est facile à dire, pour vous », avait rétorqué Chanty quand on lui en avait fait la remarque. Ellie s'était émerveillée de l'arrivée de sa petite sœur pendant environ vingt-quatre heures avant de piquer des crises de jalousie. Mais Chanty n'en avait cure, se réjouissant peut-être de ne pas devoir se débrouiller seule comme à la naissance d'Ellie.

Jeanie refusait d'avouer la vérité à sa famille à propos de Ray. Elle craignait leur réaction et les reproches qui allaient certainement fuser.

— Dis-leur, ma chérie, la pressa Rita. Qu'est-ce qu'ils peuvent bien faire ? Ils ne vont pas apprécier, mais c'est ta vie.

— Je sais, mais il vaut mieux attendre. Ils feront moins d'histoires si ça fait longtemps que j'ai quitté George.

— Si tu attends, ils risquent de l'apprendre par une tierce personne. Quelqu'un qui t'aura vue avec Ray viendra tout leur raconter. C'est ce qui finit toujours par arriver.

— Qu'est-ce que je fais si Chanty refuse que je voie Ellie ou le bébé ? Elle déteste Ray. Elle pense que c'est sa faute si j'ai quitté George.

— Elle a raison. Du moins, en partie. Mais Chanty ne t'empêchera jamais de voir les enfants. Bien sûr qu'elle le déteste, mais elle finira par s'y faire. Elle t'aime et elle veut que tu sois heureuse. (Rita s'interrompit, adressant un regard compréhensif à Jeanie.) Personne n'a dit que ce serait facile, ma chérie.

— Mais tu ne penses pas qu'on fait quelque chose de mal, tous les deux ?

— Bien sûr que non, ma chérie. Je suis horriblement jalouse, mais ça n'a rien à voir avec ça.

Jeanie éclata de rire.

— Encore un peu de vin ?

— Merci, dit Rita en tendant son verre. Je craignais que tu aies quitté George sur un coup de tête, même si je savais que tu étais malheureuse avec lui. J'ai cru que ce n'était qu'une erreur de parcours, que vous finiriez par tout arranger, comme beaucoup d'autres couples. Ça semblait tellement irresponsable de partir comme ça...

— Pour quelqu'un de mon âge, tu veux dire, l'interrompit Jeanie.

— Oui, pour quelqu'un de ton âge. (Elle leva son verre.) Trinquons, ma chérie. À l'amour!

— Je vais bientôt prévenir Chanty, je t'assure.

Elle se fit cette promesse à elle-même en même temps qu'à Rita. Elle savait que c'était le dernier obstacle à franchir et que, quoi qu'il arrive, elle ne serait vraiment libre d'aimer Ray qu'après l'avoir annoncé à sa famille.

Cela faisait trois semaines que Jeanie avait retrouvé Ray sur le banc du parc, trois semaines depuis la naissance de Rebecca. Elle discutait avec Ray presque tous les jours, et ils se voyaient aussi souvent qu'ils le pouvaient, Ray passant la nuit à l'appartement de Jeanie ou le contraire. La passion qui les consumait lorsqu'ils faisaient l'amour ne cessait de les surprendre, surtout Jeanie. Elle n'avait jamais imaginé que ses sentiments puissent s'accompagner d'un désir aussi physique.

— Tu m'emmèneras naviguer, un jour ? lui demanda-t-elle d'une voix ensommeillée, une nuit où elle était étendue à son côté.

Le bonheur de le sentir contre elle suffisait à lui donner le vertige. Elle ressentait un plaisir absolu, total, comme elle n'en avait jamais connu auparavant.

— Notre bateau naviguant sur l'Adriatique, le soleil qui nous réchauffe le visage, le sel de l'océan qui s'attarde sur nos lèvres et dans nos cheveux, une brise fraîche qui nous caresse tandis qu'on est allongés sur le pont en bois, les voiles blanches, immobiles au-dessus de nous. Nat m'a dit où tu étais allé l'été dernier. C'est comme ça que je m'imaginais la scène.

Ray remua derrière elle.

— On partira au printemps. On pourrait emprunter le bateau de Phil et aller où tu veux.

— Et le boulot ?

— On a quand même droit à des vacances, tu ne crois pas ? (Elle l'entendit rire dans le noir.) Tu devrais apprendre l'aïkido, Jeanie. Ça te permettrait de ne plus t'inquiéter autant. Tu analyses tout en permanence, ce n'est pas sain.

— Vraiment ? Désolée, c'est juste que je m'inquiète depuis si longtemps. C'est presque une habitude. (Elle se tourna vers lui.) Comment Nat a-t-elle réagi quand tu lui as annoncé, pour nous deux ?

— Elle a été surprise. Elle ne s'y attendait pas, mais elle est contente. Elle t'apprécie, et Dylan aussi. Je crois qu'elle est soulagée que je sois tombé amoureux de quelqu'un comme toi et pas d'une bimbo de vingt ans.

Ils restèrent silencieux durant un instant. Ils savaient tous deux que Jeanie repoussait sans cesse la discussion avec sa fille.

— D'accord, se décida-t-elle. Je vais le dire à Chanty demain.

Ray ne réagit pas. Elle avait déjà dit cela des dizaines de fois au cours de la semaine précédente. Elle savait qu'il ne la croyait pas.

Chanty appela le lendemain matin, alors que Jeanie et Ray prenaient leur petit déjeuner au-dessus de la boutique. C'était presque comme si elle avait deviné que sa mère voulait lui parler.

— Je vais à Crouch End avec Becca ce matin, maman. Ellie est à la crèche. Ça te dirait qu'on aille prendre un café chez l'Italien ? Histoire de sortir un peu.

— Ça me ferait vraiment plaisir. À quelle heure ?

— Je serai là vers 11 heures, dès qu'elle aura mangé. Alex passera chercher Ellie, comme ça je n'aurai pas besoin de me dépêcher.

— On se retrouve là-bas. J'ai hâte de te voir.

Elle adressa un regard coupable à Ray.

— Tu ne peux plus y échapper maintenant, sourit-il.

— C'est facile à dire pour toi, rétorqua-t-elle, l'estomac noué.

— À t'entendre, Chanty est un monstre. Ça ne peut pas être si terrible que ça. De toute façon, elle a probablement déjà tout deviné.

Jeanie se dirigea vers la cafetière pour remplir sa tasse.

— Comment le pourrait-elle ? Durant ces derniers mois, chaque fois que ton nom est venu dans la conversation, je lui ai assuré qu'on ne se voyait plus.

Ray lui adressa un regard plus amusé qu'autre chose.

— Rappelle-toi qu'elle t'aime, déclara-t-il, prenant la tasse que Jeanie lui tendait pour déposer un baiser léger au creux de sa main.

Jeanie inspira doucement.

— C'est ce qu'a dit Rita. Je sais qu'elle m'aime.

— Mais tu te sens toujours coupable d'être avec moi.

Elle acquiesça.

— Oui, enfin pas vraiment coupable d'être avec toi, mais plutôt d'avoir détruit notre famille. (Elle s'interrompit.) Et j'ai aussi l'impression qu'une part de moi trouve que c'est indécent de tomber amoureuse à mon âge.

— C'est merveilleux, n'est-ce pas ? On forme une belle paire de vieux débris. On devrait plutôt se réjouir d'en être encore capables. (Il l'entraîna vers le canapé en souriant.) Fais attention ou je te promets de faire en sorte que tu ne puisses pas aller travailler, voir ta fille ou même sortir de cet appartement.

Jeanie finit par se laisser convaincre par Ray et descendit la colline d'un pas décidé en direction de Crouch End, certaine que tout se passerait bien.

— Maman, si tu me jures que tu ne l'as pas revu avant de te séparer de papa, je te crois.

— Vraiment ? Eh bien ton père ne me croit pas, lui !

Chanty soupira en poussant le landau d'avant en arrière pour bercer le bébé, emmitouflé dans une adorable grenouillère en laine blanche surmontée d'oreilles de lapin.

— C'est normal qu'il ne te croie pas, mais je te fais confiance, maman. Ce type semble déterminé à détruire notre famille, ajouta-t-elle avec colère.

Jeanie triturait les sachets de sucre au milieu de la table, tournant et retournant les minces tubes en papier.

— Tout allait très bien entre papa et toi avant qu'il se pointe. De quel droit peut-il détruire un mariage qui dure depuis trente-cinq ans, sans parler de notre famille ? (Elle leva les yeux vers sa mère.) Je ne supporte pas de te voir tomber dans le panneau.

Cela se passait exactement comme Jeanie l'avait craint ; elle ne put s'empêcher de se hérisser devant les accusations injustes de Chanty.

— Tout n'était pas parfait, Chanty.

— Bien sûr, tu dis ça maintenant. Tu inventes toutes sortes de problèmes qui n'ont jamais existé pour soulager ta conscience.

De colère, elle poussait le landau avec des mouvements brusques, mais la petite Rebecca dormait toujours profondément.

— La vérité, c'est que ça faisait dix ans que ton père ne couchait plus avec moi, bien avant que je rencontre Ray, finit-elle par avouer, incapable de se contenir plus longtemps. Et le pire, c'est qu'il refusait de m'expliquer pourquoi. Il s'est installé dans la chambre d'amis, se contentant de me dire qu'il n'en pouvait plus. (Elle croisa le regard de Chanty.) Excuse-moi, je n'aurais pas dû dire ça.

— Pourquoi a-t-il fait ça ? Qu'est-ce qui s'est passé ? demanda Chanty, sans relever les excuses de sa mère.

— C'était le jour où il a croisé Acland. Apparemment, tout lui est revenu d'un coup, le viol, tout.

— Tu ne savais pas pourquoi il réagissait comme ça ?

— Non. À l'époque, je ne savais rien. (Elles restèrent silencieuses pendant un moment.) Écoute, ma chérie, je n'ai jamais eu l'intention de te dire ça et je ne m'attends pas à ce que tu compatisses. C'est moi qui ai détruit ce mariage, pas Ray. Ton père et moi sommes tous les deux responsables.

— Ça a dû être difficile, avec papa. C'est très long, dix ans... (Elle soupira.) Il n'arrivait probablement pas à te le dire.

— Non, et je le comprends à présent. Mais ça n'a pas rendu les choses plus faciles entre nous.

— Alors, quand tu as rencontré Ray...

— Je ne cherchais pas un amant. Si c'était le cas, j'aurais trompé ton père il y a des années de ça. Je m'étais résignée à accepter la situation. Mais ton père a détruit quelque chose – la confiance qu'il y avait entre nous – lorsqu'il a refusé de me dire ce qui n'allait pas, sans s'inquiéter de ce que je ressentais.

Chanty détourna les yeux.

— Tu aimes cet homme, maman ? demanda-t-elle sans oser regarder sa mère.

— Oui, ma chérie, répondit Jeanie en inspirant profondément. Je l'aime.

Épilogue

Jeanie eut besoin de temps pour retrouver les bons gestes. Elle n'avait pas navigué depuis plus de quarante ans et n'avait jamais dépassé les côtes du Norfolk. Mais Ray était un professeur patient et prenait énormément de plaisir à aider Jeanie à se débrouiller sur le voilier. Le *Magda* était magnifique : un navire blanc aux lignes pures qui faisait la fierté et la joie de Phil. Ils embarquèrent à Brindisi sur l'Adriatique et naviguèrent le long de la côte dalmate pour jeter l'ancre dans de petites criques, nager dans une eau bleu azur – que Ray aimait à qualifier de « fraîche » alors qu'elle était franchement froide en ce mois d'avril – ou encore prendre le canot pour visiter les petits ports et les minuscules villages qu'ils croisaient. Ray était bien plus agile et à l'aise que Jeanie, mais elle finit par prendre ses marques.

Ce soir-là, elle était assise sur le pont du navire, profitant du soleil couchant en regardant les photos d'Ellie et de Becca que lui avait envoyées Chanty. Le bébé avait énormément changé en trois semaines à peine.

Le visage bronzé de Ray apparut par l'écoutille.

— Tu veux un verre ?

Les trois mois qui venaient de s'écouler avaient été pour Jeanie les plus étranges de toute sa vie : tout était si simple. Elle se sentait bien, avec Ray.

Chanty avait d'abord refusé d'en parler, se montrant même hostile et désagréable envers Ray. Deux semaines avant leur départ, Alex avait apparemment convaincu sa femme qu'elle devait faire des efforts, et Chanty avait invité Jeanie et Ray à dîner. La soirée s'était relativement bien passée. Chanty s'était peu à peu détendue et avait fini par tomber sous le charme de Ray, qui ne cherchait pas à tout prix à se faire accepter. À la fin de la soirée, Chanty semblait légèrement moins réticente à la relation de sa mère avec Ray.

Jeanie était certaine que George n'était pas étranger aux efforts de sa fille pour faire la paix.

— Sally passe de plus en plus souvent, lui avait-il confié un jour.

Chanty n'avait pas commenté cette déclaration en apparence anodine. George s'était alors aperçu que sa fille n'avait pas compris ce qu'il cherchait à lui dire, et il n'hésita pas à insister lourdement :

— On passe beaucoup de temps ensemble, Sally et moi.

— Sally et toi ? (Chanty n'avait toujours pas saisi.) C'est bien. Qu'est-ce que tu veux dire, papa ?

— Eh bien, elle reste pour dîner et... pour le reste, avait-il répondu.

Étonnée, Chanty avait rapporté cette conversation à Jeanie qui n'avait pas vraiment été surprise. Elle savait que Sally s'occuperait de George sans poser de questions et, surtout, ignorait ce qui lui était arrivé. C'était une femme solide et compréhensive, dotée d'un sens de l'humour contagieux qui pourrait peut-être apporter à George la tranquillité que Jeanie ne pouvait plus lui garantir. Elle était heureuse pour lui. Ils s'inquiétaient tous de le voir si vulnérable, mais, comme l'avait dit Rita, George savait exactement comment obtenir ce qu'il voulait.

— Pauvre Chanty, avait-elle dit à Ray. Elle s'imaginait sans doute que ses parents passeraient leur temps à jardiner leur coin de campagne, comme tout bon retraité.

— Jeanie… Jeanie…

Ray la secouait doucement pour la réveiller. Il faisait très sombre dans la cabine.

— Qu'est-ce qui se passe ?

— Rien, rien du tout, ne t'inquiète pas. (Il lui sourit.) Viens avec moi, le soleil va bientôt se lever. C'est magnifique, il faut que tu voies ça.

Elle s'habilla en une seconde, enfilant son short et son tee-shirt pour suivre Ray. La nuit précédente, ils avaient jeté l'ancre dans une petite crique au nord de Rogoznica. Lorsque Jeanie monta sur le pont, les premiers rayons du soleil apparaissaient au-dessus des collines, nimbant les flots de reflets dorés et changeants, tandis que les falaises blanchies par le temps les surplombaient, plongées dans une lumière pourpre. Les planches de bois parfaitement poncées étaient froides sous ses pieds nus. Seuls le clapotis des vagues qui battaient doucement contre la coque et le cri des mouettes venaient troubler le silence.

Ray l'enlaça pour la serrer contre lui. Tandis que le soleil les enveloppait de sa douce chaleur, Ray la tourna vers lui et lui caressa doucement la joue en la regardant de ses yeux clairs qui brillaient dans la lumière du matin.

— La dernière fois que je suis venu ici, c'était l'enfer. Je croyais que je ne te reverrais plus jamais. Ce paradis semblait me narguer. (Ses magnifiques yeux gris-vert s'emplirent de larmes.) Mais ç'aurait été pareil n'importe où, n'est-ce pas ? demanda-t-il doucement.

Jeanie se contenta de l'embrasser, goûtant le sel sur ses lèvres en se réjouissant de sentir la force de son corps contre le sien. Elle leva les yeux vers le ciel pour envoyer un baiser imaginaire au-dessus de l'océan étincelant, avant de murmurer :

— Merci, Ellie. Merci, Dylan.

Découvrez aussi dans la même collection :

Chez votre libraire
22 juin 2012

Fern Michaels — Les Marraines : *Le Scoop*

Achevé d'imprimer en avril 2012
Par CPI Brodard & Taupin - La Flèche (France)
N° d'impression : 68710
Dépôt légal : mai 2012
Imprimé en France
81120765-1